개념 ⊗ 유형은
다양한 유형 학습을 통해
개념을 완성시키는
솔루션입니다.

연구진

이동환_ 부산교육대학교 교수
이상욱_ 풍산자수학연구소 책임연구원

집필진

강연주_ 상도 뉴스터디, 풍산자수학연구소 연구위원
김규상_ 광명 더옳은수학, 풍산자수학연구소 연구위원
김명중_ 상도 뉴스터디, 풍산자수학연구소 연구위원
설성환_ 광명 더옳은수학, 풍산자수학연구소 연구위원
이지은_ 부산 하이매쓰, 풍산자수학연구소 연구위원
윤형은_ 상도 뉴스터디, 풍산자수학연구소 연구위원

교과서 속 유형을 빠르게!

풍산자

개념 × 유형

초등 수학 5-2

구성과 특징

개념 이해

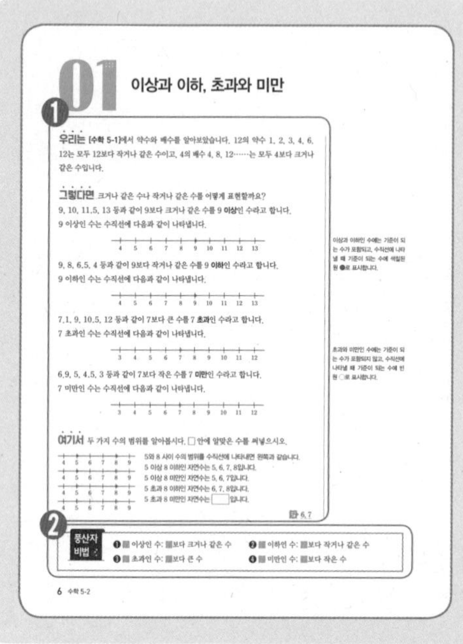
01 이상과 이하, 초과와 미만

❶ 이미 배운 내용으로 앞으로 배울 내용을 자연스럽게 연계한 개념학습으로 읽으면서 이해할 수 있도록 개념을 설명했어요.

❷ 읽으면서 이해한 개념을 풍산자만의 비법으로 한눈에 정리할 수 있도록 하였습니다.

3단계 문제 해결

1단계 교과서 + 익힘책 유형

교과서와 익힘책에 있는 다양한 문제를 풀어보며 배운 개념을 문제에 적용해요.

2단계 교과서 + 익힘책 응용 유형

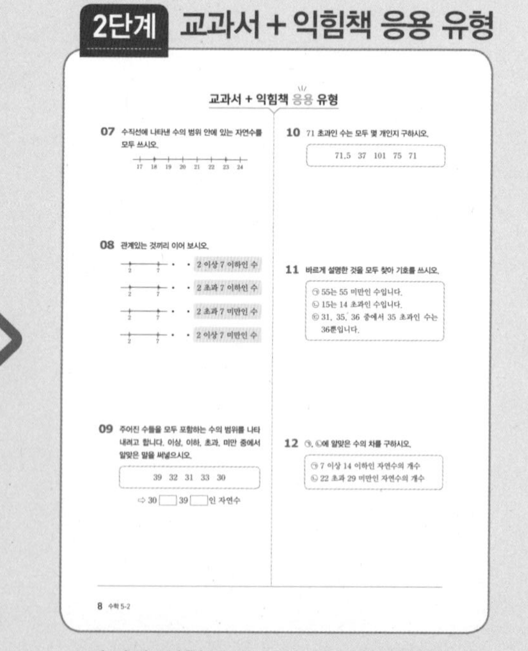
교과서 + 익힘책 응용 유형

교과서와 익힘책에 있는 유형을 응용한 문제를 풀어보며 문제 해결력을 높여요.

초등 풍산자 개념×유형의 포인트

1 읽으면서 이해되는 개념
이미 학습한 개념을 바탕으로 앞으로 배울 개념을 자연스럽게 배웁니다.

2 꼭 필요한 핵심 개념 수록
교과서 단원을 재구성한 핵심 개념으로 수학을 가장 빠르고 쉽게 익힙니다.

3 학습에 가장 효율적인 3단계 문제
유형의 3단계 문제 구성으로 수학 실력이 단계적으로 상승합니다.

3단계 잘 틀리는 유형

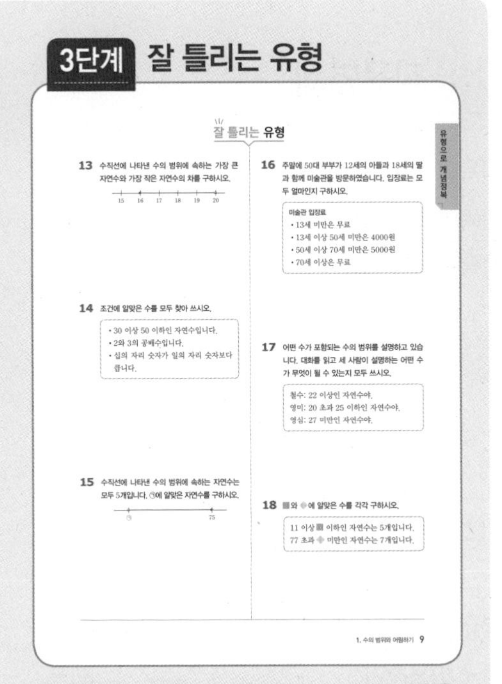

잘 틀리는 유형까지 풀어보며 개념 적용을 완벽하게 완성해요.

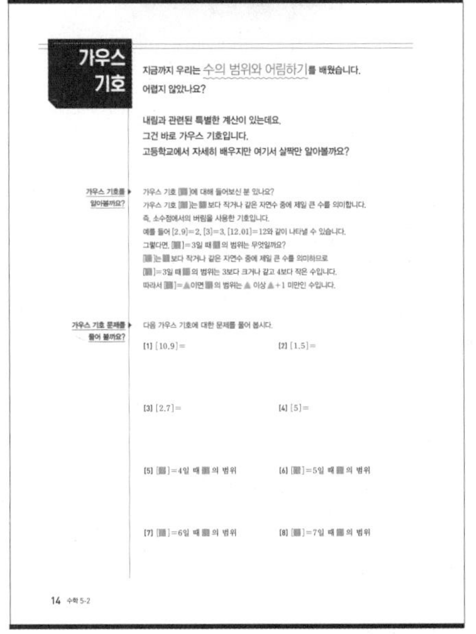

단원별로 배운 개념에서 확장한 문제와 흥미로운 이야기를 담았어요.

차례

1

수의 범위와 어림하기

공부할 내용	공부한 날
01 이상과 이하, 초과와 미만	월 일
02 올림, 버림, 반올림	월 일

01 이상과 이하, 초과와 미만

우리는 **[수학 5-1]**에서 약수와 배수를 알아보았습니다. 12의 약수 1, 2, 3, 4, 6, 12는 모두 12보다 작거나 같은 수이고, 4의 배수 4, 8, 12……는 모두 4보다 크거나 같은 수입니다.

그렇다면 크거나 같은 수나 작거나 같은 수를 어떻게 표현할까요?

9, 10, 11.5, 13 등과 같이 9보다 크거나 같은 수를 9 **이상**인 수라고 합니다.
9 이상인 수는 수직선에 다음과 같이 나타냅니다.

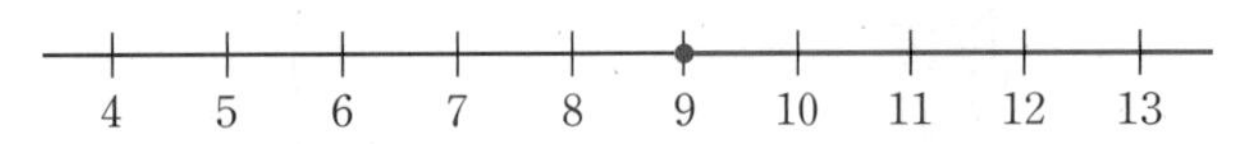

이상과 이하인 수에는 기준이 되는 수가 포함되고, 수직선에 나타낼 때 기준이 되는 수에 색칠된 원 ●로 표시합니다.

9, 8, 6.5, 4 등과 같이 9보다 작거나 같은 수를 9 **이하**인 수라고 합니다.
9 이하인 수는 수직선에 다음과 같이 나타냅니다.

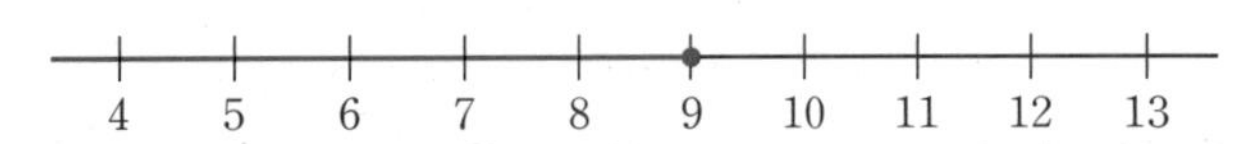

7.1, 9, 10.5, 12 등과 같이 7보다 큰 수를 7 **초과**인 수라고 합니다.
7 초과인 수는 수직선에 다음과 같이 나타냅니다.

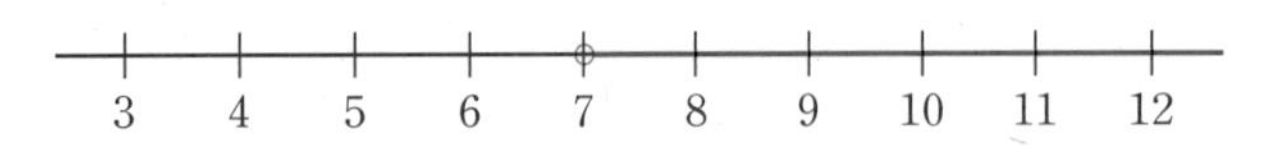

초과와 미만인 수에는 기준이 되는 수가 포함되지 않고, 수직선에 나타낼 때 기준이 되는 수에 빈 원 ○로 표시합니다.

6.9, 5, 4.5, 3 등과 같이 7보다 작은 수를 7 **미만**인 수라고 합니다.
7 미만인 수는 수직선에 다음과 같이 나타냅니다.

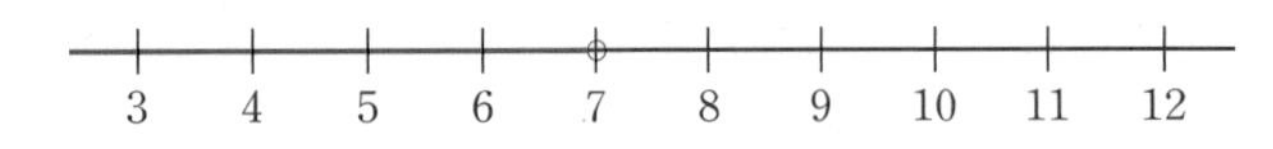

여기서 두 가지 수의 범위를 알아봅시다. □ 안에 알맞은 수를 써넣으시오.

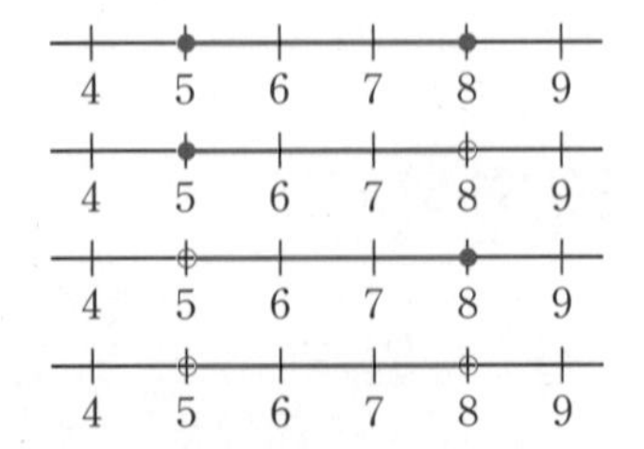

5와 8 사이 수의 범위를 수직선에 나타내면 왼쪽과 같습니다.
5 이상 8 이하인 자연수는 5, 6, 7, 8입니다.
5 이상 8 미만인 자연수는 5, 6, 7입니다.
5 초과 8 이하인 자연수는 6, 7, 8입니다.
5 초과 8 미만인 자연수는 □입니다.

답 6, 7

풍산자 비법

❶ ■ 이상인 수: ■보다 크거나 같은 수
❷ ■ 이하인 수: ■보다 작거나 같은 수
❸ ■ 초과인 수: ■보다 큰 수
❹ ■ 미만인 수: ■보다 작은 수

교과서 + 익힘책 유형

01 수의 범위를 수직선에 나타내시오.

(1) 26 이상인 수

20 21 22 23 24 25 26 27 28 29

(2) 24 이하인 수

20 21 22 23 24 25 26 27 28 29

(3) 27 미만인 수

20 21 22 23 24 25 26 27 28 29

(4) 22 초과인 수

20 21 22 23 24 25 26 27 28 29

02 물음에 답하시오.

54	29	46	59
24	43	23	47

(1) 40 이상인 수를 모두 쓰시오.

(2) 30 이하인 수를 모두 쓰시오.

03 20 초과인 수에 ○표, 10 미만인 수에 △표 하시오.

23 10 8 20 32 9 18 27

04 수직선에 나타낸 수의 범위를 구하시오.

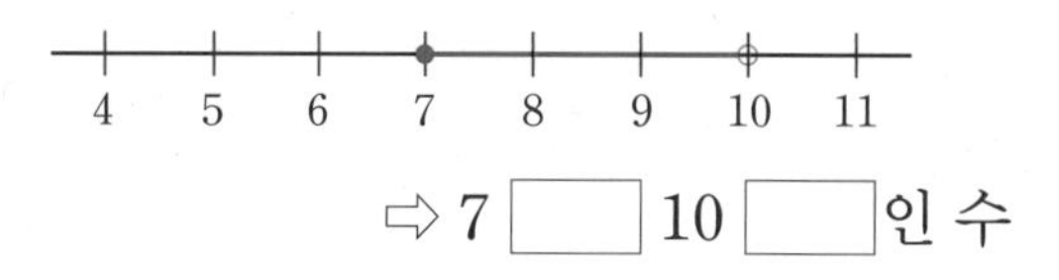

⇨ 7 [ ] 10 [ ] 인 수

05 아린이네 모둠 학생들의 몸무게를 나타낸 것입니다. 물음에 답하시오.

이름	아린	명진	기범	현경	성규	동욱	민재
몸무게 (kg)	37.5	42.0	61.0	42.0	38.8	46.5	45.0

(1) 몸무게가 45 kg 미만인 학생을 모두 쓰시오.

(2) 몸무게가 성규보다 무겁고 민재보다 가벼운 학생은 모두 몇 명인지 구하시오.

06 27이 포함되는 수의 범위를 모두 찾아 기호를 쓰시오.

㉠ 27 이상 29 미만인 수
㉡ 25 이상 28 이하인 수
㉢ 26 초과 27 미만인 수
㉣ 28 초과 29 미만인 수

교과서 + 익힘책 응용 유형

07 수직선에 나타낸 수의 범위 안에 있는 자연수를 모두 쓰시오.

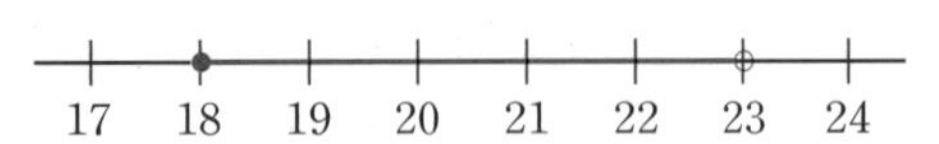

08 관계있는 것끼리 이어 보시오.

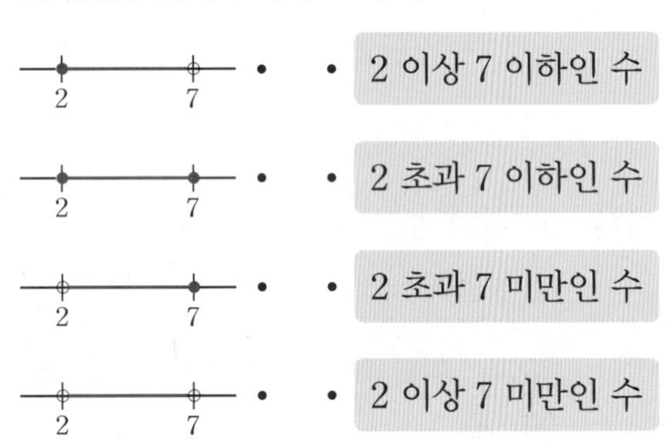

09 주어진 수들을 모두 포함하는 수의 범위를 나타내려고 합니다. 이상, 이하, 초과, 미만 중에서 알맞은 말을 써넣으시오.

39 32 31 33 30

⇨ 30 ☐ 39 ☐인 자연수

10 71 초과인 수는 모두 몇 개인지 구하시오.

71.5 37 101 75 71

11 바르게 설명한 것을 모두 찾아 기호를 쓰시오.

㉠ 55는 55 미만인 수입니다.
㉡ 15는 14 초과인 수입니다.
㉢ 31, 35, 36 중에서 35 초과인 수는 36뿐입니다.

12 ㉠, ㉡에 알맞은 수의 차를 구하시오.

㉠ 7 이상 14 이하인 자연수의 개수
㉡ 22 초과 29 미만인 자연수의 개수

잘 틀리는 유형

13 수직선에 나타낸 수의 범위에 속하는 가장 큰 자연수와 가장 작은 자연수의 차를 구하시오.

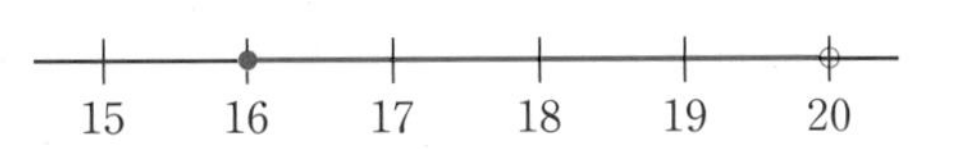

14 조건에 알맞은 수를 모두 찾아 쓰시오.

- 30 이상 50 이하인 자연수입니다.
- 2와 3의 공배수입니다.
- 십의 자리 숫자가 일의 자리 숫자보다 큽니다.

15 수직선에 나타낸 수의 범위에 속하는 자연수는 모두 5개입니다. ㉠에 알맞은 자연수를 구하시오.

16 주말에 50대 부부가 12세의 아들과 18세의 딸과 함께 미술관을 방문하였습니다. 입장료는 모두 얼마인지 구하시오.

미술관 입장료
- 13세 미만은 무료
- 13세 이상 50세 미만은 4000원
- 50세 이상 70세 미만은 5000원
- 70세 이상은 무료

17 어떤 수가 포함되는 수의 범위를 설명하고 있습니다. 대화를 읽고 세 사람이 설명하는 어떤 수가 무엇이 될 수 있는지 모두 쓰시오.

철수: 22 이상인 자연수야.
영미: 20 초과 25 이하인 자연수야.
영심: 27 미만인 자연수야.

18 ■와 ◆에 알맞은 수를 각각 구하시오.

11 이상 ■ 이하인 자연수는 5개입니다.
77 초과 ◆ 미만인 자연수는 7개입니다.

02 올림, 버림, 반올림

우리는 [수학 4-1] 곱셈과 나눗셈에서 어림하여 계산하는 방법을 알아보았습니다. 어림하여 계산하면 계산을 하기 전에 계산 결과의 값을 예상할 수 있고, 계산을 하고 난 다음 계산 결과가 맞았는지 확인할 수 있었습니다.

> 195×82
> ⇨ 195를 200으로, 82를 80으로 어림하여 계산하면 200×80=16000이고, 195×82를 계산하면 15990입니다.

그렇다면 수를 어림할 때 어떤 방법으로 할까요?
수를 어림하는 방법으로는 올림, 버림, 반올림이 있습니다.
올림은 구하려는 자리 아래 수를 올려서 나타내는 방법으로, 구하려는 자리 아래 수가 0이 아니면 구하려는 자리 수에 1을 더하고 그 아래 수를 모두 0으로 나타냅니다.

- 473을 올림하여 십의 자리까지 나타내기: 473 ⇨ 480
- 473을 올림하여 백의 자리까지 나타내기: 473 ⇨ 500
- 5.247을 올림하여 소수 첫째 자리까지 나타내기: 5.247 ⇨ 5.3

> 구하려는 자리 아래 수가 모두 0인 경우에는 올릴 것이 없으므로 그대로 씁니다.
> ⇨ 400의 백의 자리 아래를 올림하여 나타내면 400입니다.

버림은 구하려는 자리 아래 수를 버려서 나타내는 방법으로, 구하려는 자리 아래 수를 모두 0으로 나타냅니다.

- 356을 버림하여 십의 자리까지 나타내기: 356 ⇨ 350
- 356을 버림하여 백의 자리까지 나타내기: 356 ⇨ 300
- 7.428을 버림하여 소수 첫째 자리까지 나타내기: 7.428 ⇨ 7.4

> 구하려는 자리 아래 수가 모두 0인 경우에는 버릴 것이 없으므로 그대로 씁니다.
> ⇨ 400의 백의 자리 아래를 버림하여 나타내면 400입니다.

반올림은 구하려는 자리 바로 아래 자리의 숫자가 0, 1, 2, 3, 4이면 버리고 5, 6, 7, 8, 9이면 올리는 방법입니다.

- 516을 일의 자리에서 반올림하여 나타내기: 516 ⇨ 520
- 516을 십의 자리에서 반올림하여 나타내기: 516 ⇨ 500
- 8.516을 반올림하여 소수 첫째 자리까지 나타내기: 8.516 ⇨ 8.5

> 5 미만이면 버리고, 5 이상이면 올립니다.

여기서 반올림의 표현에 대하여 알아봅시다. □ 안에 알맞은 수를 써넣으시오.

254를 십의 자리에서 반올림하면 □ 입니다.
254를 반올림하여 십의 자리까지 나타내면 □ 입니다.

> 십의 자리에서 반올림하는 것과 반올림하여 십의 자리까지 나타내는 것은 다릅니다.

답 300, 250

풍산자 비법

❶ 올림: 구하려는 자리 아래 수를 올려서 나타내는 방법
❷ 버림: 구하려는 자리 아래 수를 버려서 나타내는 방법
❸ 반올림: 구하려는 자리 바로 아래 자리의 숫자가 0, 1, 2, 3, 4이면 버리고 5, 6, 7, 8, 9이면 올리는 방법

교과서 + 익힘책 유형

01 수를 올림, 버림, 반올림하여 백의 자리까지 나타내시오.

수	올림	버림	반올림
4125			
2639			
12416			
25761			

02 반올림하여 천의 자리까지 나타냈을 때 5000이 되는 수에 모두 ○표 하시오.

5610 4513 4499 5278 4736

03 연필의 길이를 cm 단위로 나타낼 때, 반올림하여 일의 자리까지 나타내면 몇 cm인지 구하시오.

04 설명이 맞으면 ○표, 틀리면 ×표 하시오.

(1) 512를 버림하여 십의 자리까지 나타내면 510입니다. (　　　　)

(2) 1529를 올림하여 백의 자리까지 나타내면 1609입니다. (　　　　)

(3) 7.607을 반올림하여 소수 둘째 자리까지 나타내면 7.61입니다. (　　　　)

05 수를 어림하여 빈칸에 알맞은 수를 써넣으시오.

올림하여 백의 자리까지 [　　] ← 3130 → [　　] 버림하여 천의 자리까지

06 □ 안에 알맞은 수를 구하시오.

(1) 귤 678개를 한 상자에 100개씩 담아서 판다면 팔 수 있는 귤은 최대 □상자입니다.

(2) 지율이네 학교 전교생 328명이 한 개에 10명씩 앉을 수 있는 강당 의자에 앉으려면 필요한 의자 수는 최소 □개입니다.

교과서 + 익힘책 응용 유형

07 어림한 후, 크기를 비교하여 ○ 안에 >, =, <를 알맞게 써넣으시오.

(1) 211을 올림하여 십의 자리까지 나타낸 수 ○ 225를 반올림하여 십의 자리까지 나타낸 수

(2) 6521을 버림하여 천의 자리까지 나타낸 수 ○ 5727을 반올림하여 천의 자리까지 나타낸 수

08 반올림하여 천의 자리까지 나타낸 수가 다른 하나를 찾아 기호를 쓰시오.

㉠ 2752	㉡ 2977
㉢ 2025	㉣ 2834

09 올림하여 백의 자리까지 나타냈습니다. 잘못 나타낸 사람은 누구인지 쓰시오.

민아: 2945 ⇨ 3000
혜란: 5022 ⇨ 5100
경수: 7819 ⇨ 7800

10 버림, 반올림하여 백의 자리까지 나타낸 수가 같은 수를 찾아 기호를 쓰시오.

㉠ 1267 ㉡ 450 ㉢ 8201

11 혜리의 설명을 보고 □ 안에 들어갈 수 있는 수를 모두 구하시오.

525□
혜리: 이 수를 반올림하여 십의 자리까지 나타내면 5260입니다.

12 반올림하여 십의 자리까지 나타내면 280인 자연수 중에서 가장 큰 수와 가장 작은 수의 합을 구하시오.

잘 틀리는 유형

13 5장의 수 카드를 한 번씩 모두 사용하여 가장 큰 다섯 자리 수를 만들었습니다. 이 수를 올림하여 만의 자리까지 나타내시오.

14 반올림하여 천의 자리까지 나타내면 4000인 자연수 중에서 가장 큰 수와 가장 작은 수의 차를 구하시오.

15 주어진 수를 반올림하여 만의 자리까지 나타내면 750000이 됩니다. □ 안에 들어갈 수 있는 모든 한 자리 자연수의 합을 구하시오.

75□219

16 도형은 마름모입니다. 둘레를 버림하여 자연수 부분까지 나타내면 몇 cm인지 구하시오.

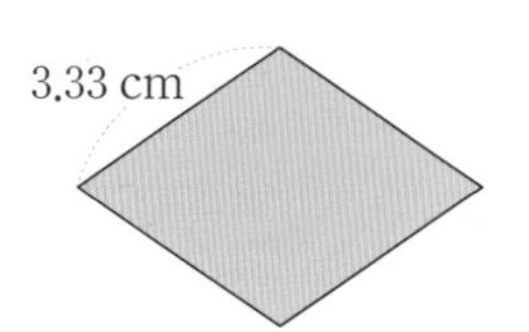

17 주어진 수를 반올림하여 천의 자리까지 나타낸 수와 백의 자리까지 나타낸 수의 차를 구하시오.

26480

18 동전으로만 모은 돼지 저금통을 열어서 세니 모두 25750원이었습니다.

(1) 돈을 100원짜리 동전으로 바꾼다면 최대 얼마까지 바꿀 수 있는지 구하시오.

(2) 돈을 1000원짜리 지폐로 바꾼다면 최대 얼마까지 바꿀 수 있는지 구하시오.

가우스 기호

지금까지 우리는 수의 범위와 어림하기를 배웠습니다.
어렵지 않았나요?

내림과 관련된 특별한 계산이 있는데요.
그건 바로 가우스 기호입니다.
고등학교에서 자세히 배우지만 여기서 살짝만 알아볼까요?

가우스 기호를 알아볼까요?

가우스 기호 [■]에 대해 들어보신 분 있나요?
가우스 기호 [■]는 ■보다 작거나 같은 자연수 중에 제일 큰 수를 의미합니다.
즉, 소수점에서의 버림을 사용한 기호입니다.
예를 들어 [2.9]=2, [3]=3, [12.01]=12와 같이 나타낼 수 있습니다.
그렇다면, [■]=3일 때 ■의 범위는 무엇일까요?
[■]는 ■보다 작거나 같은 자연수 중에 제일 큰 수를 의미하므로
[■]=3일 때 ■의 범위는 3보다 크거나 같고 4보다 작은 수입니다.
따라서 [■]=▲이면 ■의 범위는 ▲ 이상 ▲+1 미만인 수입니다.

가우스 기호 문제를 풀어 볼까요?

다음 가우스 기호에 대한 문제를 풀어 봅시다.

[1] [10.9]=

[2] [1.5]=

[3] [2.7]=

[4] [5]=

[5] [■]=4일 때 ■의 범위

[6] [■]=5일 때 ■의 범위

[7] [■]=6일 때 ■의 범위

[8] [■]=7일 때 ■의 범위

2

분수의 곱셈

공부할 내용	공부한 날
03 (분수)×(자연수)	월 일
04 (자연수)×(분수)	월 일
05 (진분수)×(진분수)	월 일
06 (분수)×(분수)	월 일

03 (분수)×(자연수)

우리는 [수학 5-1] 분수의 덧셈과 뺄셈에서 $\frac{1}{3}+\frac{1}{4}$, $\frac{2}{5}-\frac{1}{3}$과 같은 분모가 다른 진분수의 덧셈과 뺄셈을 계산하는 방법을 알아보았습니다. 분모가 다른 진분수의 덧셈과 뺄셈은 두 분수를 통분하여 분모가 같은 분수로 고친 다음 분자끼리 계산하였습니다.

$\frac{1}{3}+\frac{1}{4}=\frac{4}{12}+\frac{3}{12}=\frac{7}{12}$
$\frac{2}{5}-\frac{1}{3}=\frac{6}{15}-\frac{5}{15}=\frac{1}{15}$

그렇다면 $\frac{2}{5}\times4$, $1\frac{1}{4}\times3$과 같은 (분수)×(자연수)는 어떻게 계산할까요?

(진분수)×(자연수)는 분수의 분모는 그대로 두고 분자와 자연수를 곱하여 계산할 수 있습니다.

$$\frac{2}{5}\times4=\frac{2}{5}+\frac{2}{5}+\frac{2}{5}+\frac{2}{5}=\frac{2\times4}{5}=\frac{8}{5}=1\frac{3}{5}$$

$\frac{5}{6}\times4$의 여러 가지 계산 방법

(1) 곱셈을 다 한 후에 약분

$\frac{5}{6}\times4=\frac{5\times4}{6}=\frac{\overset{10}{\cancel{20}}}{\underset{3}{\cancel{6}}}=\frac{10}{3}=3\frac{1}{3}$

(2) 곱셈을 하는 과정에서 약분

$\frac{5}{\underset{3}{\cancel{6}}}\times\overset{2}{\cancel{4}}=\frac{10}{3}=3\frac{1}{3}$

(대분수)×(자연수)는 대분수를 가분수로 바꾼 후에 분수의 분모는 그대로 두고 분자와 자연수를 곱하여 계산하거나 대분수를 자연수와 진분수의 합으로 보고 다음과 같이 계산할 수 있습니다.

[방법 1] 대분수를 가분수로 바꾼 후 계산

$$1\frac{1}{4}\times3=\frac{5}{4}\times3=\frac{5\times3}{4}=\frac{15}{4}=3\frac{3}{4}$$

[방법 2] 대분수를 자연수와 진분수의 합으로 보고 계산

$$1\frac{1}{4}\times3=(1\times3)+\left(\frac{1}{4}\times3\right)=3+\frac{3}{4}=3\frac{3}{4}$$

여기서 (분수)×(자연수)가 어떻게 계산되는지 그림으로 알아봅시다. □ 안에 알맞은 수를 써넣으시오.

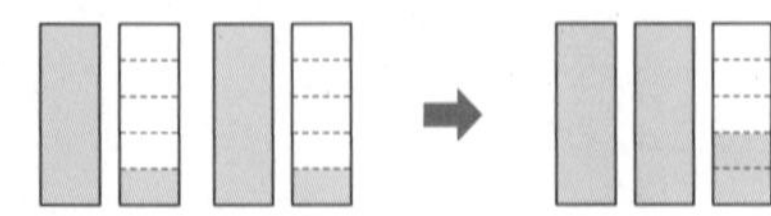

$1\frac{1}{5}\times2=(1\times2)+\left(\frac{1}{5}\times2\right)=2+\frac{2}{5}=$ □

답 $2\frac{2}{5}$

풍산자 비법

❶ (진분수)×(자연수) ⇨ 분모는 그대로 두고 분자와 자연수를 곱한다.

❷ (대분수)×(자연수) ⇨ 대분수를 가분수로 바꾸어서 계산하거나
대분수를 자연수와 진분수의 합으로 보고 계산한다.

교과서 + 익힘책 유형

01 그림을 보고 □ 안에 알맞은 수를 써넣으시오.

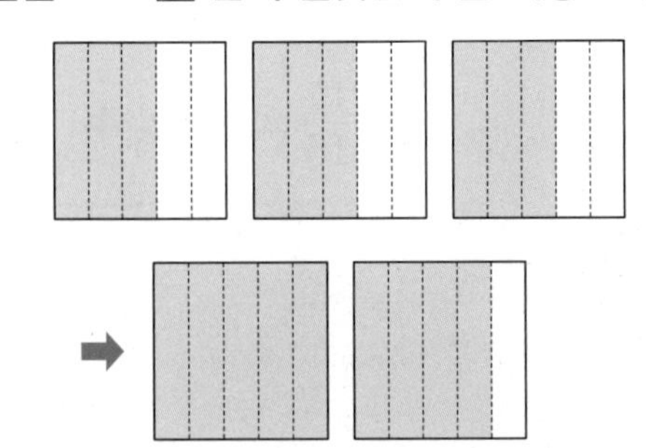

$\frac{3}{5}\times3=\frac{3}{5}+\frac{3}{5}+\frac{3}{5}=\frac{3\times\square}{5}=\frac{\square}{\square}$

$=\square\frac{\square}{\square}$

02 $\frac{8}{15}\times9$를 여러 가지 방법으로 계산하려고 합니다. □ 안에 알맞은 수를 써넣으시오.

- $\frac{8}{15}\times9=\frac{8\times9}{15}=\frac{\overset{\square}{\cancel{72}}}{\underset{\square}{\cancel{15}}}=\frac{\square}{\square}=\square\frac{\square}{\square}$

- $\frac{8}{15}\times9=\frac{8\times\overset{\square}{\cancel{9}}}{\underset{\square}{\cancel{15}}}=\frac{\square}{\square}=\square\frac{\square}{\square}$

- $\frac{8}{\underset{\square}{\cancel{15}}}\times\overset{\square}{\cancel{9}}=\frac{\square}{\square}=\square\frac{\square}{\square}$

03 빈칸에 알맞은 수를 써넣으시오.

(1)

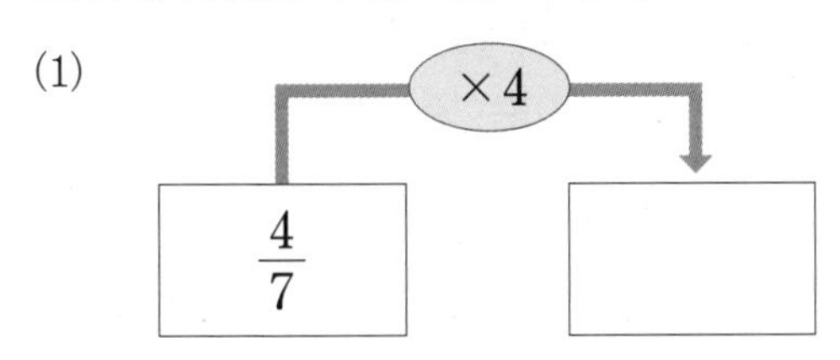

(2)

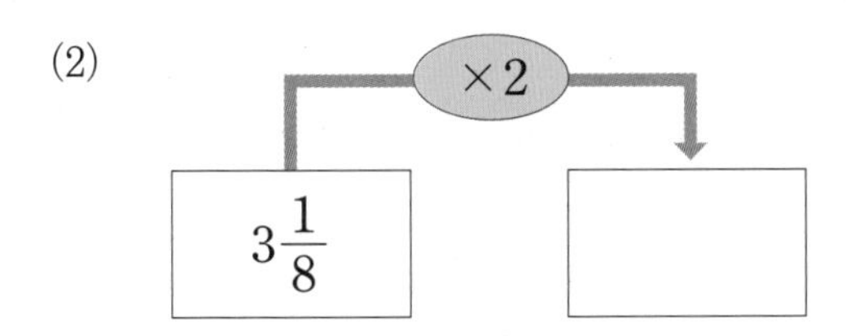

04 다음을 계산하시오.

(1) $\frac{3}{11}\times7$

(2) $\frac{8}{17}\times5$

(3) $2\frac{1}{8}\times3$

(4) $3\frac{1}{4}\times3$

05 계산 결과를 찾아 이어 보시오.

$1\frac{5}{6}\times2$ •	• $1\frac{2}{3}$
$\frac{7}{8}\times3$ •	• $3\frac{2}{3}$
$\frac{5}{9}\times3$ •	• $2\frac{5}{8}$

06 계산 결과를 비교하여 ○ 안에 >, =, <를 알맞게 써넣으시오.

(1) $\frac{5}{7}\times3$ ○ $\frac{5}{9}\times2$

(2) $\frac{4}{15}\times7$ ○ $1\frac{4}{15}\times2$

교과서 + 익힘책 응용 유형

07 계산 결과가 큰 것부터 차례대로 기호를 쓰시오.

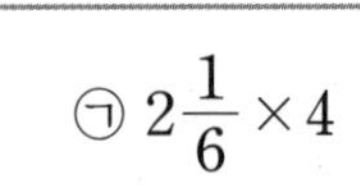

㉠ $2\frac{1}{6}\times4$

㉡ $\frac{7}{10}\times3$

㉢ $\frac{8}{9}\times2$

㉣ $1\frac{1}{2}\times5$

08 빈칸에 알맞은 수를 써넣으시오.

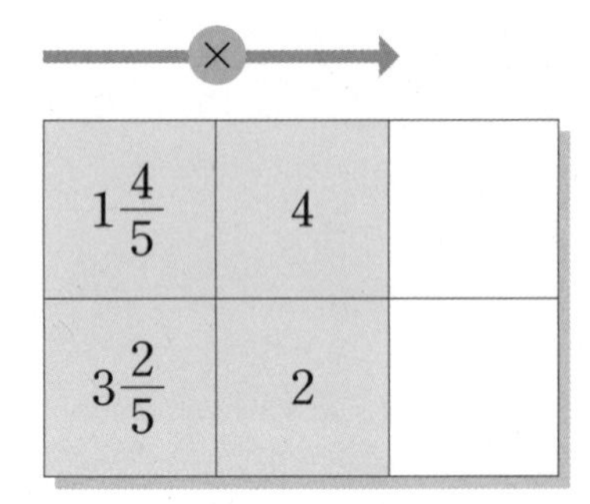

09 계산 결과가 다른 식에 ○표 하시오.

$\frac{6}{7}\times3$	$\frac{3}{14}\times12$	$1\frac{2}{9}\times4$
(　　)	(　　)	(　　)

10 설명하는 수를 구하시오.

$\frac{11}{15}$의 6배인 수

11 계산 결과가 자연수인 것을 찾아 기호를 쓰시오.

㉠ $\frac{6}{7}\times14$　㉡ $1\frac{4}{9}\times6$　㉢ $1\frac{7}{8}\times4$

12 색 테이프 한 개의 길이는 $\frac{8}{11}$ cm입니다. 색 테이프 10개를 겹치는 부분 없이 연속해서 이으면 전체 길이는 몇 cm가 되는지 구하시오.

잘 틀리는 유형

13 ㉠과 ㉡의 차를 구하시오.

㉠ $1\frac{3}{10}$의 4배인 수

㉡ $2\frac{2}{3}$의 2배인 수

14 한 변의 길이가 $2\frac{2}{5}$ cm인 정사각형의 둘레는 몇 cm인지 구하시오.

15 □ 안에 들어갈 수 있는 자연수는 모두 몇 개인지 구하시오.

$2\frac{1}{8}\times4<\square<\frac{6}{7}\times14$

16 잘못 계산한 사람은 누구인지 쓰시오.

우주: $3\frac{5}{6}\times2=3\frac{5}{3}$

예나: $\frac{9}{16}\times2=1\frac{1}{8}$

서준: $\frac{9}{11}\times9=7\frac{4}{11}$

17 피자 3판을 6명이 나눠 먹으려고 합니다. 한 사람이 피자 한 판의 $\frac{3}{8}$씩 먹었을 때 남은 피자의 양을 구하시오.

18 가로가 $4\frac{3}{8}$ cm, 세로가 6 cm인 직사각형의 넓이는 몇 cm^2인지 구하시오.

04 (자연수)×(분수)

우리는 앞 단원에서 $\frac{4}{7}\times3$, $3\frac{1}{4}\times3$과 같은 (분수)×(자연수)를 계산하는 방법을 알아보았습니다. (진분수)×(자연수)는 분수의 분모는 그대로 두고 분자와 자연수를 곱하여 계산하였고, (대분수)×(자연수)는 대분수를 가분수로 바꾼 후에 분수의 분모는 그대로 두고 분자와 자연수를 곱하여 계산하거나 대분수를 자연수와 진분수의 합으로 보고 계산하였습니다.

$\frac{4}{7}\times3=\frac{4\times3}{7}=\frac{12}{7}=1\frac{5}{7}$

$3\frac{1}{4}\times3=\frac{13}{4}\times3=\frac{13\times3}{4}=\frac{39}{4}=9\frac{3}{4}$

$3\frac{1}{4}\times3=(3\times3)+\left(\frac{1}{4}\times3\right)=9+\frac{3}{4}=9\frac{3}{4}$

그렇다면 $7\times\frac{3}{8}$, $4\times2\frac{1}{5}$과 같은 (자연수)×(분수)는 어떻게 계산할까요?

(자연수)×(진분수)는 분수의 분모는 그대로 두고 자연수와 분자를 곱하여 계산할 수 있습니다. 또한, (자연수)×(대분수)는 대분수를 가분수로 바꾼 후에 분수의 분모는 그대로 두고 자연수와 분자를 곱하여 계산하거나 대분수를 자연수와 진분수의 합으로 보고 다음과 같이 계산할 수 있습니다.

- $7\times\frac{3}{8}=\frac{7\times3}{8}=\frac{21}{8}=2\frac{5}{8}$
- $4\times2\frac{1}{5}=4\times\frac{11}{5}=\frac{4\times11}{5}=\frac{44}{5}=8\frac{4}{5}$
- $4\times2\frac{1}{5}=(4\times2)+\left(4\times\frac{1}{5}\right)=8+\frac{4}{5}=8\frac{4}{5}$

$7\times\frac{3}{8}$은 7의 $\frac{3}{8}$입니다.

곱셈은 순서를 바꾸어 계산해도 결과가 같으므로 (자연수)×(분수)는 (분수)×(자연수)를 계산해도 됩니다.
즉, $4\times2\frac{1}{5}$과 $2\frac{1}{5}\times4$의 계산 결과는 같습니다.

이때 자연수에 진분수를 곱하면 곱한 값은 원래의 수보다 작아지고, 자연수에 대분수를 곱하면 곱한 값은 원래의 수보다 커집니다.

여기서 (자연수)×(분수)가 어떻게 계산되는지 그림으로 알아봅시다. □ 안에 알맞은 수를 써넣으시오.

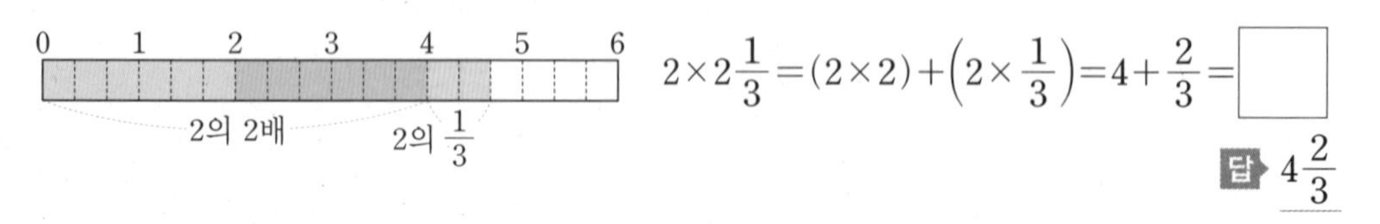

$2\times2\frac{1}{3}=(2\times2)+\left(2\times\frac{1}{3}\right)=4+\frac{2}{3}=\square$

답 $4\frac{2}{3}$

❶ (자연수)×(진분수) ⇨ 분모는 그대로 두고 자연수와 분자를 곱한다.

❷ (자연수)×(대분수) ⇨ 대분수를 가분수로 바꾸어서 계산하거나 대분수를 자연수와 진분수의 합으로 보고 계산한다.

교과서 + 익힘책 유형

01 $5\times1\frac{1}{4}$을 계산하는 과정입니다. 그림을 보고 □ 안에 알맞은 수를 써넣으시오.

[방법 1]

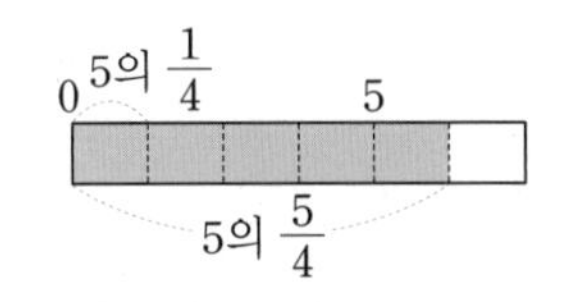

$$5\times1\frac{1}{4}=5\times\frac{\square}{4}=\frac{\square\times\square}{\square}=\square\frac{\square}{\square}$$

[방법 2]

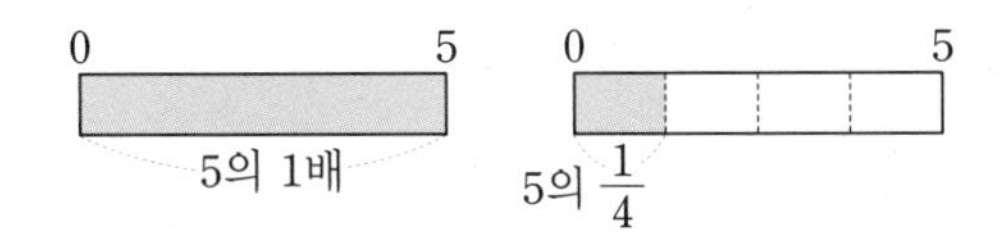

$$5\times1\frac{1}{4}=(5\times1)+\left(5\times\frac{1}{4}\right)$$
$$=\square+\frac{\square\times1}{\square}=\square\frac{\square}{\square}$$

02 빈칸에 알맞은 수를 써넣으시오.

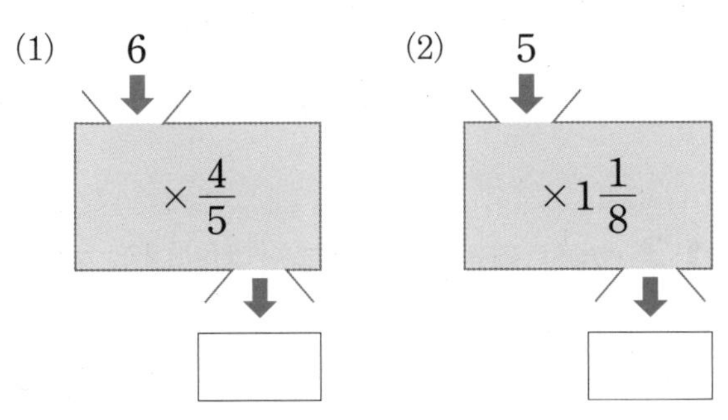

03 빈칸에 알맞은 수를 써넣으시오.

28	$\times1\frac{3}{7}$		$\times\frac{11}{32}$	

04 다음을 계산하시오.

(1) $5\times\frac{5}{6}$

(2) $7\times\frac{5}{8}$

(3) $9\times1\frac{2}{7}$

(4) $8\times2\frac{1}{6}$

05 계산 결과를 찾아 이어 보시오.

$8\times\frac{4}{5}$ •	• 20
$9\times\frac{5}{7}$ •	• $6\frac{3}{7}$
$8\times2\frac{1}{2}$ •	• $6\frac{2}{5}$

06 계산 결과를 비교하여 ○ 안에 $>$, $=$, $<$를 알맞게 써넣으시오.

(1) $6\times\frac{3}{8}$ ○ $5\times1\frac{5}{6}$

(2) $5\times\frac{11}{12}$ ○ $8\times1\frac{3}{10}$

교과서 + 익힘책 응용 유형

07 빈칸에 알맞은 수를 써넣으시오.

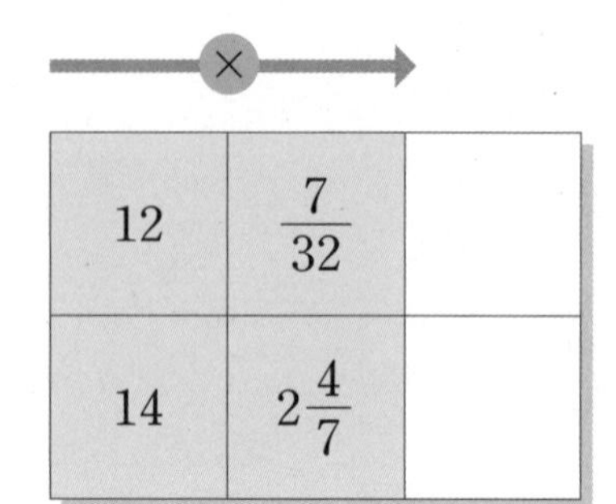

12	$\frac{7}{32}$	
14	$2\frac{4}{7}$	

08 계산 결과가 가장 작은 식에 ○표 하시오.

$8\times\frac{9}{16}$ ( ) $6\times1\frac{4}{5}$ ( ) $12\times\frac{5}{8}$ ( )

09 계산 결과가 다른 것의 기호를 쓰시오.

㉠ $5\times2\frac{1}{2}$ ㉡ $3\times4\frac{1}{6}$ ㉢ $7\times\frac{11}{14}$

10 계산 결과가 5보다 큰 식에 ○표, 5보다 작은 식에 △표 하시오.

$5\times\frac{4}{7}$ $5\times1\frac{2}{3}$ $5\times\frac{5}{8}$ $5\times2\frac{1}{6}$ $5\times1\frac{1}{11}$

11 예솔이네 반 학생 27명 중 $\frac{4}{9}$가 안경을 쓴다고 합니다. 예솔이네 반에서 안경을 쓰지 않는 학생은 몇 명인지 구하시오.

12 계산 결과가 큰 수부터 차례대로 놓아 단어를 완성하시오.

$7\times\frac{17}{21}$	$15\times\frac{2}{5}$	$11\times\frac{5}{22}$
궁	무	화

잘 틀리는 유형

13 □ 안에 들어갈 수 있는 자연수 중에서 가장 큰 수를 구하시오.

$$5\times\frac{4}{7}<\square<2\times2\frac{5}{6}$$

14 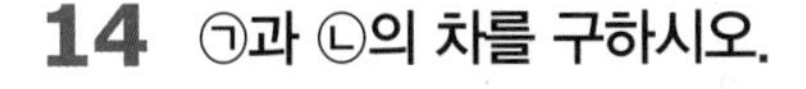
㉠과 ㉡의 차를 구하시오.

㉠ 10의 $\frac{2}{25}$배인 수　㉡ $8\times1\frac{5}{16}$

15 어떤 수는 18의 $\frac{2}{9}$입니다. 어떤 수의 $3\frac{5}{8}$를 구하시오.

16 바르게 말한 친구는 누구인지 모두 쓰시오.

건후: 1시간의 $\frac{4}{5}$는 40분이야.

나은: 1 L의 $\frac{1}{8}$은 125 mL야.

시후: 1 m의 $\frac{1}{4}$은 25 cm야.

17 나래는 9 L의 우유를 4일 동안 하루에 $1\frac{1}{5}$ L씩 마셨습니다. 남은 우유의 양은 몇 L인지 구하시오.

18 어느 가게에서 어제는 커피 12 L를 팔았고, 오늘은 어제 판 커피의 $1\frac{2}{5}$만큼 팔았다면 오늘 판 커피는 몇 L인지 구하시오.

05 (진분수)×(진분수)

우리는 앞 단원에서 $6\times\frac{3}{5}$, $2\times2\frac{1}{5}$과 같은 (자연수)×(분수)를 계산하는 방법을 알아보았습니다. (자연수)×(진분수)는 분수의 분모는 그대로 두고 자연수와 분자를 곱하여 계산하였고, (자연수)×(대분수)는 대분수를 가분수로 바꾼 후에 분수의 분모는 그대로 두고 자연수와 분자를 곱하여 계산하거나 대분수를 자연수와 진분수의 합으로 보고 계산하였습니다.

$6\times\frac{3}{5}=\frac{6\times3}{5}=\frac{18}{5}=3\frac{3}{5}$

$2\times2\frac{1}{5}=2\times\frac{11}{5}=\frac{2\times11}{5}=\frac{22}{5}=4\frac{2}{5}$

$2\times2\frac{1}{5}=(2\times2)+\left(2\times\frac{1}{5}\right)=4+\frac{2}{5}=4\frac{2}{5}$

그렇다면 $\frac{1}{3}\times\frac{1}{6}$, $\frac{4}{5}\times\frac{2}{5}$와 같은 (진분수)×(진분수)는 어떻게 계산할까요?
(단위분수)×(단위분수)는 분자끼리의 곱은 항상 1이므로 분자는 그대로 두고 분모끼리 곱하여 계산하고, (진분수)×(진분수)는 분모는 분모끼리 곱하고 분자는 분자끼리 곱하여 다음과 같이 계산합니다.

단위분수: 분자가 1인 분수

- $\frac{1}{3}\times\frac{1}{6}=\frac{1}{3\times6}=\frac{1}{18}$
- $\frac{4}{5}\times\frac{2}{5}=\frac{4\times2}{5\times5}=\frac{8}{25}$

또한, $\frac{3}{4}\times\frac{2}{5}\times\frac{1}{4}$과 같은 세 분수의 곱셈은 앞에서부터 두 분수씩 차례로 계산하거나 세 분수를 한꺼번에 분모는 분모끼리, 분자는 분자끼리 곱하여 다음과 같이 계산합니다.

- $\frac{3}{4}\times\frac{2}{5}\times\frac{1}{4}=\left(\frac{3}{4}\times\frac{2}{5}\right)\times\frac{1}{4}=\frac{6}{20}\times\frac{1}{4}=\frac{\overset{3}{\cancel{6}}}{\underset{40}{\cancel{80}}}=\frac{3}{40}$
- $\frac{3}{4}\times\frac{2}{5}\times\frac{1}{4}=\frac{3\times\overset{1}{\cancel{2}}\times1}{4\times5\times\underset{2}{\cancel{4}}}=\frac{3}{40}$

약분하는 순서에 따라 여러 가지 방법으로 계산할 수 있습니다.

여기서 (진분수)×(진분수)가 어떻게 계산되는지 그림으로 알아봅시다. □ 안에 알맞은 수를 써넣으시오.

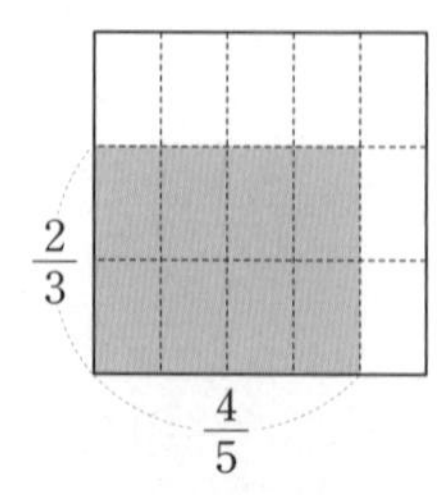

나누어진 한 칸은 $\frac{1}{5}\times\frac{1}{3}=\frac{1}{5\times3}=\frac{1}{15}$이고 색칠한 부분은 $4\times2=8$(칸)이므로 $\frac{4}{5}\times\frac{2}{3}=\frac{4\times2}{5\times3}=$ □ 입니다.

답 $\frac{8}{15}$

풍산자 비법

(진분수)×(진분수) ⇨ 분모는 분모끼리, 분자는 분자끼리 곱한다.

교과서 + 익힘책 유형

01 그림을 보고 □ 안에 알맞은 수를 써넣으시오.

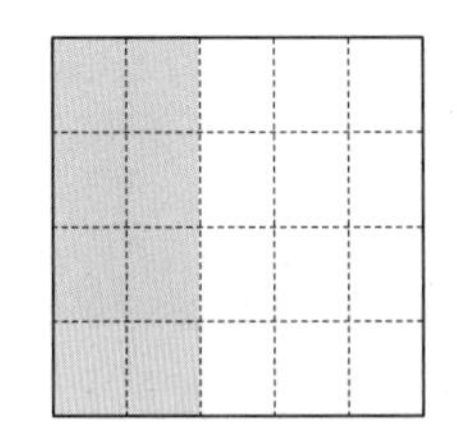

$$\frac{2}{5}\times\frac{1}{4}=\frac{2\times1}{\square\times\square}=\frac{2}{\square}=\frac{1}{\square}$$

02 보기와 같이 계산하시오.

보기

$$\frac{\overset{1}{\cancel{3}}}{\underset{1}{\cancel{5}}}\times\frac{\overset{2}{\cancel{10}}}{\underset{7}{\cancel{21}}}=\frac{2}{7}$$

(1) $\frac{8}{9}\times\frac{3}{4}$

(2) $\frac{3}{10}\times\frac{25}{27}$

03 다음을 계산하시오.

(1) $\frac{3}{4}\times\frac{1}{6}$

(2) $\frac{4}{7}\times\frac{7}{9}$

(3) $\frac{1}{3}\times\frac{6}{11}$

(4) $\frac{8}{9}\times\frac{3}{5}$

04 계산 결과를 찾아 이어 보시오.

$\frac{9}{10}\times\frac{6}{7}$ •	• $\frac{25}{33}$
$\frac{10}{11}\times\frac{5}{6}$ •	• $\frac{11}{15}$
$\frac{11}{12}\times\frac{4}{5}$ •	• $\frac{27}{35}$

05 계산 결과를 비교하여 ○ 안에 >, =, <를 알맞게 써넣으시오.

(1) $\frac{5}{6}\times\frac{9}{10}$ ○ $\frac{1}{16}\times\frac{8}{9}$

(2) $\frac{3}{8}\times\frac{4}{9}$ ○ $\frac{3}{5}\times\frac{11}{12}$

06 빈칸에 알맞은 수를 써넣으시오.

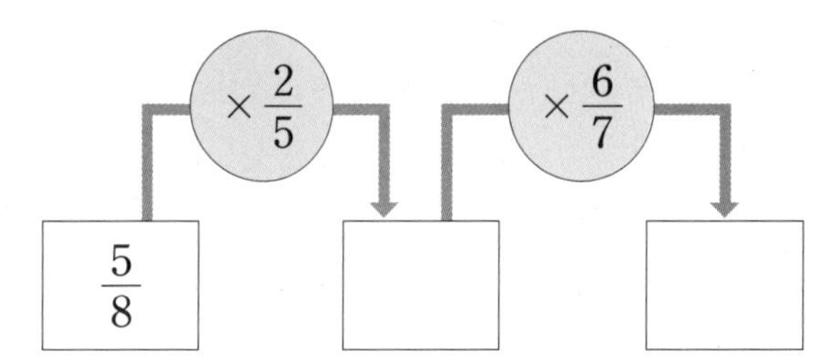

교과서 + 익힘책 응용 유형

07 계산 결과가 다른 것의 기호를 쓰시오.

㉠ $\frac{3}{5}\times\frac{15}{16}$ ㉡ $\frac{6}{13}\times\frac{3}{4}$ ㉢ $\frac{9}{10}\times\frac{5}{8}$

08 계산 결과가 큰 것부터 차례대로 기호를 쓰시오.

㉠ $\frac{3}{10}\times\frac{5}{12}$

㉡ $\frac{5}{9}\times\frac{9}{10}$

㉢ $\frac{1}{14}\times\frac{7}{15}$

㉣ $\frac{3}{8}\times\frac{4}{27}$

09 직사각형의 넓이를 구하시오.

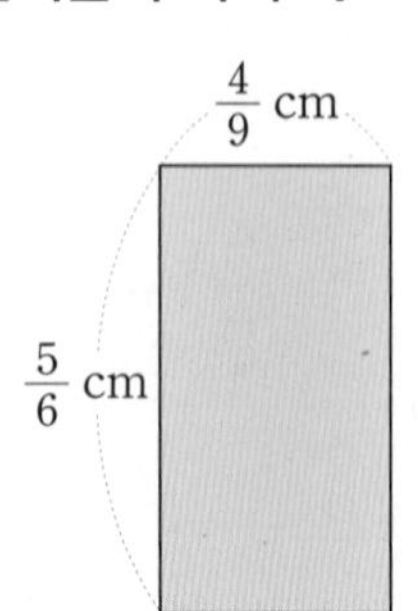

10 계산 결과가 $\frac{5}{16}$보다 큰 것을 찾아 기호를 쓰시오.

㉠ $\frac{5}{24}\times\frac{9}{10}$

㉡ $\frac{11}{24}\times\frac{3}{4}$

㉢ $\frac{13}{24}\times\frac{2}{13}$

㉣ $\frac{7}{24}\times\frac{4}{7}$

11 빈칸에 알맞은 수를 써넣으시오.

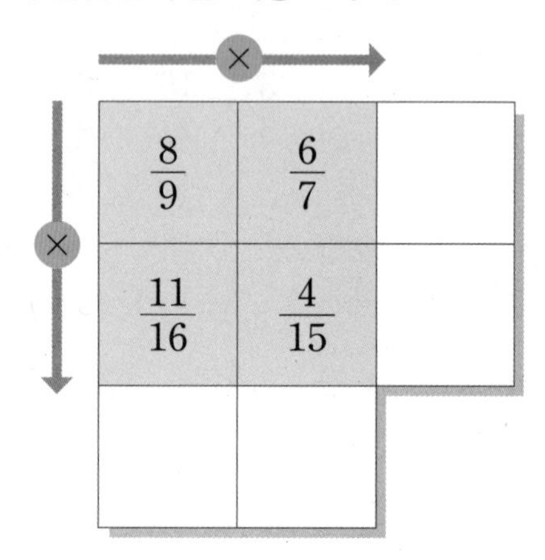

12 1부터 9까지의 자연수 중에서 □ 안에 들어갈 수 있는 수를 모두 구하시오.

$$\frac{5}{11}\times\frac{7}{25}<\frac{\square}{55}$$

잘 틀리는 유형

13 계산 결과가 다른 식에 ○표 하시오.

$\frac{5}{6}\times\frac{14}{15}$	$\frac{8}{9}\times\frac{7}{8}$	$\frac{10}{11}\times\frac{4}{15}$
(　　)	(　　)	(　　)

14 □ 안에 들어갈 수 있는 자연수의 개수를 구하시오.

$$\frac{\square}{18}<\frac{3}{14}\times\frac{7}{9}$$

15 잘못 계산한 친구는 누구인지 모두 쓰시오.

아라: $\frac{8}{9}\times\frac{6}{13}=\frac{48}{81}$

민우: $\frac{5}{11}\times\frac{7}{25}=\frac{7}{55}$

지혜: $\frac{11}{16}\times\frac{4}{7}=\frac{44}{60}$

16 가장 큰 수와 가장 작은 수의 곱을 구하시오.

$\frac{9}{16}$　　$\frac{11}{12}$　　$\frac{7}{8}$

17 민주는 찰흙 $\frac{7}{9}$ kg의 $\frac{1}{3}$만큼으로 도자기를 만들었습니다. 도자기를 만들고 남은 찰흙은 몇 kg인지 구하시오.

18 가로가 $\frac{3}{4}$ cm, 세로가 $\frac{5}{6}$ cm인 직사각형 모양의 널빤지에서 $\frac{2}{3}$를 잘라 사용하였습니다. 사용한 널빤지의 넓이를 구하시오.

06 (분수)×(분수)

우리는 앞 단원에서 $\frac{4}{9}\times\frac{3}{5}$과 같은 (진분수)×(진분수)를 계산하는 방법을 알아보았습니다. (진분수)×(진분수)는 분모는 분모끼리 곱하고 분자는 분자끼리 곱하여 계산하였습니다.

$\frac{4}{9}\times\frac{3}{5}=\frac{4\times3}{9\times5}=\frac{\overset{4}{\cancel{12}}}{\underset{15}{\cancel{45}}}=\frac{4}{15}$

그렇다면 $3\frac{1}{3}\times1\frac{2}{5}$와 같은 (대분수)×(대분수)는 어떻게 계산할까요?

(대분수)×(대분수)는 대분수를 가분수로 바꾸어서 계산하거나 대분수를 자연수 부분과 진분수 부분으로 나누어서 다음과 같이 계산할 수 있습니다.

[방법 1] 대분수를 가분수로 바꾼 후 계산

$$3\frac{1}{3}\times1\frac{2}{5}=\frac{10}{3}\times\frac{7}{5}=\frac{10\times7}{3\times5}=\frac{\overset{14}{\cancel{70}}}{\underset{3}{\cancel{15}}}=\frac{14}{3}=4\frac{2}{3}$$

[방법 2] 대분수를 자연수 부분과 진분수 부분으로 나누어서 계산

$$3\frac{1}{3}\times1\frac{2}{5}=\left(3\frac{1}{3}\times1\right)+\left(3\frac{1}{3}\times\frac{2}{5}\right)=3\frac{1}{3}+\left(\frac{10}{3}\times\frac{2}{5}\right)$$
$$=3\frac{1}{3}+\frac{20}{15}=3\frac{1}{3}+\frac{4}{3}=3\frac{5}{3}=4\frac{2}{3}$$

곱셈을 하기 전에 약분을 하면 계산이 간단해 질 수 있습니다.

$3\frac{1}{3}\times1\frac{2}{5}=\frac{\overset{2}{\cancel{10}}}{3}\times\frac{7}{\underset{1}{\cancel{5}}}=\frac{14}{3}$
$=4\frac{2}{3}$

(자연수)×(분수), (분수)×(자연수)에서 자연수를 분수 형태인 $\frac{(\text{자연수})}{1}$로 나타내면 (자연수)×(분수), (분수)×(자연수)의 계산도 분모는 분모끼리 곱하고 분자는 분자끼리 곱하여 다음과 같이 계산할 수 있습니다.

• $3\times\frac{3}{10}=\frac{3}{1}\times\frac{3}{10}=\frac{3\times3}{1\times10}=\frac{9}{10}$ • $\frac{2}{7}\times3=\frac{2}{7}\times\frac{3}{1}=\frac{2\times3}{7\times1}=\frac{6}{7}$

3은 $\frac{3}{1}$으로 나타낼 수 있습니다. 즉, 자연수나 대분수는 모두 가분수 형태로 바꿀 수 있으므로 분수가 들어간 모든 곱셈은 진분수나 가분수 형태로 바꾼 후, 분모는 분모끼리 곱하고 분자는 분자끼리 곱하여 계산할 수 있습니다.

여기서 (대분수)×(대분수)가 어떻게 계산되는지 그림으로 알아봅시다. □ 안에 알맞은 수를 써넣으시오.

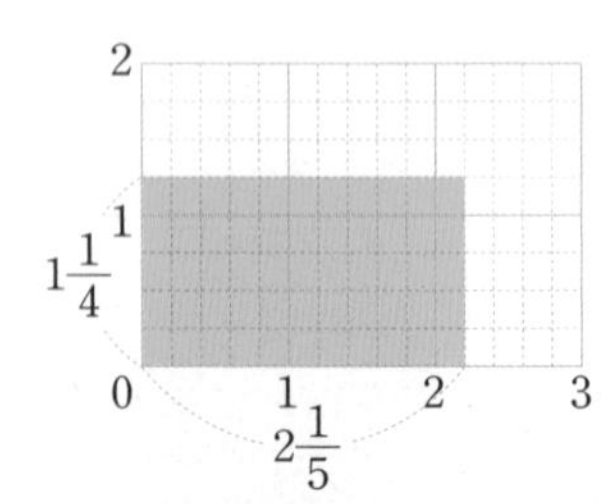

나누어진 한 칸은 $\frac{1}{5}\times\frac{1}{4}=\frac{1}{5\times4}=\frac{1}{20}$이고 색칠한 부분은 $11\times5=55$(칸)이므로

$2\frac{1}{5}\times1\frac{1}{4}=\frac{11}{5}\times\frac{5}{4}=\frac{11\times5}{5\times4}=\frac{\overset{11}{\cancel{55}}}{\underset{4}{\cancel{20}}}=\frac{11}{4}=$ □ 입니다.

답 $2\frac{3}{4}$

풍산자 비법

(분수)×(분수) ⇨ 진분수나 가분수 형태로 바꾼 후,
분모는 분모끼리 곱하고 분자는 분자끼리 곱한다.

교과서 + 익힘책 유형

01 물음에 답하시오.

(1) 가로가 $2\frac{3}{4}$ m, 세로가 $3\frac{1}{3}$ m인 직사각형을 그림에 나타내시오.

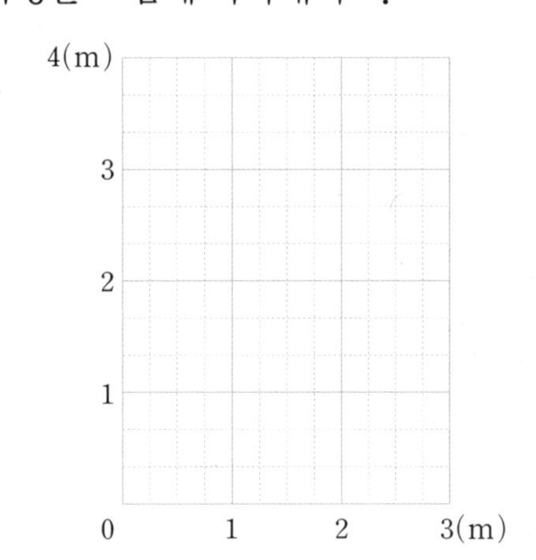

(2) $2\frac{3}{4}\times3\frac{1}{3}$을 계산하시오.

$2\frac{3}{4}\times3\frac{1}{3}=\frac{\square}{4}\times\frac{\square}{3}=\frac{\square}{6}$

$=\square\frac{\square}{6}$

02 다음을 계산하시오.

(1) $2\frac{1}{4}\times2\frac{2}{3}=$

(2) $2\frac{1}{2}\times1\frac{2}{3}=$

(3) $3\times\frac{3}{4}=$

(4) $4\times\frac{3}{5}=$

03 □ 안에 알맞은 수를 써넣으시오.

(1) $1\frac{1}{2}\times1\frac{2}{3}\times2\frac{2}{5}=\left(\frac{3}{2}\times\frac{5}{3}\right)\times\frac{\square}{5}$

$=\frac{\square}{2}\times\frac{12}{5}=\square$

(2) $1\frac{1}{4}\times2\frac{2}{5}\times1\frac{2}{9}=\left(\frac{5}{4}\times\frac{12}{5}\right)\times\frac{\square}{9}$

$=\square\times\frac{\square}{9}=\square\frac{\square}{\square}$

04 빈칸에 알맞은 수를 써넣으시오.

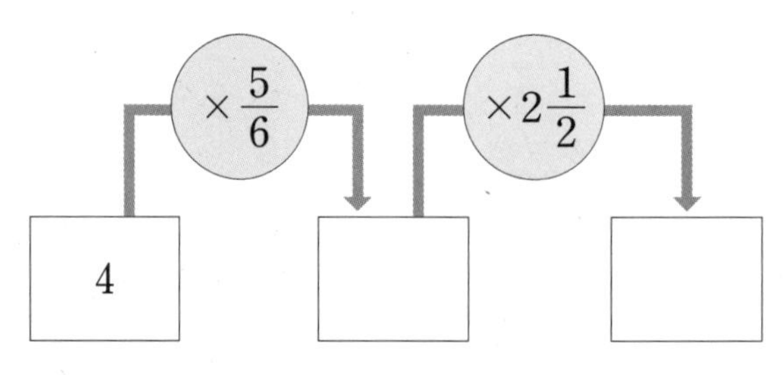

05 계산 결과를 찾아 이어 보시오.

$1\frac{2}{3}\times3\frac{1}{3}$ •	• $5\frac{5}{9}$
$1\frac{1}{7}\times2\frac{4}{5}$ •	• $5\frac{2}{5}$
$6\times\frac{9}{10}$ •	• $3\frac{1}{5}$

06 계산 결과를 비교하여 ○ 안에 >, =, <를 알맞게 써넣으시오.

(1) $1\frac{1}{4}\times2\frac{1}{10}$ ○ $7\times\frac{5}{8}$

(2) $4\times\frac{7}{9}$ ○ $3\frac{3}{4}\times1\frac{5}{6}$

교과서 + 익힘책 응용 유형

07 계산 결과가 다른 것의 기호를 쓰시오.

㉠ $3\frac{4}{7}\times1\frac{4}{5}$ ㉡ $9\times\frac{4}{7}$
㉢ $1\frac{2}{3}\times3\frac{6}{7}$

08 계산 결과가 큰 것부터 차례대로 기호를 쓰시오.

㉠ $3\frac{1}{2}\times1\frac{3}{14}$ ㉡ $1\frac{4}{5}\times3\frac{2}{3}$
㉢ $1\frac{2}{7}\times2\frac{1}{3}$ ㉣ $10\times\frac{7}{8}$

09 가장 큰 수와 가장 작은 수의 곱을 구하시오.

$2\frac{3}{7}$ $1\frac{7}{9}$ $4\frac{1}{2}$

10 길이가 $3\frac{3}{5}$ m인 끈이 있습니다. 이 끈의 $\frac{3}{8}$만큼을 사용하였다면 남은 끈의 길이는 몇 m인지 구하시오.

11 직사각형의 넓이를 구하시오.

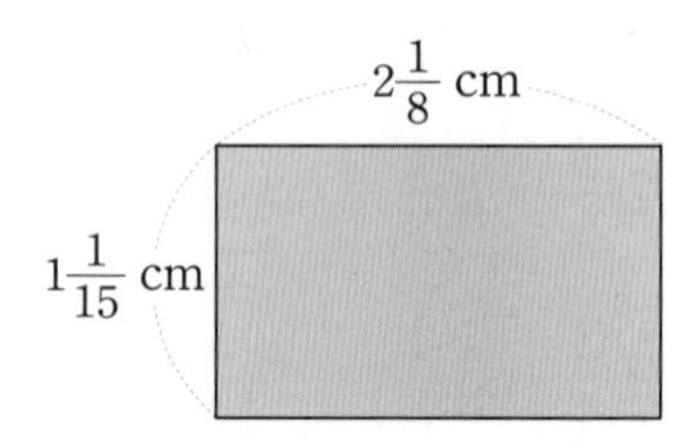

12 한 변의 길이가 $3\frac{4}{7}$ m인 정사각형 모양의 꽃밭에 튤립을 심으려고 합니다. 꽃밭의 $\frac{3}{5}$에 튤립을 심는다고 할 때, 튤립이 심어진 꽃밭의 넓이는 몇 m^2인지 구하시오.

잘 틀리는 유형

13 4장의 수 카드에서 3장을 뽑아 만들 수 있는 가장 큰 대분수와 가장 작은 대분수의 곱을 구하시오.

4 2 5 1

14 □ 안에 들어갈 수 있는 가장 큰 자연수를 구하시오.

$$2\frac{2}{3}\times1\frac{3}{5}>\square\frac{4}{17}$$

15 지호는 자전거로 한 시간 동안 $4\frac{1}{6}$ km를 달립니다. 같은 빠르기로 2시간 40분 동안 달린 거리를 구하시오.

16 마름모의 넓이를 구하시오.

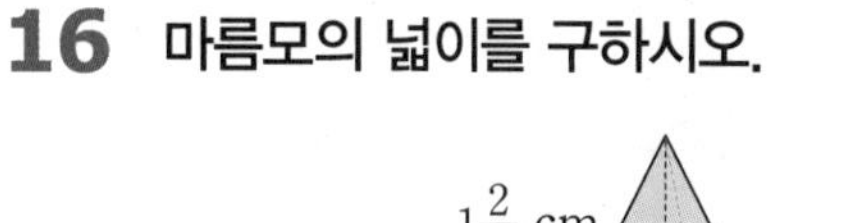

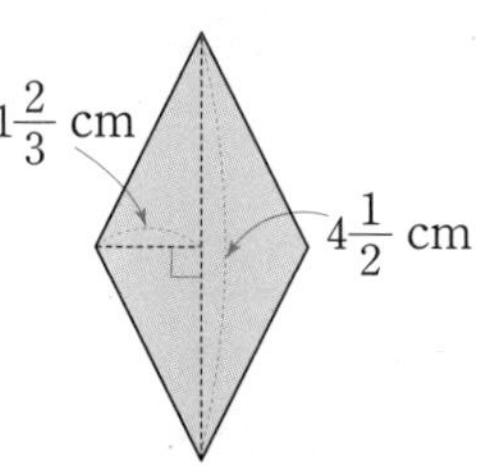

17 잘못 계산한 사람은 누구인지 쓰시오.

효선: $1\frac{1}{4}\times1\frac{4}{11}=1\frac{31}{44}$

선미: $1\frac{3}{7}\times2\frac{4}{5}=4$

현주: $2\frac{1}{4}\times1\frac{7}{18}=4\frac{31}{72}$

18 서진이네 집 마당은 가로가 $4\frac{4}{5}$ m, 세로가 $3\frac{1}{4}$ m인 직사각형 모양입니다. 화단이 마당의 $\frac{1}{3}$이라고 할 때, 화단의 넓이를 구하시오.

분수의 나눗셈

지금까지 우리는 분수의 곱셈을 배웠습니다.
[수학 5-1]에서 분수의 덧셈과 뺄셈을 배웠으니
분수의 나눗셈만 배우면 분수의 계산은 모두 할 수 있겠죠?
[수학 6-1], [수학 6-2]에서 자세히 배우지만 여기서 살짝만 알아볼까요?

분수의 나눗셈은 어떻게 할까요?

분수의 곱셈은 자연수의 곱셈과 거의 비슷하기 때문에 크게 어려울 것은 없지만
분수의 나눗셈은 자연수의 나눗셈과 약간 다른 점이 있습니다.
왜냐하면 분수는 그 특성상 나눗셈하기가 불편하기 때문입니다.
예를 들어 아래 분수의 나눗셈을 살펴 봅시다.

$$\frac{9}{10} \div \frac{18}{5}$$

별거 아닌 것 같지만 가만히 들여다보면 꽤 난감합니다.
자연수의 나눗셈과 분수의 나눗셈을 비교해 보면, 확실히 분수의 나눗셈은 난감합니다.

$$6 \div 3 = \frac{6}{3} = 2 \qquad \frac{9}{10} \div \frac{18}{5} = \frac{\frac{9}{10}}{\frac{18}{5}} = ?$$

이렇게 분수는 그 특성상 나눗셈하기가 불편하기에 보통 곱셈으로 바꾼 다음 계산을 많이 합니다.
바꾸는 방법은 어렵지 않습니다.
그냥 분자와 분모의 위치를 서로 바꿔주면 되는데 이때 ÷가 ×로 바뀝니다.
이런 걸 보통 역수라고 합니다. [역수는 중학교에서 자세히 배우게 됩니다.]
그래서 나누기를 곱하기로 바꿔주기만 하면, 분수도 쉽게 나눗셈을 할 수 있게 됩니다.

$$\frac{9}{10} \div \frac{18}{5} = \frac{\overset{1}{\cancel{9}}}{\underset{2}{\cancel{10}}} \times \frac{\overset{1}{\cancel{5}}}{\underset{2}{\cancel{18}}} = \frac{1}{4}$$

분수의 나눗셈을 계산해 볼까요?

다음 분수의 나눗셈을 계산해 봅시다.

[1] $\frac{3}{4} \div 2$

[2] $\frac{9}{14} \div \frac{3}{14}$

[3] $8 \div \frac{2}{3}$

[4] $\frac{5}{8} \div \frac{2}{5}$

3

합동과 대칭

공부할 내용	공부한 날
07 도형의 합동	월　일
08 선대칭도형	월　일
09 점대칭도형	월　일

07 도형의 합동

우리는 [수학 4-1] 평면도형의 이동에서 평면도형의 밀기, 뒤집기, 돌리기를 알아보았습니다. 평면도형을 밀거나 뒤집거나 돌리면 도형의 위치와 방향은 바뀌지만 모양과 크기는 변하지 않았습니다.

그렇다면 모양과 크기가 같은 두 도형을 무엇이라고 할까요?

모양과 크기가 같아서 포개었을 때, 완전히 겹치는 두 도형을 서로 **합동**이라고 합니다. 서로 합동인 두 도형을 완전히 포개었을 때, 겹치는 점을 **대응점**, 겹치는 변을 **대응변**, 겹치는 각을 **대응각**이라고 합니다.

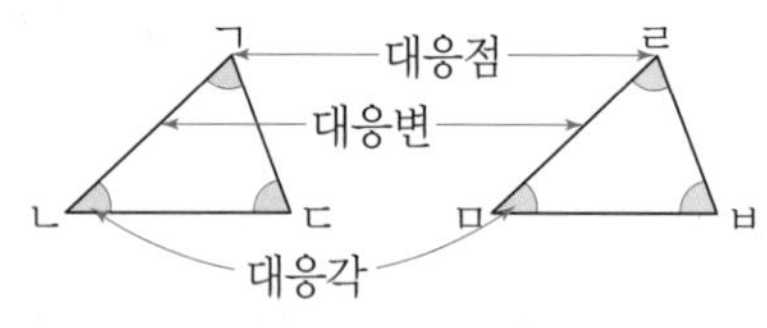

합동인 도형에서 대응변의 길이는 서로 같고, 대응각의 크기도 서로 같습니다.

모양은 같지만 크기가 다른 두 도형은 합동이 아닙니다.

두 사각형이 합동이면

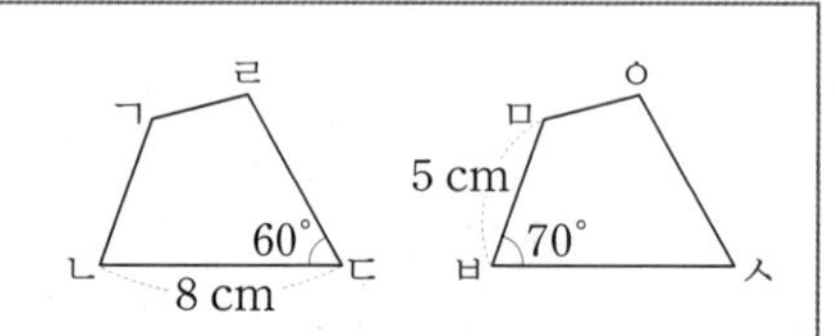

- 대응변의 길이는 서로 같으므로
  (변 ㄱㄴ)=(변 ㅁㅂ), (변 ㄴㄷ)=(변 ㅂㅅ)
  (변 ㄷㄹ)=(변 ㅅㅇ), (변 ㄹㄱ)=(변 ㅇㅁ)
- 대응각의 크기는 서로 같으므로
  (각 ㄱㄴㄷ)=(각 ㅁㅂㅅ), (각 ㄴㄷㄹ)=(각 ㅂㅅㅇ)
  (각 ㄷㄹㄱ)=(각 ㅅㅇㅁ), (각 ㄹㄱㄴ)=(각 ㅇㅁㅂ)

변 ㅁㅂ이 5 cm이므로 변 ㄱㄴ도 5 cm이고, 변 ㄴㄷ이 8 cm이므로 변 ㅂㅅ도 8 cm입니다.

각 ㄴㄷㄹ이 60°이므로 각 ㅂㅅㅇ도 60°이고, 각 ㅁㅂㅅ이 70°이므로 각 ㄱㄴㄷ도 70°입니다.

여기서 직사각형을 잘라서 만든 합동인 도형을 알아봅시다. □ 안에 알맞은 것을 써넣으시오.

직사각형을 잘라서 서로 합동인 도형 2개를 만들면 다음과 같습니다.

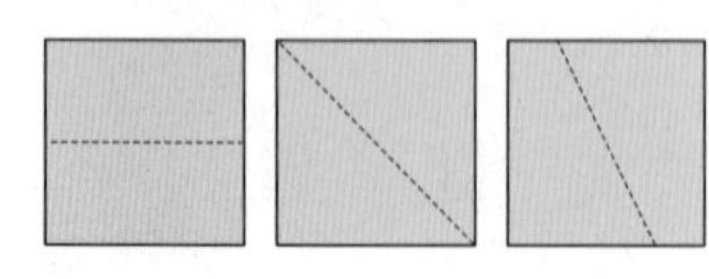

직사각형을 잘라서 서로 합동인 도형 4개를 만들면 다음과 같습니다.

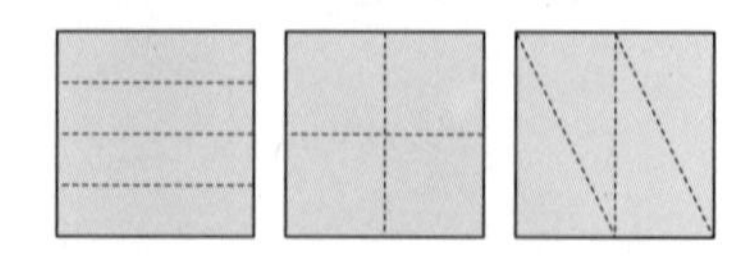

합동인 도형을 만들 때에는 모양과 □가 같게 만들어야 합니다.

답 크기

풍산자 비법

합동인 도형에서 대응변의 길이는 서로 같고, 대응각의 크기도 서로 같다.

교과서 + 익힘책 유형

01 왼쪽 도형과 합동인 도형을 찾아 기호를 쓰시오.

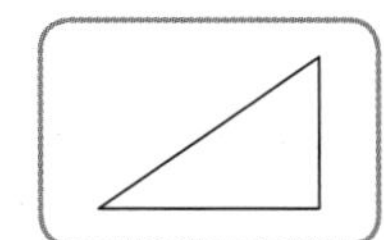
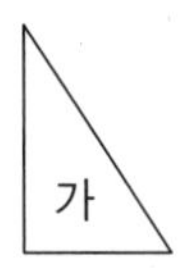

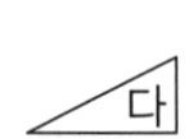

02 나머지 두 도형과 합동이 아닌 도형을 찾아 기호를 쓰시오.

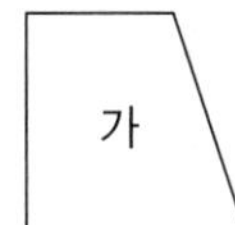

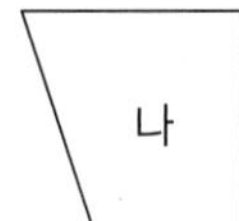

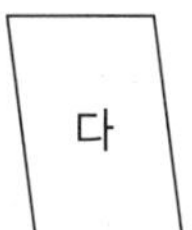

03 서로 합동인 도형을 찾으시오.

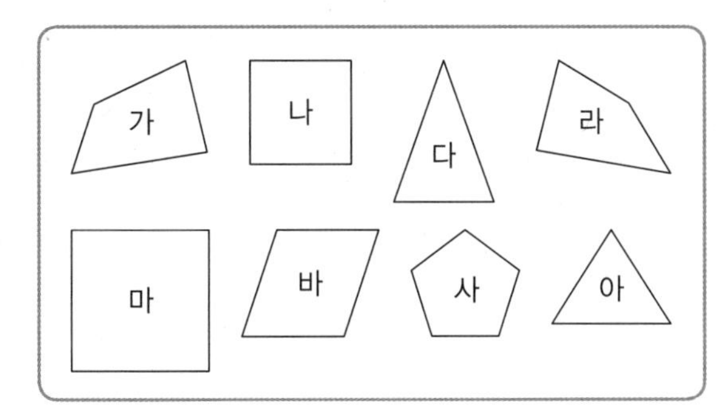

04 두 도형은 서로 합동입니다. 물음에 답하시오.

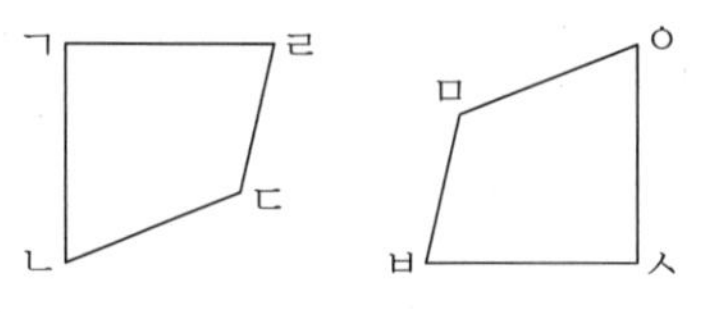

(1) 점 ㄴ의 대응점을 쓰시오.

(2) 변 ㄱㄹ의 대응변을 쓰시오.

(3) 각 ㅂㅁㅇ의 대응각을 구하시오.

05 두 삼각형은 합동입니다. 물음에 답하시오.

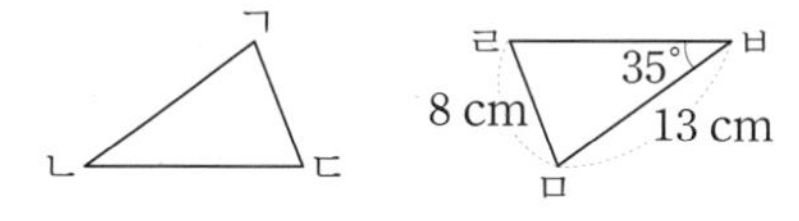

(1) 변 ㄱㄴ의 길이를 쓰시오.

(2) 각 ㄱㄴㄷ의 크기를 쓰시오.

06 두 도형은 서로 합동입니다. 대응점, 대응변, 대응각은 각각 몇 쌍씩 있는지 쓰시오.

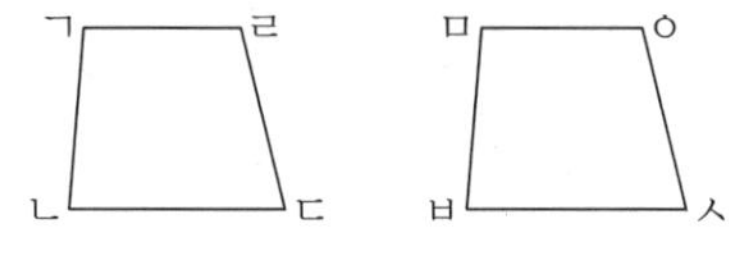

⇨ 대응점: □쌍

대응변: □쌍

대응각: □쌍

교과서 + 익힘책 응용 유형

07 삼각형 ㄱㄴㄷ과 삼각형 ㄹㄷㄴ은 서로 합동입니다. 변 ㄱㄷ의 대응변을 찾아 쓰시오.

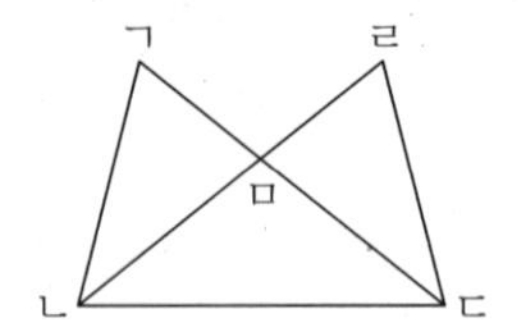

08 두 도형은 합동입니다. ㉠+㉡+㉢을 구하시오.

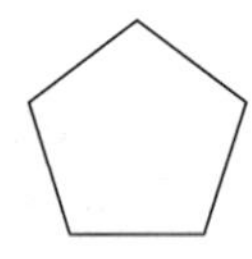
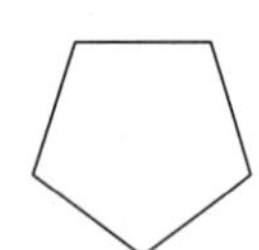

⇨ 대응점: ㉠ 쌍
대응변: ㉡ 쌍
대응각: ㉢ 쌍

09 두 도형은 합동입니다. 삼각형 ㄱㄴㄷ의 둘레는 몇 cm인지 구하시오.

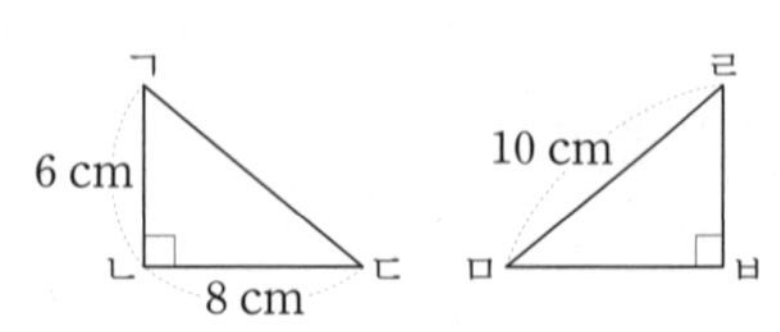

10 두 도형은 합동입니다. 변 ㄱㄴ의 길이와 변 ㄹㅂ의 길이의 합을 구하시오.

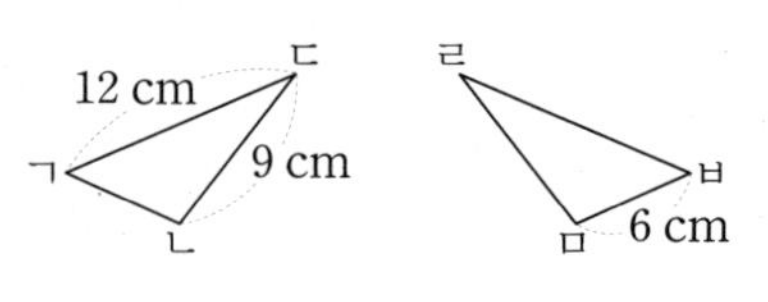

11 두 도형은 합동입니다. 사각형 ㄱㄴㄷㄹ의 넓이를 구하시오.

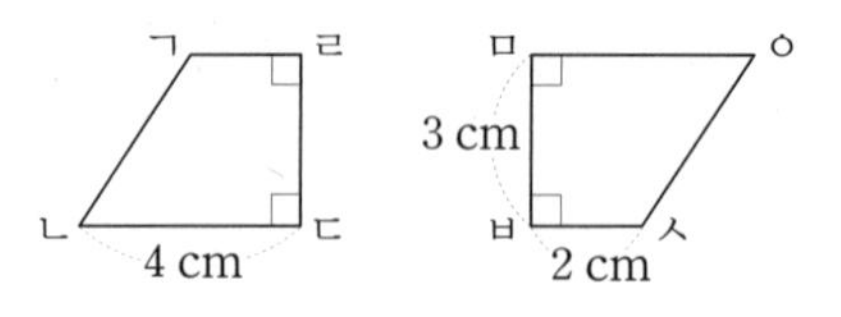

12 직사각형 모양의 종이를 접었습니다. 삼각형 ㅁㄴㅂ의 넓이를 구하시오.

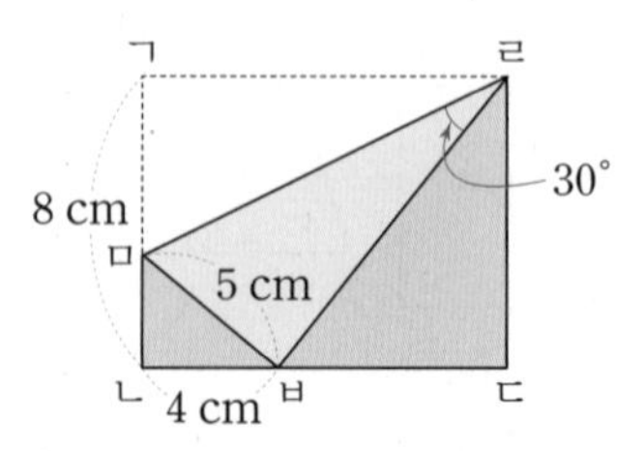

잘 틀리는 유형

13 두 사다리꼴은 합동입니다. 사다리꼴 ㄱㄴㄷㄹ의 넓이가 $80\ \text{cm}^2$일 때, 사다리꼴 ㅁㅂㅅㅇ의 높이를 구하시오.

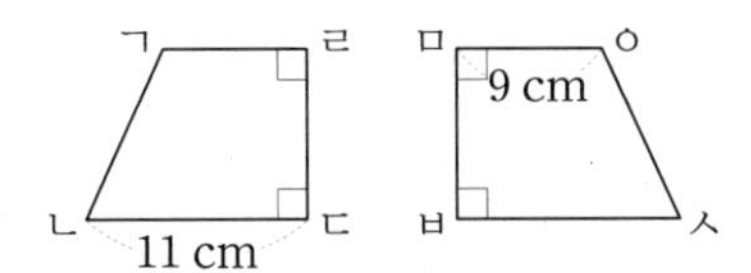

14 직사각형 모양의 종이를 접었습니다. 각 ㉠의 크기가 $50°$일 때, 각 ㉡의 크기를 구하시오.

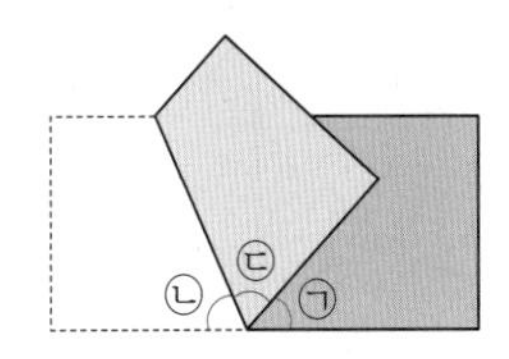

15 삼각형 ㄱㄴㄹ과 삼각형 ㄱㄷㄹ은 서로 합동입니다. 각 ㄷㄱㄹ의 크기를 구하시오.

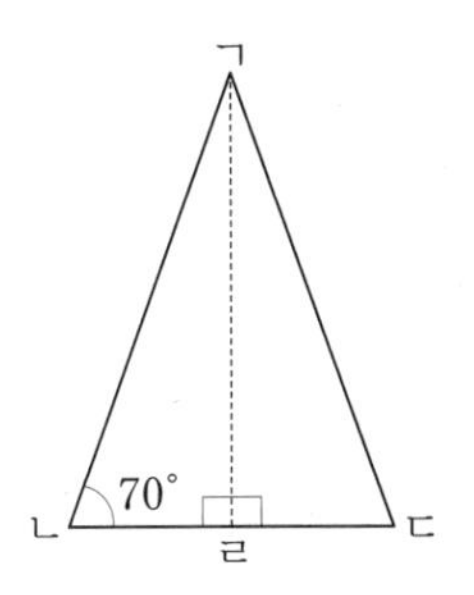

16 삼각형 ㄱㄴㄷ과 삼각형 ㄹㄷㄴ은 합동입니다. 각 ㄱㄴㄹ의 크기를 구하시오.

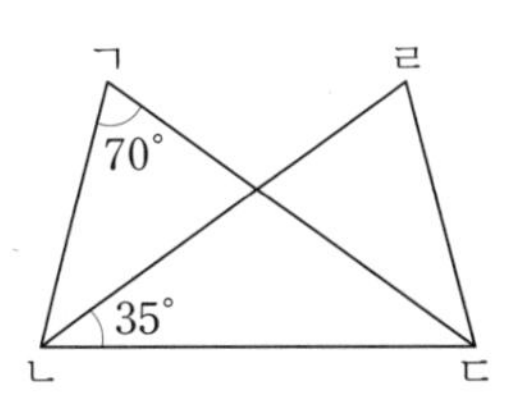

17 직사각형 ㄱㄴㄷㄹ을 그림과 같이 접었습니다. 삼각형 ㄱㄴㅁ과 삼각형 ㄷㅂㅁ이 합동일 때, 삼각형 ㄱㅁㄷ의 넓이를 구하시오.

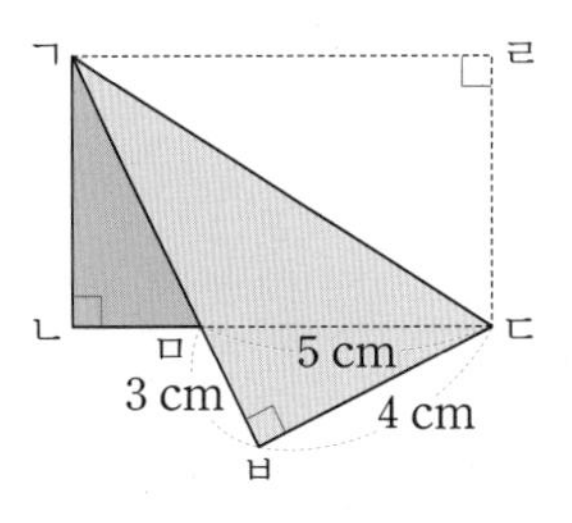

18 삼각형 ㄱㄴㄷ과 삼각형 ㄷㄹㅁ은 서로 합동입니다. 각 ㄱㅁㄷ의 크기를 구하시오.

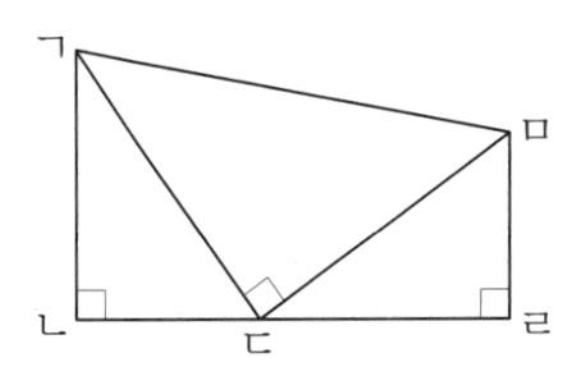

선대칭도형

우리는 앞 단원에서 도형의 합동을 알아보았습니다. 모양과 크기가 같아서 포개었을 때, 완전히 겹치는 두 도형을 서로 합동이라고 하였습니다. 합동인 도형에서 대응변의 길이와 대응각의 크기는 각각 서로 같았습니다.

그렇다면 한 직선을 따라 접어서 완전히 포개어지는 도형을 무엇이라고 할까요?

한 직선을 따라 접어서 완전히 겹치는 도형을 **선대칭도형**이라고 합니다. 이때 그 직선을 **대칭축**이라고 합니다. 대칭축을 따라 포개었을 때 겹치는 점을 **대응점**, 겹치는 변을 **대응변**, 겹치는 각을 **대응각**이라고 합니다.

대칭축 대칭축

선대칭도형에는 다음과 같은 성질이 있습니다.

> 선대칭도형에서 대칭축으로 나누어진 두 도형은 서로 합동입니다.

- 대응변의 길이와 대응각의 크기는 각각 같습니다.
  (변 ㄱㄴ)=(변 ㅁㄹ), (변 ㄴㄷ)=(변 ㄹㄷ)
  (변 ㄱㅂ)=(변 ㅁㅂ)
  (각 ㅂㄱㄴ)=(각 ㅂㅁㄹ), (각 ㄱㄴㄷ)=(각 ㅁㄹㄷ)
- 대응점을 이은 선분은 대칭축과 수직으로 만납니다.
  (각 ㄱㅅㅂ)=(각 ㅁㅅㅂ)=$90°$, (각 ㄴㅇㄷ)=(각 ㄹㅇㄷ)=$90°$
- 대칭축은 대응점을 이은 선분을 이등분하므로 각각의 대응점에서 대칭축까지의 거리는 같습니다.
  (선분 ㄱㅅ)=(선분 ㅁㅅ), (선분 ㄴㅇ)=(선분 ㄹㅇ)

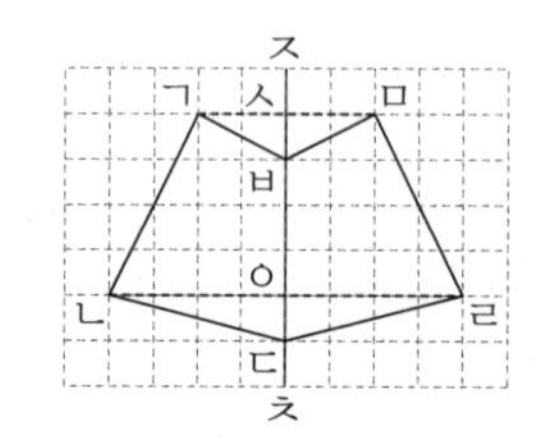

선대칭도형을 그릴 때에는 먼저 선대칭도형의 대칭축을 중심으로 각 점의 대응점을 찾아 표시한 후, 대응점을 차례로 이어 선대칭도형을 완성합니다.

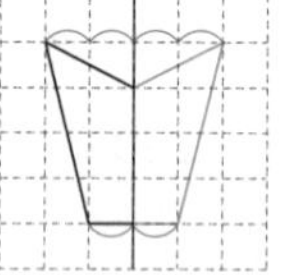

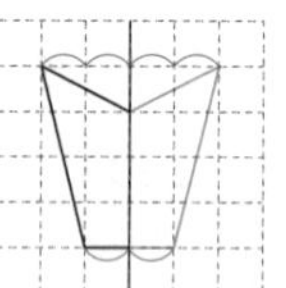

> 대칭축 위에 있는 도형의 꼭짓점은 대응점이 그 점과 같습니다.

여기서 선대칭도형의 대칭축의 개수를 알아봅시다. □ 안에 알맞은 것을 써넣으시오.

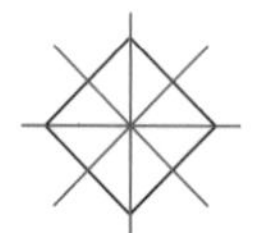

대칭축은 선대칭도형의 모양에 따라 1개일 수도 있고 여러 개일 수도 있습니다. 대칭축이 여러 개일 때 모든 대칭축은 □에서 만납니다.

답 한 점

> 원은 원의 중심을 지나는 어떤 직선을 따라 접어도 완전히 겹치므로 원의 대칭축은 수없이 많습니다.

풍산자 비법

선대칭도형 ⇨ 한 직선을 따라 접어서 완전히 겹치는 도형

교과서 + 익힘책 유형

01 선대칭도형입니다. 물음에 답하시오.

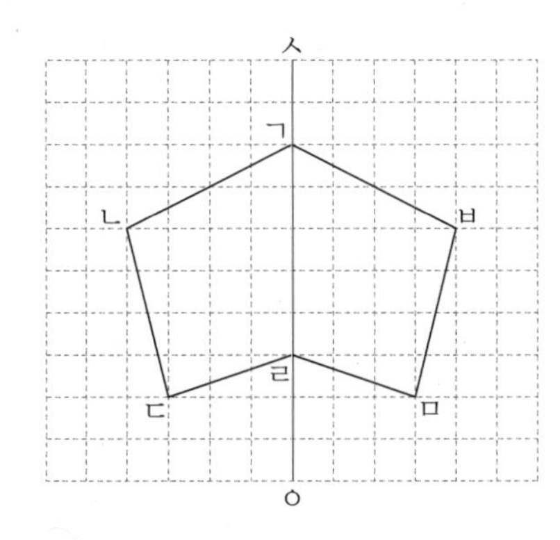

(1) 점 ㄴ의 대응점을 쓰시오.

(2) 변 ㄱㄴ의 대응변을 쓰시오.

(3) 각 ㄴㄷㄹ의 대응각을 쓰시오.

02 선대칭도형의 일부가 그려져 있습니다. 선대칭도형을 완성해보시오.

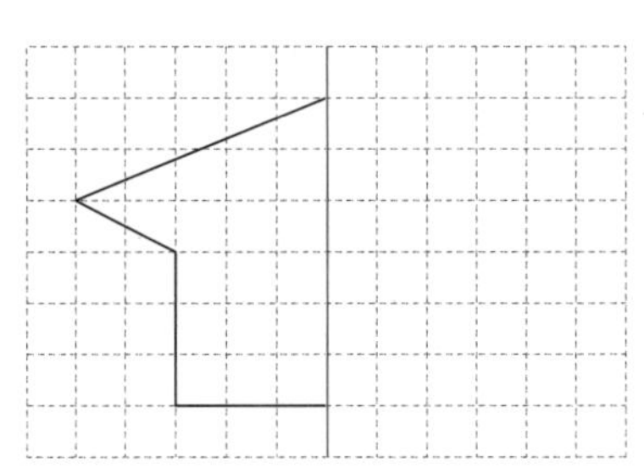

03 선대칭도형인 것을 모두 찾아 기호를 쓰시오.

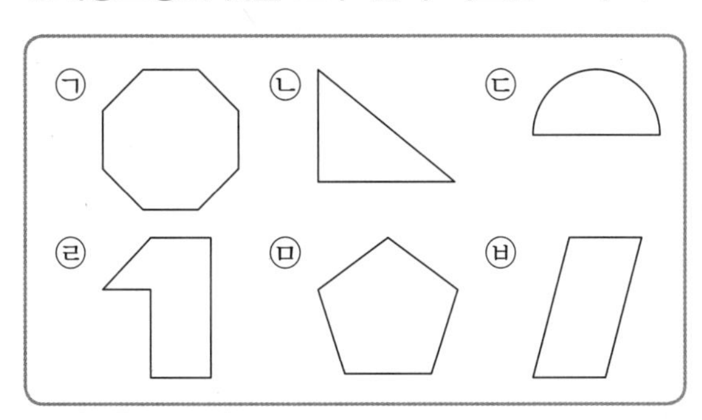

04 선대칭도형입니다. 대칭축을 모두 그려 보시오.

(1)
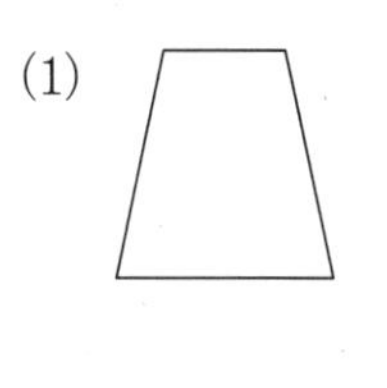

(2)
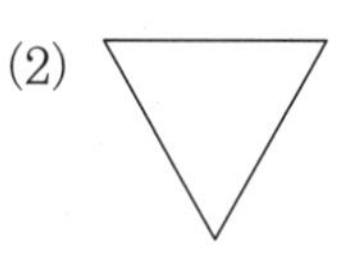

(3)

(4)
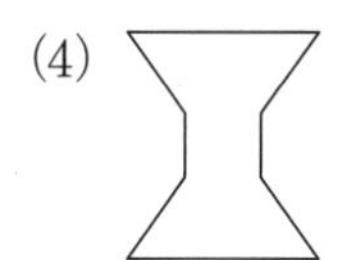

05 선대칭도형입니다. □ 안에 알맞은 수를 써넣으시오.

(1)
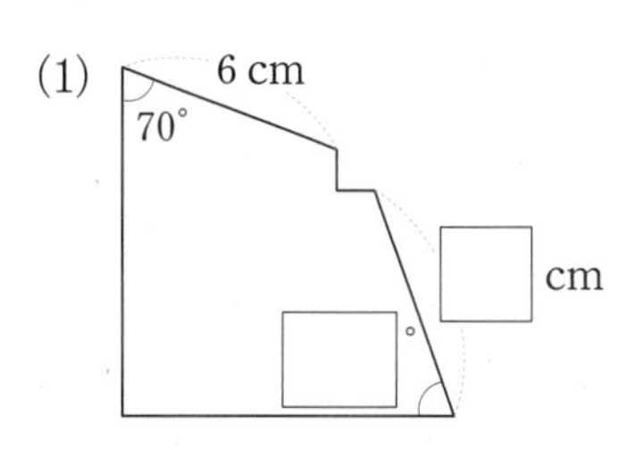

(2)
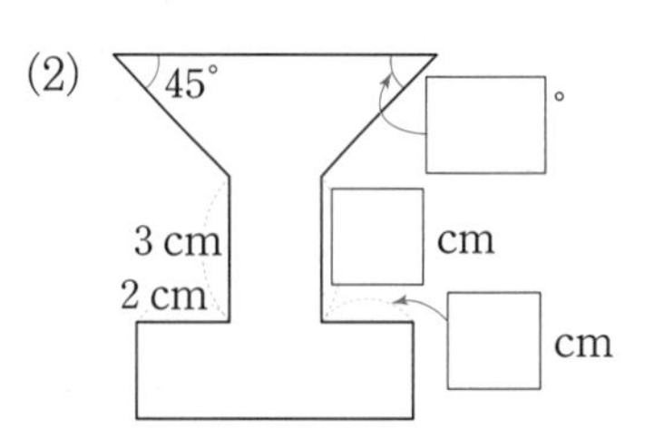

교과서 + 익힘책 응용 유형

06 선대칭도형입니다. □ 안에 알맞은 수를 써넣으시오.

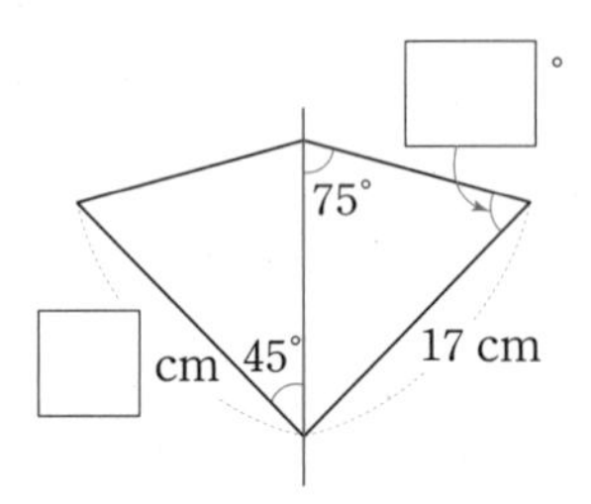

07 대칭축이 2개인 선대칭도형을 고르시오.

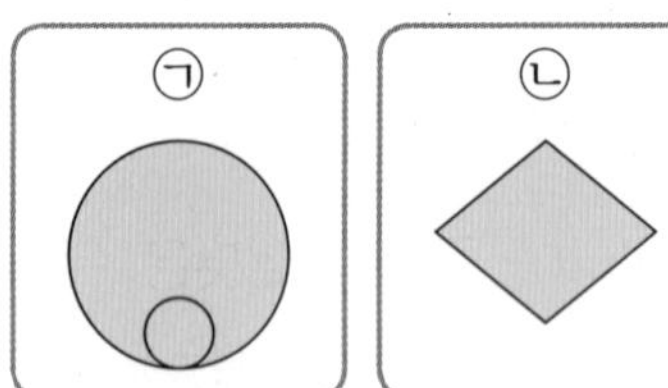
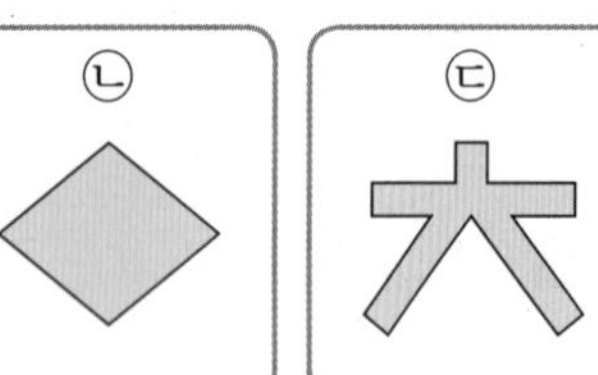

08 선대칭도형의 대칭축을 바르게 나타낸 것을 찾아 기호를 쓰시오.

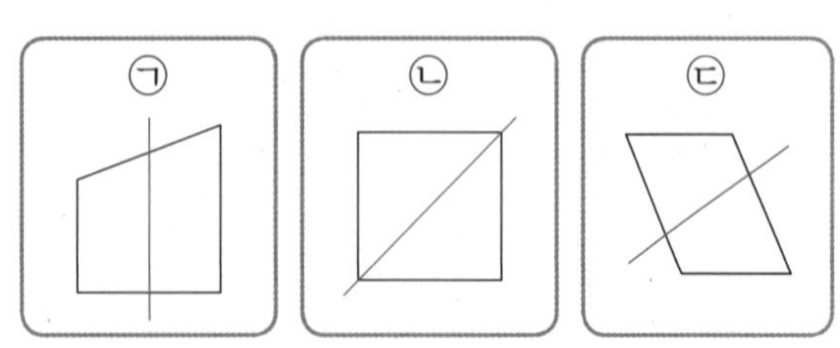

09 선대칭도형 중 대칭축의 개수가 가장 많은 것부터 차례대로 기호를 쓰시오.

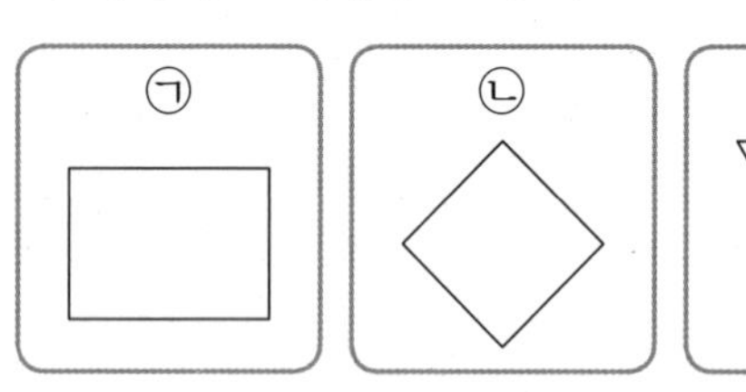

10 선대칭도형입니다. 주어진 도형의 둘레는 몇 cm인지 구하시오.

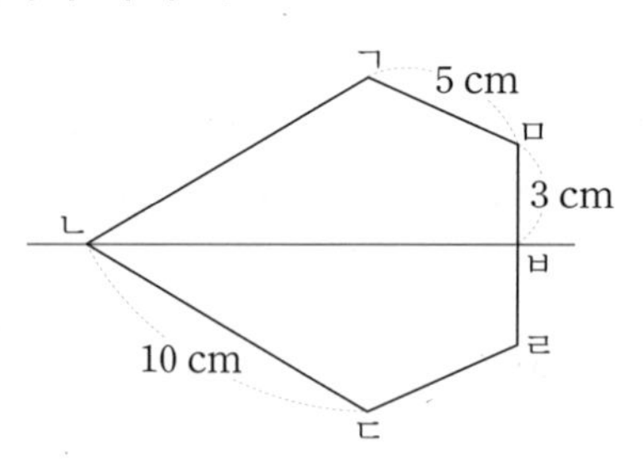

11 선대칭도형의 일부분입니다. 완성된 선대칭도형의 넓이를 구하시오.

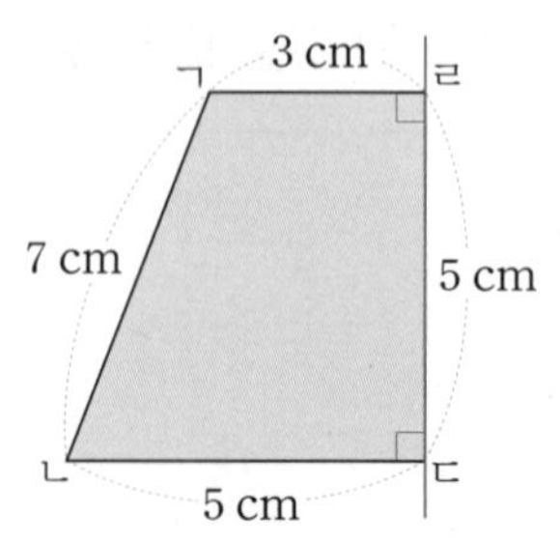

잘 틀리는 유형

12 선대칭도형 중 대칭축의 개수가 가장 많은 것부터 차례대로 기호를 쓰시오.

㉠ 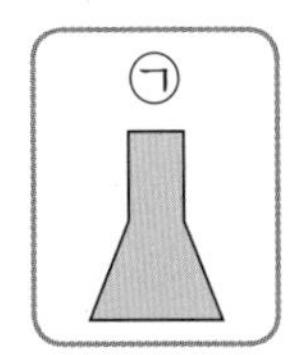 ㉡ 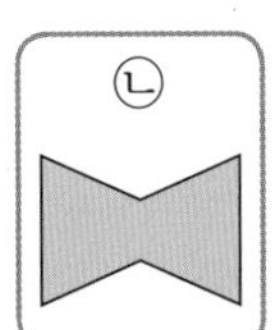 ㉢  ㉣ 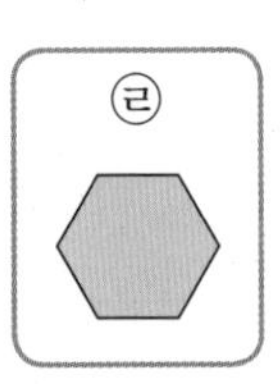

13 선대칭도형입니다. 각 ㄹㅁㅂ의 크기를 구하시오.

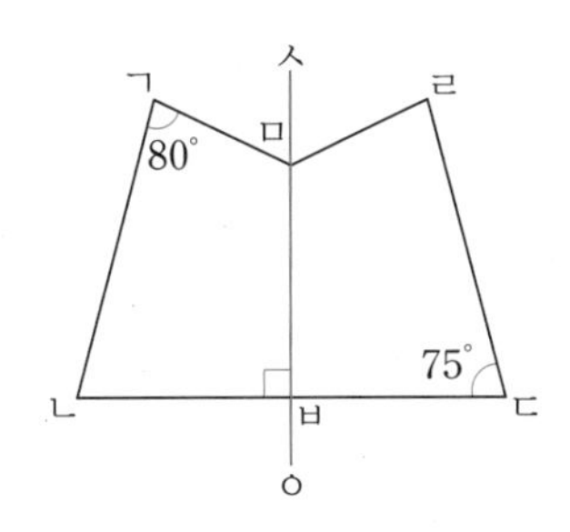

14 선대칭도형에 대해 잘못 설명한 친구는 누구인지 쓰시오.

> 서진: 모든 선대칭도형의 대칭축은 1개야.
> 민주: 대응점을 이은 선분은 대칭축과 수직이야.
> 영미: 대칭축은 대응점을 이은 선분을 이등분해.

15 선대칭도형인 알파벳을 모두 찾아 기호를 쓰시오.

㉠  ㉡  ㉢  ㉣ 

16 선대칭도형의 일부분입니다. 완성된 선대칭도형의 넓이를 구하시오.

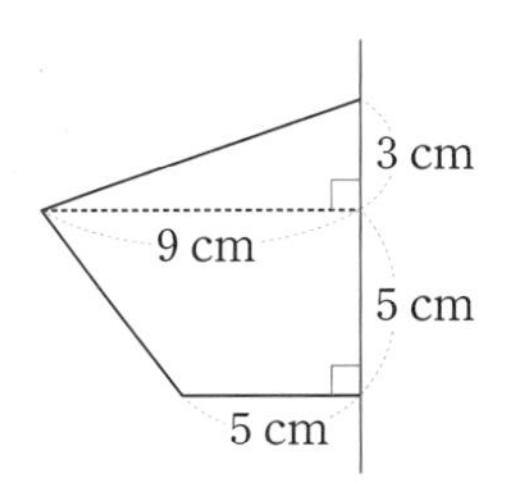

17 선대칭도형입니다. 도형의 둘레가 72 cm일 때 변 ㄷㄹ은 몇 cm인지 구하시오.

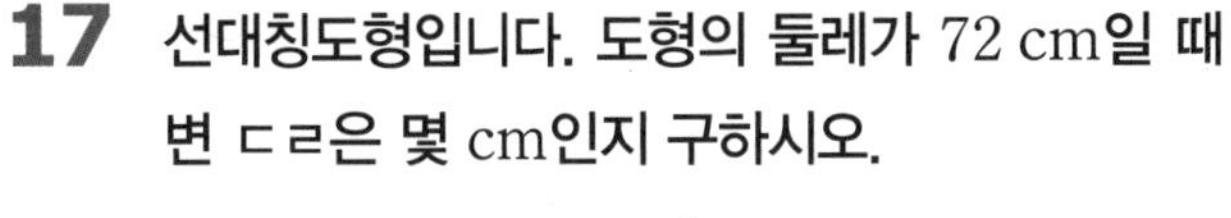

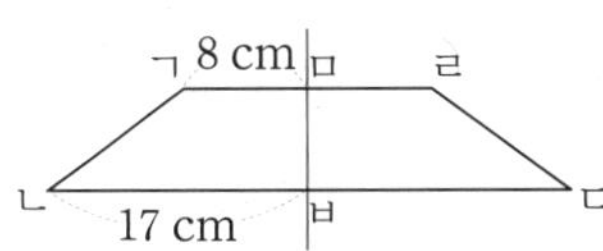

점대칭도형

우리는 앞 단원에서 선대칭도형을 알아보았습니다. 한 직선을 따라 접어서 완전히 겹치는 도형을 선대칭도형이라고 하였고, 그 직선을 대칭축이라고 하였습니다.

그렇다면 어떤 점을 중심으로 돌렸을 때 처음 도형과 완전히 겹치는 도형을 무엇이라고 할까요?

한 도형을 어떤 점을 중심으로 180° 돌렸을 때 처음 도형과 완전히 겹치면 이 도형을 **점대칭도형**이라고 합니다.

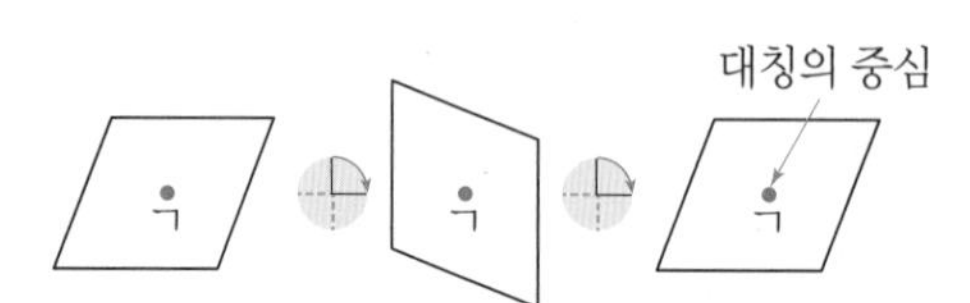

이때 그 점을 **대칭의 중심**이라고 합니다.

대칭의 중심을 중심으로 180° 돌렸을 때 겹치는 점을 **대응점**, 겹치는 변을 **대응변**, 겹치는 각을 **대응각**이라고 합니다.

점대칭도형에는 다음과 같은 성질이 있습니다.

점대칭도형에서 대칭의 중심은 항상 1개입니다.

- 대응변의 길이와 대응각의 크기는 각각 같습니다.
  (변 ㄱㄴ)=(변 ㄷㄹ), (변 ㄴㄷ)=(변 ㄹㄱ)
  (각 ㄱㄴㄷ)=(각 ㄷㄹㄱ), (각 ㄴㄷㄹ)=(각 ㄹㄱㄴ)
- 대칭의 중심은 대응점을 이은 선분을 이등분하므로 각각의 대응점에서 대칭의 중심까지의 거리는 같습니다.
  (선분 ㄱㅇ)=(선분 ㄷㅇ), (선분 ㄴㅇ)=(선분 ㄹㅇ)

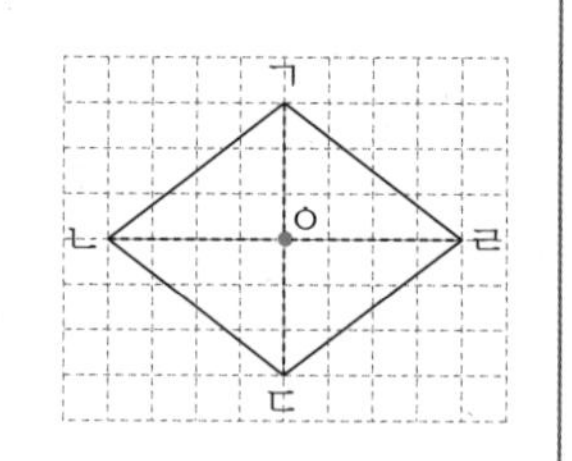

점대칭도형에서 대응점을 이은 선분을 따라 둘로 나누면 두 도형은 합동입니다.

점대칭도형을 그릴 때에는 먼저 각 점에서 대칭의 중심을 지나는 직선을 긋고 각 점에서 대칭의 중심까지의 길이와 같도록 대응점을 찾아 표시한 후, 대응점을 차례로 이어 점대칭도형을 완성합니다.

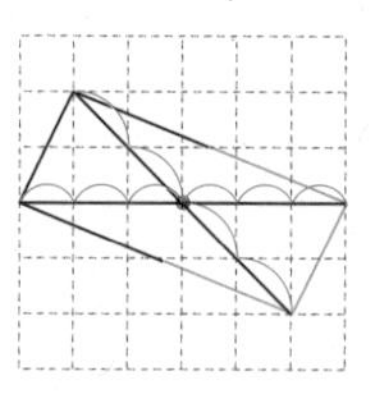

여기서 점대칭도형인 사각형을 알아봅시다. □ 안에 알맞은 것을 써넣으시오.

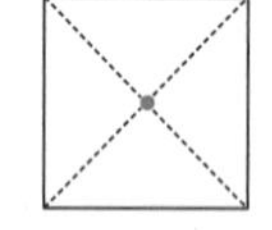 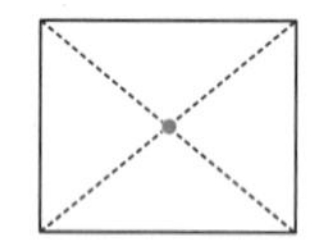 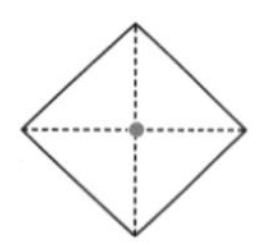 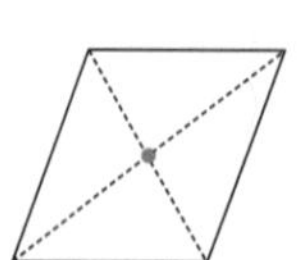

정사각형, 직사각형, 마름모, 평행사변형은 모두 점대칭도형입니다.
특히, 정사각형, 직사각형, □는 선대칭도형이기도 합니다.

답 마름모

풍산자 비법

점대칭도형 ⇨ 한 도형을 어떤 점을 중심으로 180° 돌렸을 때 처음 도형과 완전히 겹치는 도형

교과서 + 익힘책 유형

01 점 ㅇ을 중심으로 180° 돌렸을 때 처음 도형과 완전히 겹치는 도형을 찾으려고 합니다. □ 안에 알맞은 말을 써넣으시오.

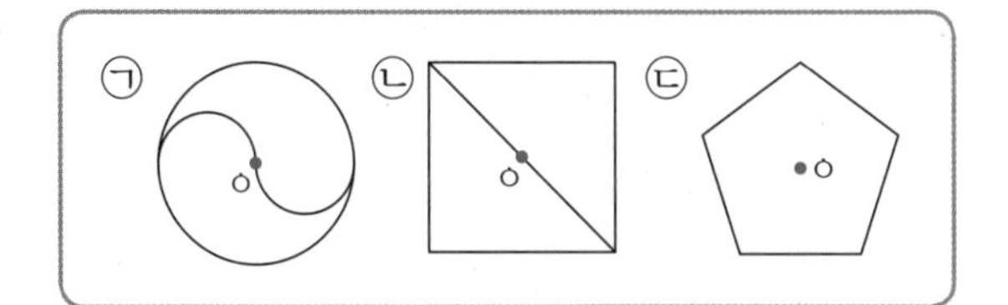

(1) 점 ㅇ을 중심으로 180° 돌렸을 때 처음 도형과 완전히 겹치는 도형은 □, □입니다.

(2) 한 도형을 어떤 점을 중심으로 180° 돌렸을 때 처음 도형과 완전히 겹치면 이 도형을 □이라고 합니다.

02 점대칭도형입니다. 물음에 답하시오.

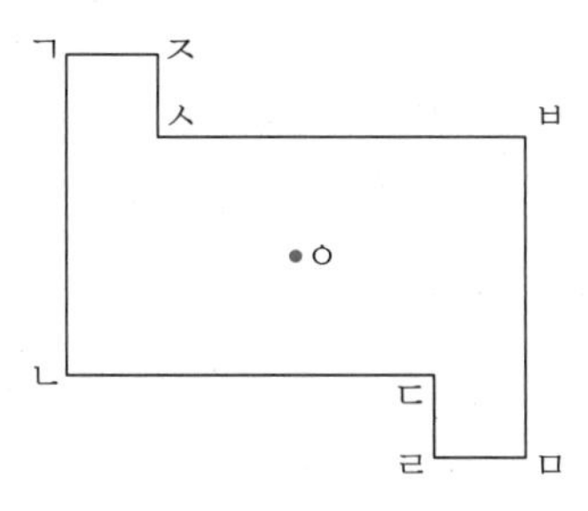

(1) 점 ㅂ의 대응점을 쓰시오.

(2) 변 ㅂㅅ의 대응변을 쓰시오.

(3) 각 ㄱㅈㅅ의 대응각을 쓰시오.

03 점대칭도형의 일부가 그려져 있습니다. 점대칭도형을 완성해 보시오.

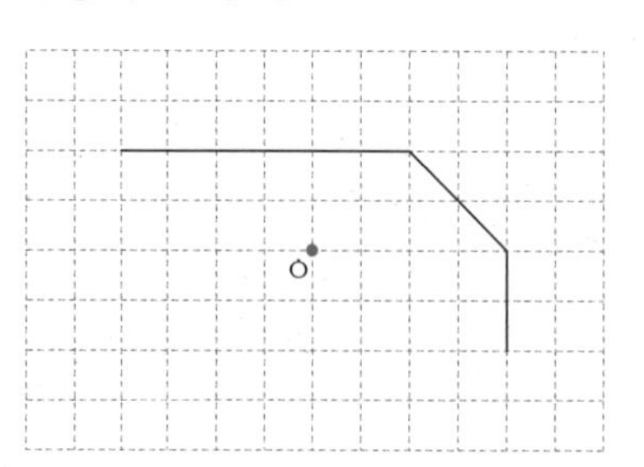

04 점대칭도형입니다. 물음에 답하시오.

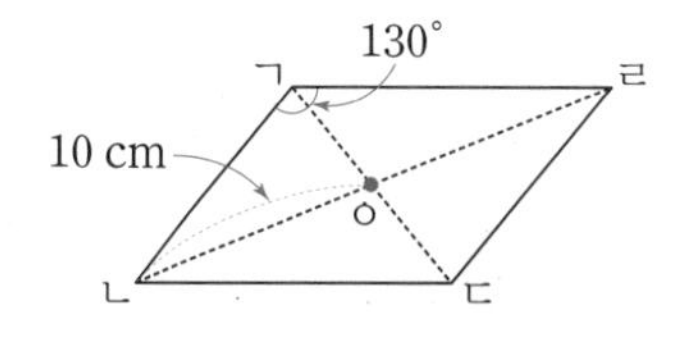

(1) 선분 ㄹㅇ의 길이를 구하시오.

(2) 각 ㄴㄷㄹ의 크기를 구하시오.

05 점대칭도형의 대칭의 중심을 찾아 점 ㅇ으로 표시해 보시오.

(1)

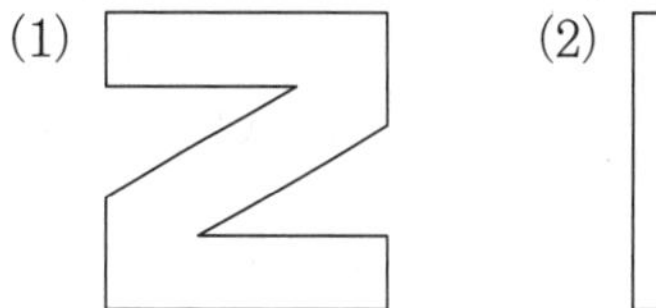

(2)

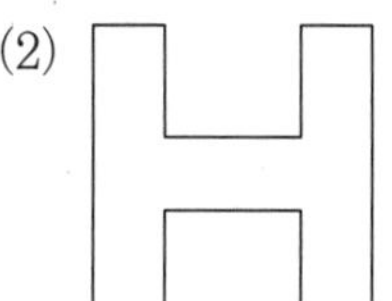

교과서 + 익힘책 응용 유형

06 점대칭도형입니다. 각 ㄴㄹㄷ의 크기를 구하시오.

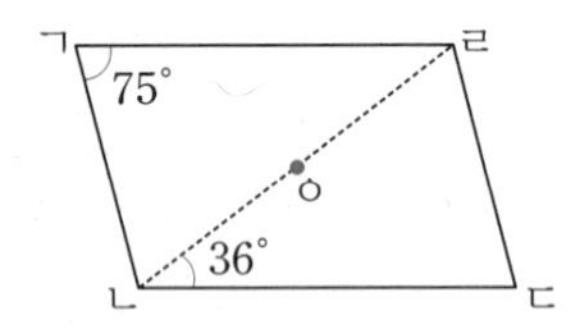

07 점대칭도형입니다. 선분 ㄴㅂ은 몇 cm인지 구하시오.

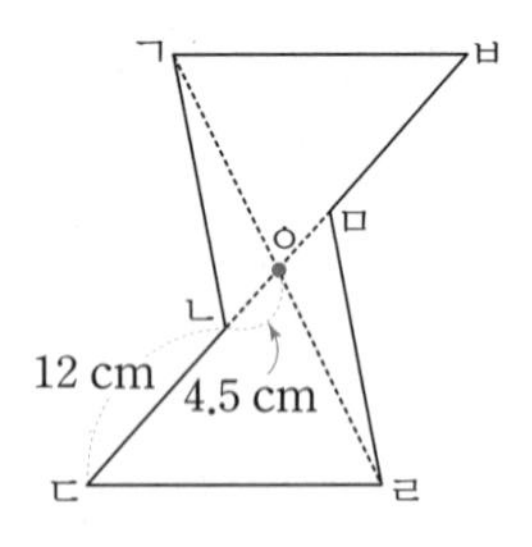

08 점대칭도형입니다. 점대칭도형의 둘레는 몇 cm인지 구하시오.

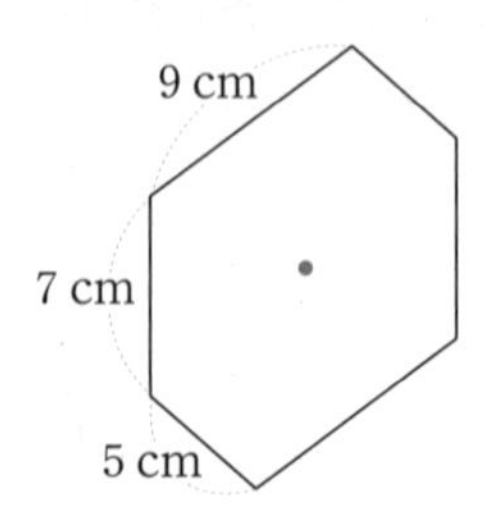

09 점대칭도형인 것을 모두 찾아 기호를 쓰시오.

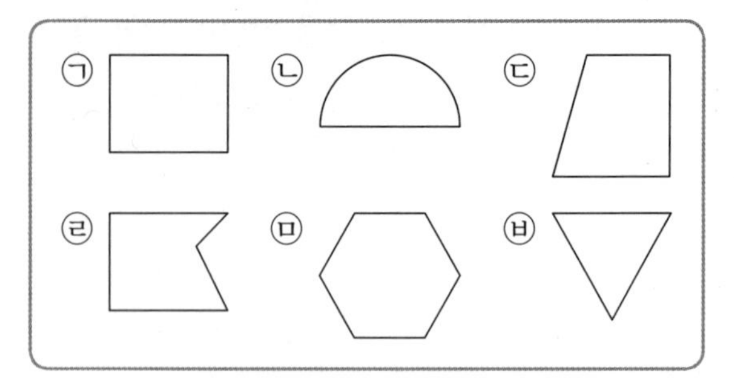

10 점대칭도형의 일부분입니다. 물음에 답하시오.

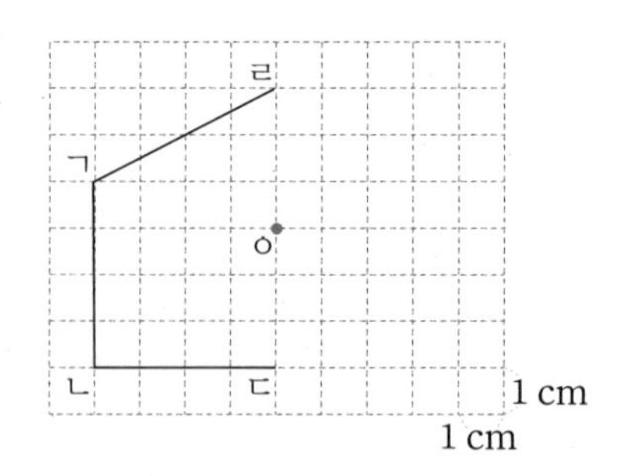

(1) 점 ㅇ을 대칭의 중심으로 하는 점대칭도형을 완성하시오.

(2) 완성한 점대칭도형의 넓이를 구하시오.

11 점대칭도형에 대해 바르게 설명한 친구는 누구인지 쓰시오.

영미: 대응점을 이은 선분은 반드시 대칭의 중심을 지나.
서진: 각각의 대응점에서 대칭의 중심까지의 거리는 다를 수 있어.

잘 틀리는 유형

12 점대칭도형입니다. 각 ㄴㅇㄷ의 크기를 구하시오.

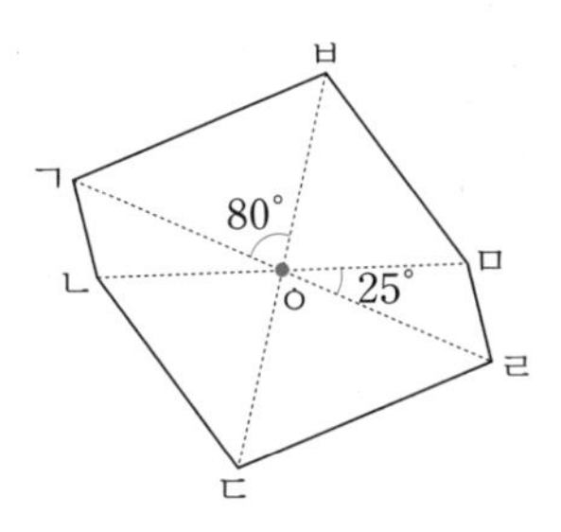

13 점대칭도형인 알파벳을 모두 찾아 기호를 쓰시오.

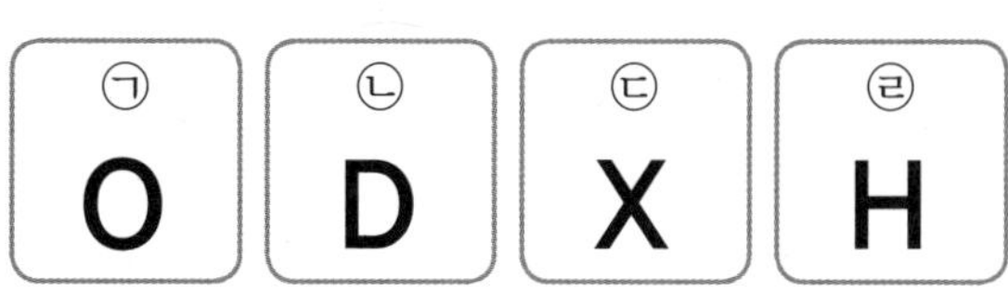

14 점대칭도형의 일부분입니다. 나머지 부분을 완성했을 때 점대칭도형의 둘레는 70 cm입니다. 변 ㄴㄷ은 몇 cm인지 구하시오.

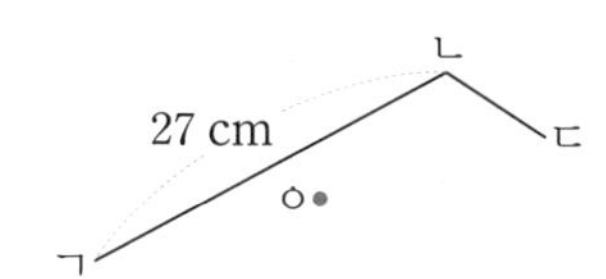

15 점대칭도형에 대해 잘못 설명한 친구는 누구인지 쓰시오.

> 지민: 점대칭도형에서 대칭의 중심은 여러 개 있을 수 있어.
> 민주: 대칭의 중심은 대응점을 이은 선분을 이등분해.

16 점대칭도형입니다. 두 대각선의 길이의 합이 52 cm일 때 선분 ㄷㅇ은 몇 cm인지 구하시오.

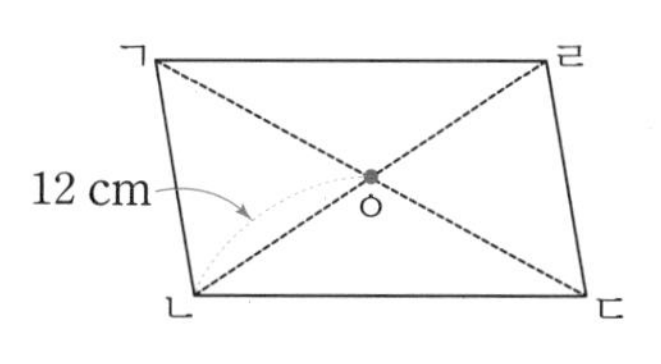

17 점 ㅇ을 대칭의 중심으로 하는 점대칭도형의 일부분입니다. 점대칭도형의 둘레는 몇 cm인지 구하시오.

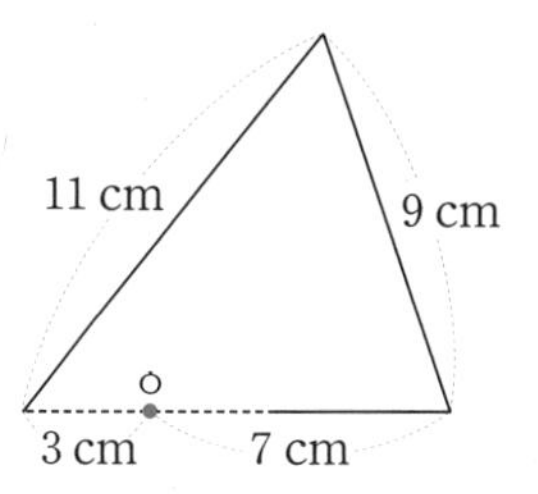

도형의 닮음

지금까지 우리는 합동과 대칭을 배웠습니다.
모양과 크기가 같아서 포개었을 때 완전히 겹치는 두 도형을 서로 합동이라고 하였습니다.
모양은 같지만 크기가 다른 두 도형은 무엇이라고 할까요?
중학교에서 자세히 배우지만 여기서 살짝만 알아볼까요?

도형의 닮음은 무엇일까요?

한 도형을 일정한 비율로 확대 또는 축소하여 만든 도형이 다른 한 도형과 합동이 될 때, 그 두 도형은 서로 닮음인 관계에 있다고 합니다.
또, 닮음인 관계에 있는 두 도형을 서로 닮은 도형이라고 합니다.
닮은 도형은 크기와 상관없이 모양이 같은 도형입니다.
오른쪽 그림에서 삼각형 ㄱㄴㄷ을 2배로 확대한 것은 삼각형 ㄹㅁㅂ과 합동입니다.
따라서 삼각형 ㄱㄴㄷ과 삼각형 ㄹㅁㅂ은 서로 닮은 도형입니다.

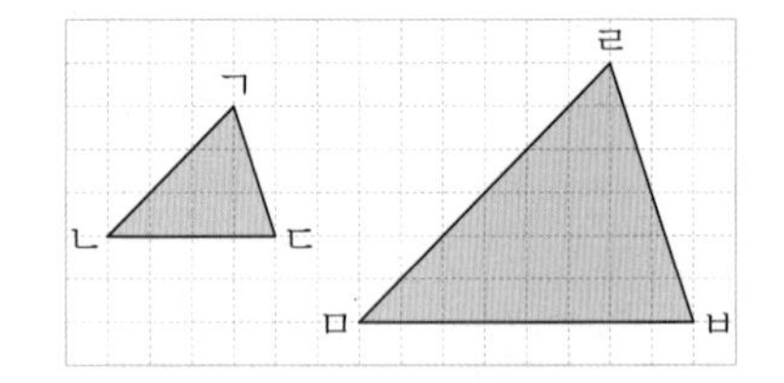

이 두 삼각형에서 점 ㄱ과 점 ㄹ, 점 ㄴ과 점 ㅁ, 점 ㄷ과 점 ㅂ은 각각 대응하는 꼭짓점이고, 변 ㄱㄴ과 변 ㄹㅁ, 변 ㄴㄷ과 변 ㅁㅂ, 변 ㄷㄱ과 변 ㅂㄹ은 각각 대응하는 변입니다.
또, 각 ㄱㄴㄷ과 각 ㄹㅁㅂ, 각 ㄴㄷㄱ과 각 ㅁㅂㄹ, 각 ㄷㄱㄴ과 각 ㅂㄹㅁ은 각각 대응하는 각입니다.

닮은 도형을 찾아 볼까요?

다음 중 항상 서로 닮은 도형인 것을 모두 고르시오.

[1] 두 정삼각형

[2] 두 직사각형

[3] 두 이등변삼각형

[4] 두 정사각형

[5] 두 원

[6] 두 마름모

소수의 곱셈

공부할 내용	공부한 날
10 (소수)×(자연수)	월 일
11 (자연수)×(소수)	월 일
12 (1보다 작은 소수)×(1보다 작은 소수)	월 일
13 (1보다 큰 소수)×(1보다 큰 소수)	월 일
14 곱의 소수점 위치	월 일

10 (소수)×(자연수)

우리는 [수학 5-2] 분수의 곱셈에서 $\frac{3}{5}\times4$, $1\frac{1}{5}\times3$과 같은 (분수)×(자연수)를 계산하는 방법을 알아보았습니다. (진분수)×(자연수)는 분수의 분모는 그대로 두고 분자와 자연수를 곱하여 계산하였고, (대분수)×(자연수)는 대분수를 가분수로 바꾼 후에 분수의 분모는 그대로 두고 분자와 자연수를 곱하여 계산하거나 대분수를 자연수와 진분수의 합으로 보고 계산하였습니다.

$\frac{3}{5}\times4=\frac{3\times4}{5}=\frac{12}{5}=2\frac{2}{5}$

$1\frac{1}{5}\times3=\frac{6}{5}\times3=\frac{6\times3}{5}$
$=\frac{18}{5}=3\frac{3}{5}$

$1\frac{1}{5}\times3=(1\times3)+\left(\frac{1}{5}\times3\right)$
$=3+\frac{3}{5}=3\frac{3}{5}$

그렇다면 0.4×3, 1.6×4와 같은 (소수)×(자연수)는 어떻게 계산할까요?
(소수)×(자연수)는 소수를 분수로 나타내어 분수의 곱셈으로 계산하거나 0.1의 개수로 다음과 같이 계산할 수 있습니다.

[방법 1] 분수의 곱셈으로 계산

- $0.4\times3=\frac{4}{10}\times3=\frac{4\times3}{10}=\frac{12}{10}=1.2$
- $1.6\times4=\frac{16}{10}\times4=\frac{16\times4}{10}=\frac{64}{10}=6.4$

[방법 2] 0.1의 개수로 계산

- 0.4×3 ⇨ 0.4는 0.1이 4개이고 0.4×3은 0.1이 4×3=12(개)이므로 0.4×3=1.2입니다.
- 1.6×4 ⇨ 1.6은 0.1이 16개이고 1.6×4는 0.1이 16×4=64(개)이므로 1.6×4=6.4입니다.

0.4×3을 덧셈식으로 계산
⇨ 0.4+0.4+0.4=1.2

여기서 (소수)×(자연수)가 어떻게 계산되는지 그림으로 알아봅시다. □ 안에 알맞은 수를 써넣으시오.

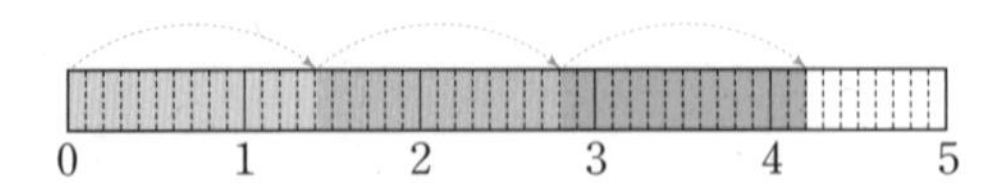

1.4×3=1.4+1.4+1.4=□

답 4.2

풍산자 비법

(소수)×(자연수) ⇨ 소수를 분수로 나타내어 계산하거나 0.1의 개수를 구해 계산한다.

교과서 + 익힘책 유형

01 소수와 자연수의 곱셈을 여러 가지 방법으로 계산한 것입니다. □ 안에 알맞은 수를 써넣으시오.

0.5×3

[방법 1] $0.5 \times 3 = 0.5 + \square + \square$
$= \square$

[방법 2] $0.5 \times 3 = \dfrac{\square}{10} \times 3 = \dfrac{\square \times \square}{10}$
$= \dfrac{\square}{10} = \square$

[방법 3] 0.5는 0.1이 □개입니다.
0.5×3은 0.1이 □개씩 □묶음이므로
0.1이 모두 □개입니다.
따라서 0.5×3=□입니다.

02 빈칸에 알맞은 수를 써넣으시오.

(1)

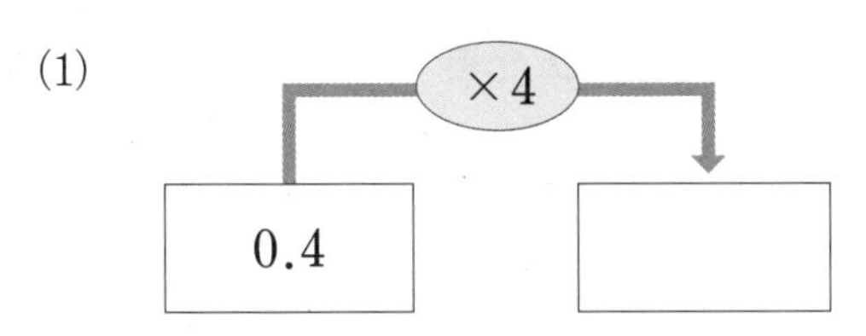

(2)

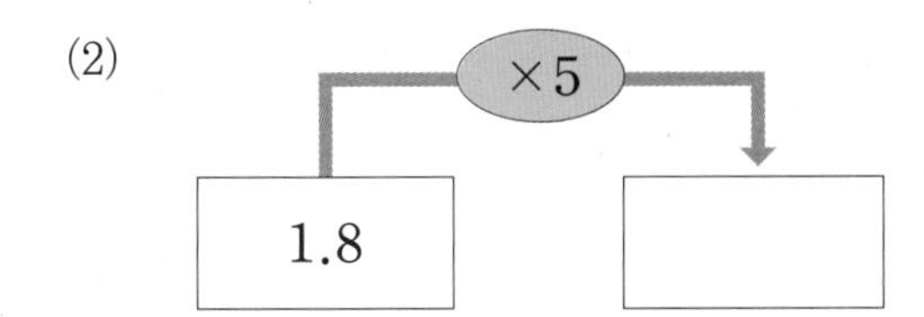

03 보기와 같은 방법으로 계산하시오.

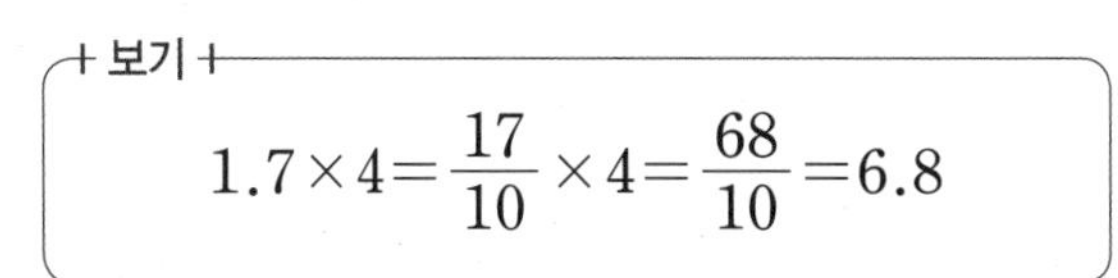

$1.7 \times 4 = \dfrac{17}{10} \times 4 = \dfrac{68}{10} = 6.8$

(1) 1.3×8

(2) 0.19×2

04 다음을 계산하시오.

(1) 1.2×4

(2) 2.7×8

(3) 0.31×3

(4) 1.46×2

05 계산 결과를 비교하여 ○ 안에 >, =, <를 알맞게 써넣으시오.

(1) 2.6×6 ○ 3.4×5

(2) 1.4×7 ○ 2.08×4

교과서 + 익힘책 응용 유형

06 계산 결과가 큰 것부터 차례대로 기호를 쓰시오.

㉠ 0.9×9	㉡ 1.2×6
㉢ 3.8×3	㉣ 2.44×4

07 계산 결과를 찾아 이어 보시오.

0.2×8 •	• 1.6
2.3×6 •	• 12.6
4.2×3 •	• 13.8

08 평행사변형의 넓이를 구하시오.

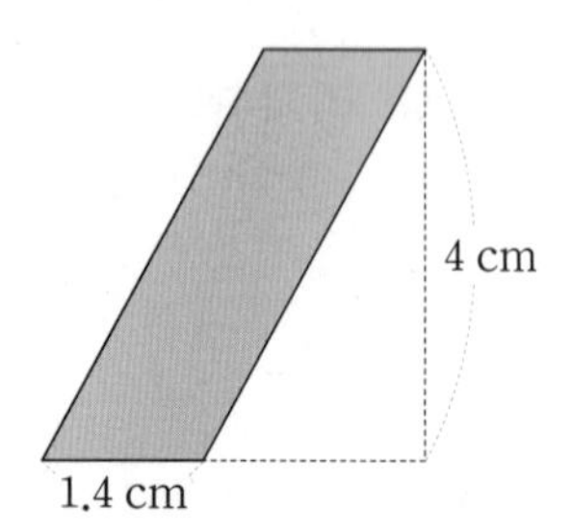

09 ㉠과 ㉡을 계산한 값의 합을 구하시오.

㉠ 1.12×4　　㉡ 3.6×3

10 계산 결과가 8보다 작은 것을 찾아 기호를 쓰시오.

㉠ 2.36×3　㉡ 3.2×3　㉢ 0.95×9

11 빈칸에 알맞은 수를 써넣으시오.

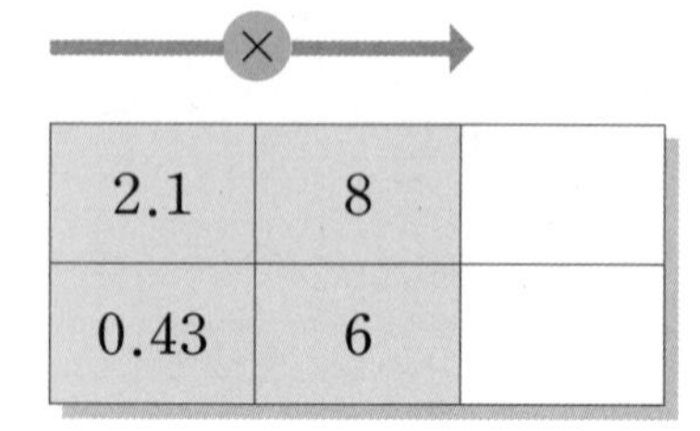

2.1	8	
0.43	6	

잘 틀리는 유형

12 가장 큰 수와 가장 작은 수의 곱을 구하시오.

4.2 8.53 6.99 3

13 소수를 분수로 고쳐서 계산한 것입니다. 잘못된 부분을 찾아 바르게 계산하시오.

$$3.42\times8=\frac{342}{100}\times8=\frac{2736}{100}=2.736$$

14 □ 안에 들어갈 수 있는 자연수는 모두 몇 개인지 구하시오.

$$1.2\times6<\square<3.9\times3$$

15 어떤 수에 6을 곱해야 할 것을 잘못하여 6으로 나누었더니 1.52가 되었습니다. 바르게 계산한 값을 구하시오.

16 도화지에 가로가 0.8 cm, 세로가 3 cm인 직사각형 모양의 색종이를 겹치지 않게 6장 붙였습니다. 색종이를 붙인 부분의 넓이는 몇 cm^2인지 구하시오.

17 예서는 가로가 0.8 m, 세로가 4 m인 직사각형 모양의 꽃밭을 만들었고, 혜나는 가로가 0.75 m, 세로가 2 m인 직사각형 모양의 꽃밭을 만들었습니다. 예서와 혜나가 만든 꽃밭 넓이의 차를 구하시오.

11 (자연수)×(소수)

우리는 앞 단원에서 2.5×3과 같은 (소수)×(자연수)를 계산하는 방법을 알아보았습니다. (소수)×(자연수)는 소수를 분수로 나타내어 분수의 곱셈으로 계산하거나 0.1의 개수로 계산하였습니다.

$2.5\times3=\frac{25}{10}\times3=\frac{25\times3}{10}=\frac{75}{10}=7.5$

2.5는 0.1이 25개이고 2.5×3은 0.1이 $25\times3=75$(개)이므로 $2.5\times3=7.5$입니다.

그렇다면 4×0.8, 3×2.3과 같은 (자연수)×(소수)는 어떻게 계산할까요?
(자연수)×(소수)는 소수를 분수로 나타내어 분수의 곱셈으로 계산하거나 자연수의 곱셈을 이용하여 다음과 같이 계산할 수 있습니다.

[방법 1] 분수의 곱셈으로 계산

- $4\times0.8=4\times\frac{8}{10}=\frac{4\times8}{10}=\frac{32}{10}=3.2$
- $3\times2.3=3\times\frac{23}{10}=\frac{3\times23}{10}=\frac{69}{10}=6.9$

[방법 2] 자연수의 곱셈을 이용하여 계산

- 4×0.8 ⇨ $4\times8=32$이므로 $4\times0.8=3.2$입니다.
- 3×2.3 ⇨ $3\times23=69$이므로 $3\times2.3=6.9$입니다.

$4\times8=32$ → ($\frac{1}{10}$배, $\frac{1}{10}$배) → $4\times0.8=3.2$

$3\times23=69$ → ($\frac{1}{10}$배, $\frac{1}{10}$배) → $3\times2.3=6.9$

곱하는 수가 1보다 작으면 곱의 결과는 곱해지는 수보다 작고, 곱하는 수가 1보다 크면 곱의 결과는 곱해지는 수보다 큽니다.

곱하는 수가 $\frac{1}{10}$배가 되면 계산 결과도 $\frac{1}{10}$배가 됩니다.

곱해지는 수와 곱하는 수의 순서가 바뀌어도 곱의 결과는 같으므로
(자연수)×(소수)는 (소수)×(자연수)로 바꾸어 계산할 수 있습니다.
즉, $2\times0.7=0.7\times2=\frac{7}{10}\times2=\frac{7\times2}{10}=\frac{14}{10}=1.4$입니다.

여기서 (자연수)×(소수)가 어떻게 계산되는지 그림으로 알아봅시다. □ 안에 알맞은 수를 써넣으시오.

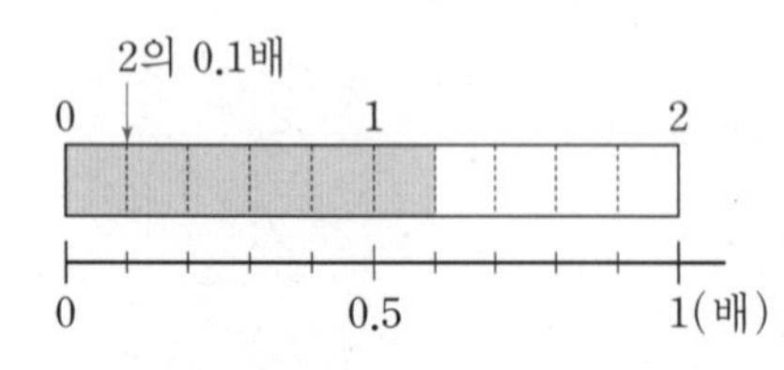

2의 0.5배는 1이므로 2의 0.6배는 1보다는 클 것입니다.
2의 0.1배$\left(\frac{1}{10}\text{배}\right)$는 0.2이므로 2의 0.6배는 1.2입니다.
따라서 $2\times0.6=$□입니다.

답 1.2

풍산자 비법 (자연수)×(소수) ⇨ 소수를 분수로 나타내어 계산하거나 자연수의 곱셈을 이용하여 계산한다.

교과서 + 익힘책 유형

01 자연수와 소수의 곱셈을 여러 가지 방법으로 계산한 것입니다. □ 안에 알맞은 수를 써넣으시오.

5×0.9

[방법 1] $5\times0.9=5\times\frac{\square}{10}=\frac{5\times\square}{10}$

$=\frac{\square}{10}=\square$

[방법 2] $5 \times 9 = 45$

↓ □배 ↓ □배

$5 \times 0.9 = \square$

02 보기와 같은 방법으로 계산해보시오.

보기

$3\times1.4=3\times(1+0.4)$

$=(3\times1)+(3\times0.4)$

$=3+1.2=4.2$

(1) 14×3.2

(2) 6×2.3

03 빈칸에 알맞은 수를 써넣으시오.

(1)

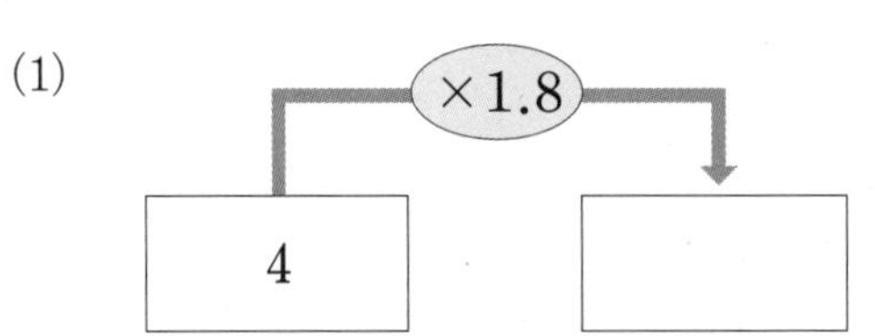

(2)

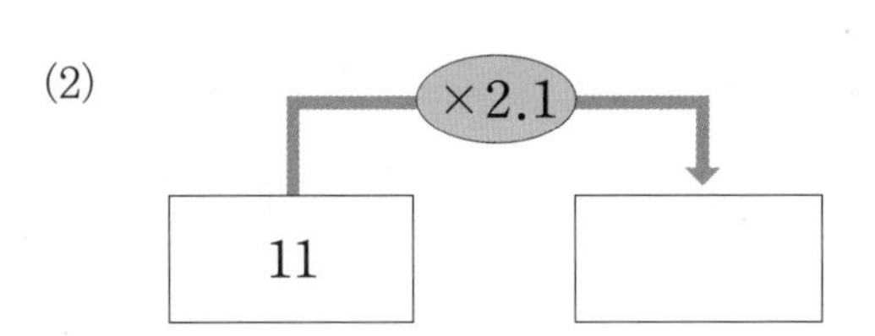

04 다음을 계산하시오.

(1) 7×4.2

(2) 6×0.83

(3) 12×4.6

(4) 4×6.25

05 어림하여 계산 결과가 67보다 작은 것을 찾아 기호를 쓰시오.

㉠ 67×0.75 ㉡ 67×1.3 ㉢ 67×2.04

교과서 + 익힘책 응용 유형

06 계산 결과가 큰 것부터 차례대로 기호를 쓰시오.

㉠ 4×2.3	㉡ 12×0.8
㉢ 8×3.7	㉣ 11×1.5

07 계산 결과를 찾아 이어 보시오.

2×6.2 •	• 14.4
3×4.8 •	• 12.4
15×0.06 •	• 0.9

08 빈칸에 알맞은 수를 써넣으시오.

(1)

18	$\times0.5$		$\times0.74$	

(2)

44	$\times0.25$		$\times1.6$	

09 빈칸에 알맞은 수를 써넣으시오.

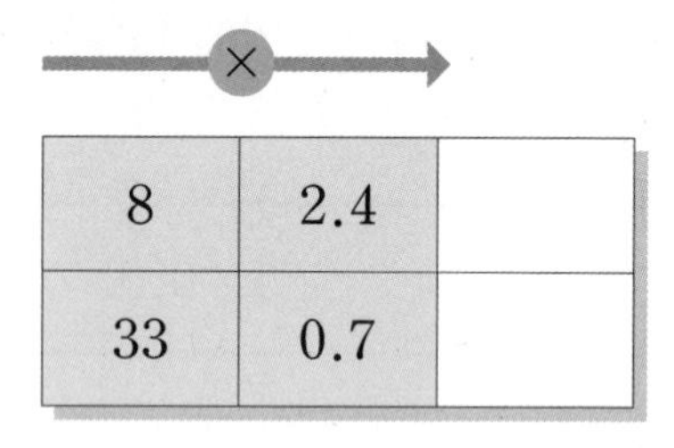

8	2.4	
33	0.7	

10 계산 결과를 비교하여 ○ 안에 $>$, $=$, $<$를 알맞게 써넣으시오.

(1) 9×0.07 ○ 14×0.05

(2) 4×7.3 ○ 8×3.72

11 ㉠과 ㉡을 계산한 값의 합을 구하시오.

㉠ 5×4.1 ㉡ 12×0.17

잘 틀리는 유형

12 계산 결과가 가장 작은 것을 찾아 기호를 쓰시오.

㉠ 7×1.6 ㉡ 20×0.8 ㉢ 9×2.14

13 잘못 계산한 사람은 누구인지 쓰시오.

세령: $12\times36=432$ ⇨ $12\times3.6=43.2$
선미: $25\times14=350$ ⇨ $25\times1.4=3.5$

14 어떤 수를 2.5로 나누었더니 몫이 6이었습니다. 어떤 수에 3.1을 곱한 값을 구하시오.

15 □ 안에 들어갈 수 있는 자연수는 모두 몇 개인지 구하시오.

$32\times0.09<\square<4\times2.9$

16 수민이네 가족은 가로가 12 m, 세로가 6.5 m인 꽃밭에 꽃을 심었습니다. 꽃밭의 0.2에는 장미를, 꽃밭의 0.4에는 튤립을, 나머지에는 국화를 심었다고 할 때, 국화를 심은 꽃밭의 넓이를 구하시오.

17 지후네 과일 가게에서 파는 사과 한 개의 무게는 60 g이고, 감 한 개의 무게는 사과 한 개의 무게의 1.6배입니다. 바나나 한 송이에는 12개의 바나나가 있고, 바나나 한 개의 무게는 감 한 개의 무게의 0.3배라고 할 때, 바나나 한 송이의 무게는 몇 g인지 구하시오.

12 (1보다 작은 소수)×(1보다 작은 소수)

우리는 앞 단원에서 4×1.7과 같은 (자연수)×(소수)를 계산하는 방법을 알아보았습니다. (자연수)×(소수)는 소수를 분수로 나타내어 분수의 곱셈으로 계산하거나 자연수의 곱셈을 이용하여 계산하였습니다.

$4\times1.7=4\times\frac{17}{10}=\frac{4\times17}{10}$
$=\frac{68}{10}=6.8$
$4\times17=68$이므로
$4\times1.7=6.8$입니다.

그렇다면 0.6×0.9, 0.14×0.3과 같은 (1보다 작은 소수)×(1보다 작은 소수)는 어떻게 계산할까요?

(1보다 작은 소수)×(1보다 작은 소수)는 소수를 분수로 나타내어 분수의 곱셈으로 계산하거나 자연수의 곱셈을 이용하여 다음과 같이 계산할 수 있습니다.

1보다 작은 두 소수의 곱셈의 결과는 항상 1보다 작습니다.

[방법 1] 분수의 곱셈으로 계산

- $0.6\times0.9=\frac{6}{10}\times\frac{9}{10}=\frac{54}{100}=0.54$
- $0.14\times0.3=\frac{14}{100}\times\frac{3}{10}=\frac{42}{1000}=0.042$

[방법 2] 자연수의 곱셈을 이용하여 계산

- 0.6×0.9 ⇨ $6\times9=54$이므로 $0.6\times0.9=0.54$입니다.
- 0.14×0.3 ⇨ $14\times3=42$이므로 $0.14\times0.3=0.042$입니다.

$6\times9=54$ → $\frac{1}{10}$배, $\frac{1}{10}$배, $\frac{1}{100}$배 → $0.6\times0.9=0.54$

$14\times3=42$ → $\frac{1}{100}$배, $\frac{1}{10}$배, $\frac{1}{1000}$배 → $0.14\times0.3=0.042$

곱해지는 수가 $\frac{1}{10}$배, 곱하는 수가 $\frac{1}{10}$배가 되면 계산 결과는 $\frac{1}{100}$배가 됩니다.

여기서 (1보다 작은 소수)×(1보다 작은 소수)가 어떻게 계산되는지 그림으로 알아봅시다. □ 안에 알맞은 수를 써넣으시오.

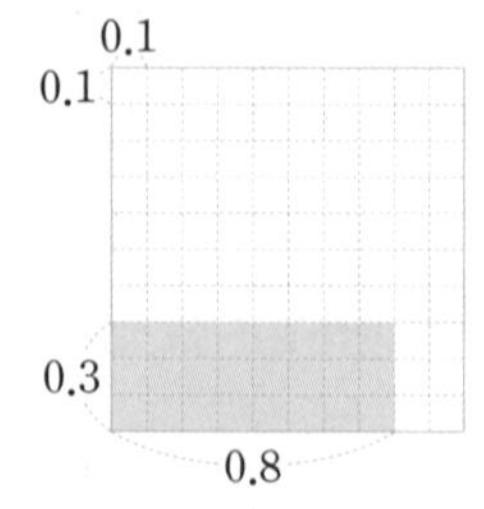

모눈 한 칸의 넓이는 $0.1\times0.1=0.01$이고 색칠한 부분은 $8\times3=24$(칸)이므로 $0.8\times0.3=$ □ 입니다.

답 0.24

소수의 곱셈은 자연수의 곱셈 결과에 소수의 크기를 생각해서 소수점을 찍어 계산할 수도 있습니다. 예를 들면, 0.7×0.9에서 $7\times9=63$인데 0.7에 0.9를 곱하면 0.7보다 작은 값이 나와야 하므로 $0.7\times0.9=0.63$입니다.

풍산자 비법 (1보다 작은 소수)×(1보다 작은 소수) ⇨ 소수를 분수로 나타내어 계산하거나 자연수의 곱셈을 이용하여 계산한다.

교과서 + 익힘책 유형

01 소수의 곱셈을 여러 가지 방법으로 계산한 것입니다. □ 안에 알맞은 수를 써넣으시오.

0.24×0.3

[방법 1] $0.24 \times 0.3 = \frac{\square}{100} \times \frac{\square}{10} = \frac{\square}{1000} = \square$

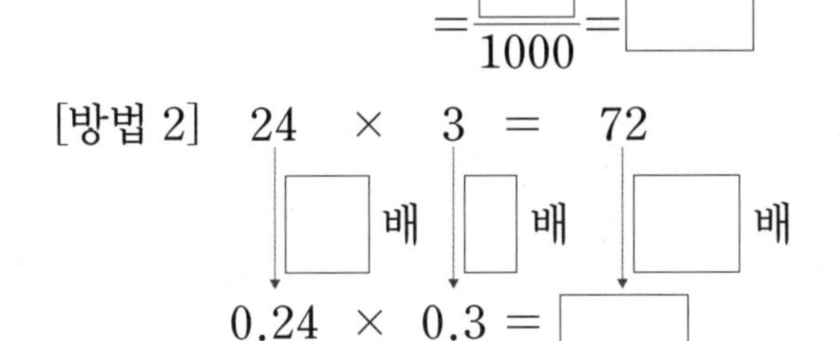

02 다음을 계산하시오.

(1) 0.7×0.6

(2) 0.4×0.3

(3) 0.2×0.46

(4) 0.13×0.8

03 빈칸에 알맞은 수를 써넣으시오.

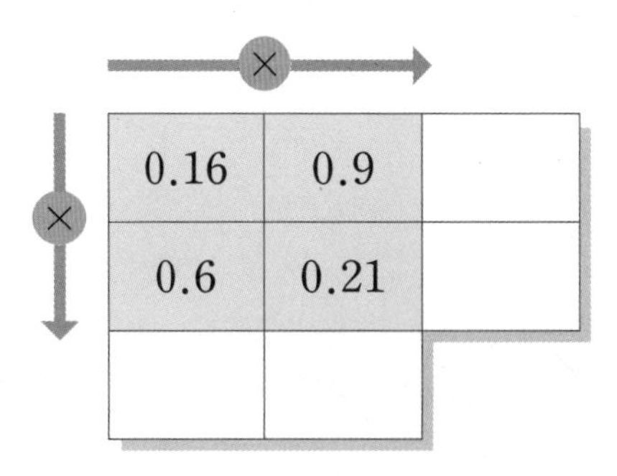

04 계산 결과를 찾아 이어 보시오.

0.42×0.3 •	• 0.138
0.63×0.5 •	• 0.126
0.6×0.23 •	• 0.315

05 계산 결과를 비교하여 ○ 안에 >, =, <를 알맞게 써넣으시오.

(1) 0.84×0.5 ○ 0.46×0.9

(2) 0.16×0.6 ○ 0.73×0.2

교과서 + 익힘책 응용 유형

06 빈칸에 알맞은 수를 써넣으시오.

(1)

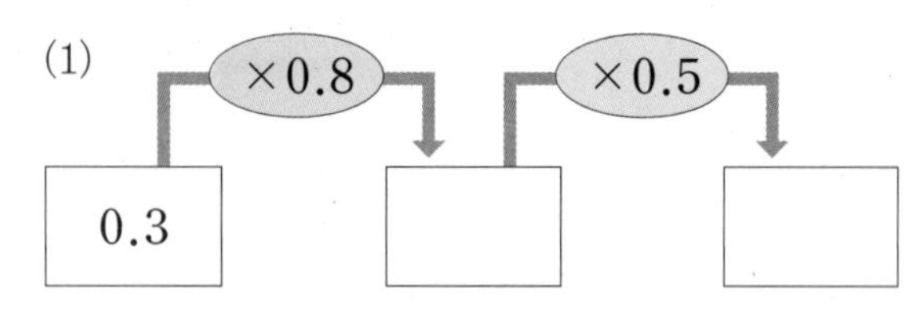

(2)

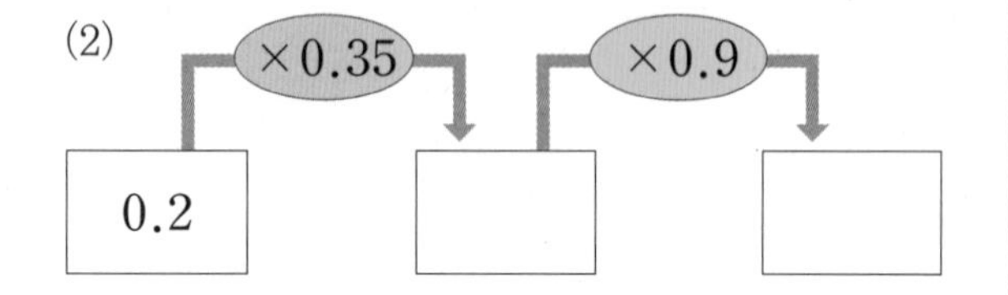

07 계산 결과가 큰 것부터 차례대로 기호를 쓰시오.

㉠ 0.72×0.3	㉡ 0.45×0.2
㉢ 0.6×0.25	㉣ 0.28×0.4

08 가장 큰 수와 가장 작은 수의 곱을 구하시오.

0.93　0.75　0.82　0.6　0.96

09 소수를 분수로 고쳐서 계산한 것입니다. 옳게 계산한 것의 기호를 모두 쓰시오.

㉠ $0.32\times0.4=\frac{32}{100}\times\frac{4}{10}=\frac{128}{100}$
$=1.28$

㉡ $0.28\times0.6=\frac{28}{100}\times\frac{6}{10}=\frac{168}{1000}$
$=0.168$

㉢ $0.7\times0.08=\frac{7}{10}\times\frac{8}{10}=\frac{56}{100}$
$=0.56$

㉣ $0.14\times0.8=\frac{14}{100}\times\frac{8}{10}=\frac{112}{1000}$
$=0.112$

10 ㉠과 ㉡을 계산한 값의 합을 구하시오.

㉠ 0.47×0.3　　㉡ 0.6×0.12

11 직사각형의 넓이를 구하시오.

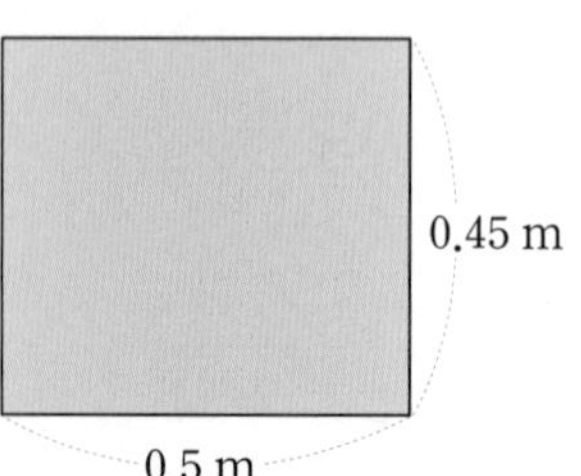

잘 틀리는 유형

12 계산 결과가 가장 큰 것과 가장 작은 것의 차를 구하시오.

㉠ 0.71×0.2	㉡ 0.15×0.6
㉢ 0.36×0.6	㉣ 0.27×0.5

13 유미는 0.94 m의 리본을 가지고 있습니다. 유미가 선물을 포장하는 데 전체의 0.6을 사용했다면 포장하고 남은 리본은 몇 m인지 구하시오.

14 어떤 수에 0.6을 곱해야 할 것을 잘못하여 0.6으로 나누었더니 0.95가 되었습니다. 어떤 수를 구하시오.

15 직사각형 모양의 종이에서 한 변이 0.2 m인 정사각형 모양만큼을 그림처럼 오려내어 도형을 만들었습니다. 만들어진 도형의 넓이를 구하시오.

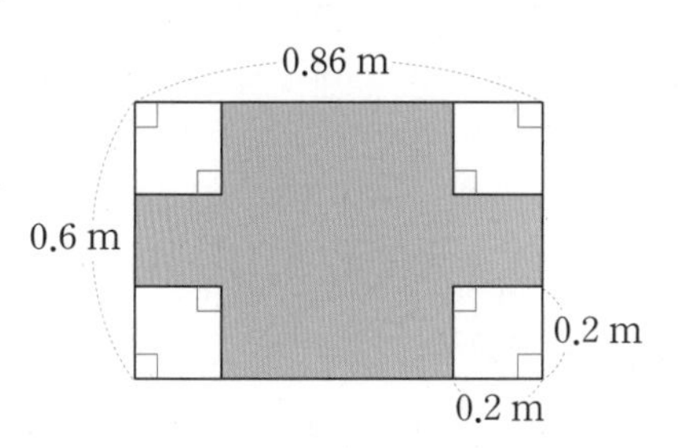

16 4장의 수 카드 중 3장을 사용하여 만들 수 있는 1보다 작은 소수 중 가장 큰 소수 두 자리 수와 수 카드 중 2장을 사용하여 만들 수 있는 가장 작은 소수 한 자리 수의 곱을 구하시오.

17 연수는 방학숙제로 미술작품을 만드는데 1 m에 0.06 kg인 리본 0.7 m와 1 m에 0.85 kg인 철사 0.6 m를 사용했습니다. 연수가 미술작품을 만드는데 사용한 리본과 철사의 무게는 모두 몇 kg인지 구하시오.

13 (1보다 큰 소수)×(1보다 큰 소수)

우리는 앞 단원에서 0.14×0.4와 같은 (1보다 작은 소수)×(1보다 작은 소수)를 계산하는 방법을 알아보았습니다. (1보다 작은 소수)×(1보다 작은 소수)는 소수를 분수로 나타내어 분수의 곱셈으로 계산하거나 자연수의 곱셈을 이용하여 계산하였습니다.

$0.14 \times 0.4 = \frac{14}{100} \times \frac{4}{10} = \frac{56}{1000} = 0.056$

$14 \times 4 = 56$이므로 $0.14 \times 0.4 = 0.056$입니다.

그렇다면 1.8×2.4, 3.15×1.2와 같은 (1보다 큰 소수)×(1보다 큰 소수)는 어떻게 계산할까요?

(1보다 큰 소수)×(1보다 큰 소수)는 소수를 분수로 나타내어 분수의 곱셈으로 계산하거나 자연수의 곱셈을 이용하여 다음과 같이 계산할 수 있습니다.

1보다 큰 두 소수의 곱셈의 결과는 항상 1보다 큽니다.

[방법 1] 분수의 곱셈으로 계산

- $1.8 \times 2.4 = \frac{18}{10} \times \frac{24}{10} = \frac{432}{100} = 4.32$
- $3.15 \times 1.2 = \frac{315}{100} \times \frac{12}{10} = \frac{3780}{1000} = 3.78$

소수점 아래 마지막 0은 생략하여 나타냅니다.

[방법 2] 자연수의 곱셈을 이용하여 계산

- 1.8×2.4 ⇨ $18 \times 24 = 432$이므로 $1.8 \times 2.4 = 4.32$입니다.
- 3.15×1.2 ⇨ $315 \times 12 = 3780$이므로 $3.15 \times 1.2 = 3.78$입니다.

$18 \times 24 = 432$ → ($\frac{1}{10}$배, $\frac{1}{10}$배, $\frac{1}{100}$배) → $1.8 \times 2.4 = 4.32$

$315 \times 12 = 3780$ → ($\frac{1}{100}$배, $\frac{1}{10}$배, $\frac{1}{1000}$배) → $3.15 \times 1.2 = 3.78$

여기서 (1보다 큰 소수)×(1보다 큰 소수)를 계산하는 다른 방법을 알아봅시다.

□ 안에 알맞은 수를 써넣으시오.

1보다 큰 소수의 곱셈도 자연수의 곱셈 결과에 소수의 크기를 생각해서 소수점을 찍어 계산할 수 있습니다.

1.5×1.2에서 $15 \times 12 = 180$인데 1.5에 1.2를 곱하면 1.5보다 큰 값이 나와야 하므로 $1.5 \times 1.2 =$ □입니다.

답 1.8

풍산자 비법

(1보다 큰 소수)×(1보다 큰 소수) ⇨ 소수를 분수로 나타내어 계산하거나 자연수의 곱셈을 이용하여 계산한다.

교과서 + 익힘책 유형

01 소수의 곱셈을 여러 가지 방법으로 계산한 것입니다. □ 안에 알맞은 수를 써넣으시오.

5.2×6.7

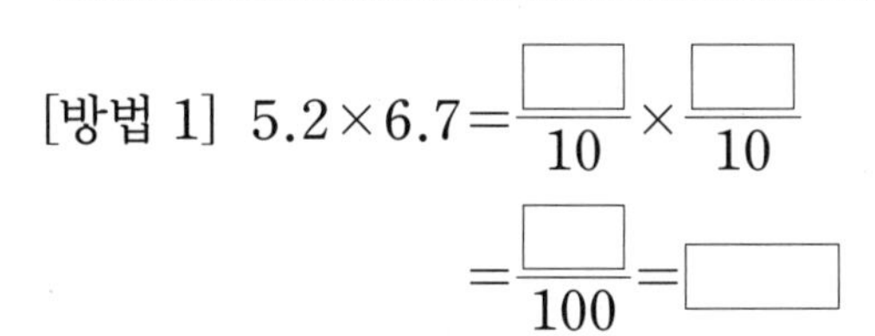

[방법 1] $5.2\times6.7=\dfrac{\square}{10}\times\dfrac{\square}{10}=\dfrac{\square}{100}=\square$

[방법 2] 52 × 67 = 3484

↓ □배 ↓ □배 ↓ □배

5.2 × 6.7 = □

02 어림하여 계산한 결과가 5보다 작은 것을 모두 찾아 기호를 쓰시오.

㉠ 1.9×2.5 ㉡ 3.8×1.2 ㉢ 2.1×3.1

03 빈칸에 알맞은 수를 써넣으시오.

(1)

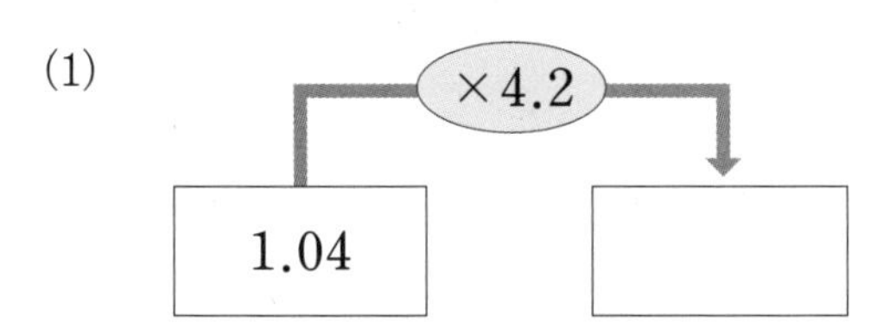

(2)

×1.25

1.8 → □

04 다음을 계산하시오.

(1) 6.1×5.9

(2) 9.8×4.4

(3) 1.14×3.6

(4) 1.69×4.1

05 계산 결과를 찾아 이어 보시오.

3.26×5.1 •	• 22.875
2.4×1.25 •	• 3
6.1×3.75 •	• 16.626

06 빈칸에 알맞은 수를 써넣으시오.

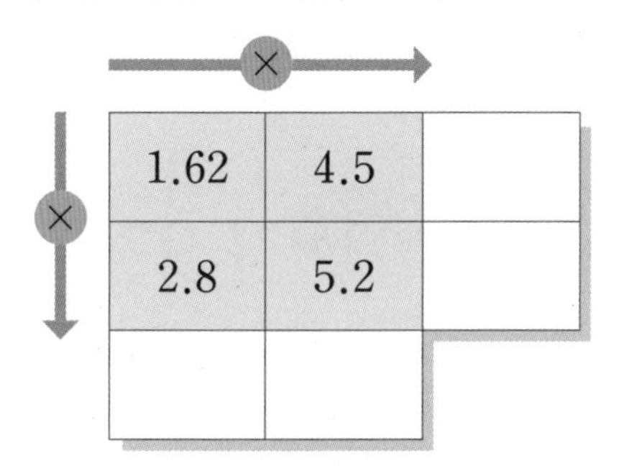

교과서 + 익힘책 응용 유형

07 계산 결과가 큰 것부터 차례대로 기호를 쓰시오.

㉠ 1.24×4.5	㉡ 2.2×7.4
㉢ 3.56×1.3	㉣ 3.41×5.9

08 어림하여 계산한 결과가 10보다 큰 것을 찾아 기호를 쓰시오.

㉠ 2.8×2.3　　㉡ 4.9의 1.7배
㉢ 6.1의 2.2

09 빈칸에 알맞은 수를 써넣으시오.

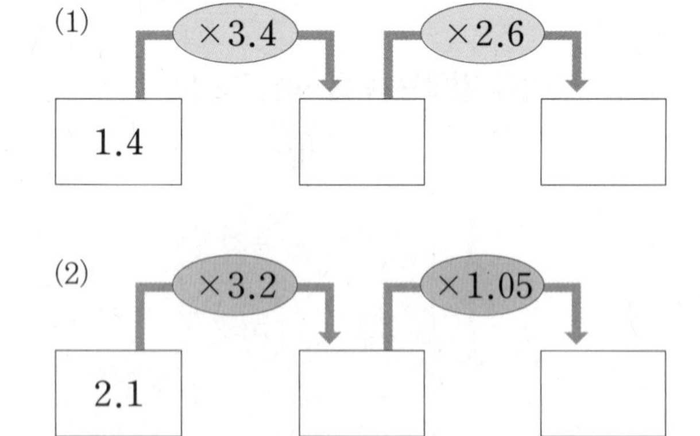

10 가장 큰 수와 가장 작은 수의 곱을 구하시오.

2.4	1.6	5.81	6.12	4.21

11 계산 결과를 비교하여 ○ 안에 $>$, $=$, $<$를 알맞게 써넣으시오.

(1) 7.4×5.3 ○ 6.7×2.3

(2) 3.66×2.7 ○ 8.28×1.2

12 평행사변형의 넓이를 구하시오.

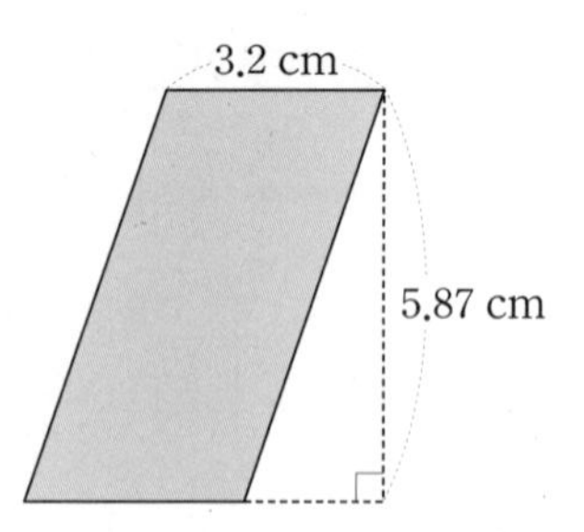

잘 틀리는 유형

13 □ 안에 들어갈 수 있는 가장 큰 자연수를 구하시오.

$$3.2 \times 2.65 > \square$$

14 도형의 색칠한 부분의 넓이를 구하시오.

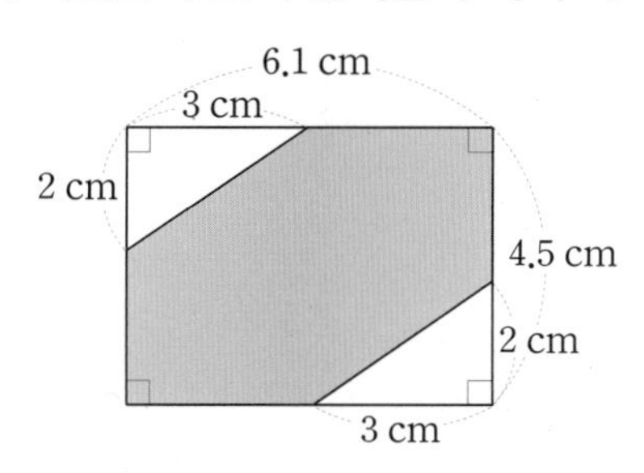

15 원진이는 가로가 5.5 cm, 세로가 3.7 cm인 직사각형 모양의 색종이를 겹치지 않게 4.5장 붙였습니다. 붙인 색종이의 전체 넓이를 구하시오.

16 계산 결과가 큰 것의 기호를 쓰시오.

㉠ $6.3 \times 7.8 \times 1.2$
㉡ $9.8 \times 2.5 \times 3.7$

17 4장의 수 카드를 한 번씩만 사용하여 2개의 소수 한 자리 수를 만들었습니다. 두 소수를 곱하였을 때 나올 수 있는 가장 큰 곱을 구하시오.

2　4

18 영민, 평화, 효선이가 멀리뛰기를 했습니다. 영민이는 2.5 m를 뛰었고, 평화는 영민이가 뛴 거리의 1.3배, 효선이는 평화가 뛴 거리의 1.8배를 뛰었습니다. 효선이가 뛴 거리를 구하시오.

14 곱의 소수점 위치

우리는 앞 단원에서 1.3×2.5, 1.14×2.6과 같은 (1보다 큰 소수)×(1보다 큰 소수)를 계산하는 방법을 알아보았습니다. 이런 계산은 소수를 분수로 나타내어 분수의 곱셈으로 계산하거나 자연수의 곱셈을 이용하여 계산하였습니다.

1.3×2.5
⇨ 13×25=3250이므로
1.3×2.5=3.25입니다.
1.14×2.6
⇨ 114×26=29640이므로
1.14×2.6=2.964입니다.

그렇다면 소수의 곱셈에서 곱의 소수점 위치는 어떻게 달라질까요?
소수에 10, 100, 1000을 곱하면 곱하는 수의 0이 하나씩 늘어날 때마다 곱의 소수점이 오른쪽으로 한 칸씩 옮겨지고, 자연수에 0.1, 0.01, 0.001을 곱하면 곱하는 소수의 소수점 아래 자리 수가 하나씩 늘어날 때마다 곱의 소수점이 왼쪽으로 한 칸씩 옮겨집니다.

소수와 자연수의 곱의 순서가 바뀌어도 소수점의 위치를 구하는 방법은 같습니다.

0.23×10 ⇨ 02.3 ⇨ 2.3 (1개, 1칸 이동) ↓10배	120×0.1 ⇨ 12.0 ⇨ 12 (소수 한 자리 수, 1칸 이동) ↓0.1배
0.23×100 ⇨ 023. ⇨ 23 (2개, 2칸 이동) ↓10배	120×0.01 ⇨ 1.20 ⇨ 1.2 (소수 두 자리 수, 2칸 이동) ↓0.1배
0.23×1000 ⇨ 0230. ⇨ 230 (3개, 3칸 이동)	120×0.001 ⇨ 0.120 ⇨ 0.12 (소수 세 자리 수, 3칸 이동)

곱의 소수점을 오른쪽(왼쪽)으로 옮길 때 소수점을 옮길 자리가 없으면 오른쪽(왼쪽)으로 0을 더 채워 쓰면서 옮깁니다.

(소수)×(소수)에서 곱의 소수점 위치는 자연수끼리 계산한 결과에 곱하는 두 수의 소수점 아래 자리 수를 더한 것만큼 소수점을 왼쪽으로 옮겨 표시해 주면 됩니다.

8 × 3 = 24 ⇨ 0.8 (소수 한 자리 수) × 0.3 (소수 한 자리 수) = 0.24 (소수 두 자리 수)	154 × 28 = 4312 ⇨ 1.54 (소수 두 자리 수) × 2.8 (소수 한 자리 수) = 4.312 (소수 세 자리 수)

여기서 곱의 소수점 위치를 분수의 곱셈으로 고쳐서 계산하여 알아봅시다. □ 안에 알맞은 수를 써넣으시오.

- $0.23\times10=\frac{23}{100}\times10=\frac{23\times10}{100}=\frac{230}{100}=2.3$
- $0.23\times100=\frac{23}{100}\times100=\frac{23\times100}{100}=\frac{2300}{100}=\square$
- $120\times0.1=120\times\frac{1}{10}=\frac{120\times1}{10}=\frac{120}{10}=12$
- $120\times0.01=120\times\frac{1}{100}=\frac{120\times1}{100}=\frac{120}{100}=\square$

답 23, 1.2

$0.23\times1000=\frac{23}{100}\times1000=\frac{23000}{100}=230$

$120\times0.001=120\times\frac{1}{1000}=\frac{120}{1000}=0.12$

풍산자 비법 두 소수의 곱의 소수점 아래 자리 수는 곱하는 두 소수의 소수점 아래 자리 수의 합과 같다.

교과서 + 익힘책 유형

[01-02] 0.68×10, 0.68×100, 0.68×1000의 값에 어떤 규칙이 있는지 알아보려고 합니다.

01 □ 안에 알맞은 수를 써넣으시오.

(1) $0.68\times10=\frac{68}{100}\times10=\frac{\square}{100}=\square$

(2) $0.68\times100=\frac{68}{100}\times100=\frac{\square}{100}$
$=\square$

(3) $0.68\times1000=\frac{68}{100}\times1000$
$=\frac{\square}{100}=\square$

02 알맞은 말에 ○표 하시오.

곱하는 수의 0의 개수만큼 소수점이
(왼쪽, 오른쪽)으로 옮겨집니다.

03 보기를 이용하여 식을 완성해 보시오.

보기
$384\times16=6144$

⇨ $3.84\times\square=0.6144$
$\square\times1600=614.4$

04 계산 결과가 다른 것을 찾아 기호를 쓰시오.

㉠ 63의 0.1배 ㉡ 6300의 0.01
㉢ 0.63×10

[05-06] 보기를 이용하여 계산하시오.

05

보기
$7.1\times28=198.8$

(1) $7.1\times2800=$

(2) $0.071\times28=$

06

보기
$67\times27=1809$

(1) $6.7\times0.27=$

(2) $0.67\times2.7=$

교과서 + 익힘책 응용 유형

07 □ 안에 알맞은 수가 큰 것부터 차례대로 기호를 쓰시오.

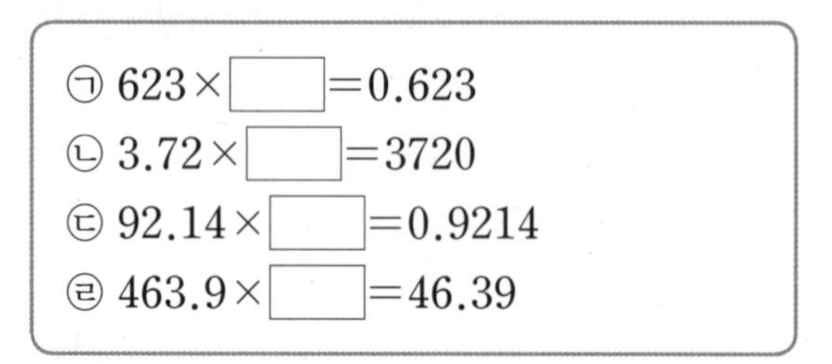

08 계산 결과를 찾아 이어 보시오.

912×0.01 •	• 0.0912
91.2×0.01 •	• 0.912
9.12×0.01 •	• 9.12

09 계산 결과가 7.21인 것을 찾아 기호를 쓰시오.

㉠ 0.721×100	㉡ 72.1×0.01
㉢ 72.1×0.1	㉣ 0.0721×10

10 빈칸에 알맞은 수를 써넣으시오.

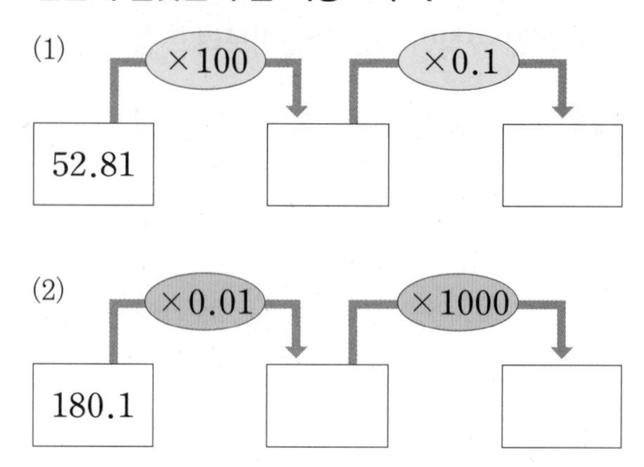

11 ㉡에 알맞은 수는 ㉠에 알맞은 수의 몇 배인지 구하시오.

26.76×㉠=2.676
104.2×㉡=10420

12 효선이가 키우는 꽃은 35.6 cm만큼 자랐고, 준원이가 키우는 꽃은 0.373 m만큼 자랐습니다. 누가 키우는 꽃이 몇 cm 더 많이 자랐는지 쓰시오.

잘 틀리는 유형

13 어떤 수에 10을 곱해야 할 것을 잘못하여 0.1을 곱했더니 6.95가 되었습니다. 바르게 계산한 값을 구하시오.

14 계산 결과가 다른 하나는 어느 것입니까?

① 0.0481×1000
② 0.481×100
③ 4.81×100
④ 4810×0.01
⑤ 481×0.1

15 어느 주유소의 휘발유 1 L의 값은 1527원입니다. 이 주유소의 휘발유 100 mL의 값은 얼마인지 구하시오.

16 민지는 29.14 g짜리 사탕 10개를, 태호는 5.36 g짜리 사탕 100개를 사서 각각 무게가 같은 상자에 포장했습니다. 누구의 사탕 상자가 몇 g 더 무거운지 구하시오.

17 바르게 계산한 친구는 누구인지 모두 쓰시오.

> 대한: 0.749의 100배는 74.9야.
> 민국: 0.0749×1000은 7.49야.
> 만세: 7490의 0.001은 7.49야.

18 사랑이네 마을에서는 17.3 g짜리 연필 100자루와 21.67 g짜리 색연필 1000자루를 아프리카 어린이들에게 선물로 보냈습니다. 보낸 선물의 무게를 구하시오.

실생활에서의 소수의 곱셈

지금까지 우리는 소수의 곱셈을 배웠습니다.
어렵지 않았나요?
실생활에서 소수의 곱셈은 어떻게 활용될까요?
다양한 활용 사례가 있지만
여기서는 이자를 계산하는 방법을 알아봅시다.

은행에서 이자 계산은 어떻게 할까요?

어떤 은행에서 1년에 10 %의 이자율로 이자가 발생한다고 합니다.
민주가 10000원을 이 은행에 예금했다면 1년 후, 2년 후에는 각각 얼마가 되어 있을까요?

10 %는 $\frac{10}{100}$이므로 0.1입니다.

[백분율은 수학 6-1에서 자세히 배웁니다.]

민주가 예금한 10000원에 대하여 1년이 지나면
10000×0.1(원)의 이자가 발생하므로 민주의 예금액은
$10000+10000 \times 0.1=10000 \times 1.1=11000$,
즉 11000원이 됩니다.

그렇다면 민주가 이 예금액을 그대로 두고 또 1년이 지나면 어떻게 될까요?
1년 후 민주의 예금액은 11000원이고, 이후 1년이 지나면 11000×0.1(원)의 이자가 발생하므로 민주의 예금액은
$11000+11000 \times 0.1=11000 \times 1.1=10000 \times 1.1 \times 1.1=12100$, 즉 12100원이 됩니다.

따라서 10000원을 10 %의 이자율로 ■년 동안 예금하면 예금액은 10000원에 1.1을 ■번 곱한 것이 됩니다.
즉, 1년 예금하면 (10000×1.1)원, 2년 예금하면 $(10000 \times 1.1 \times 1.1)$원, 3년 예금하면 $(10000 \times 1.1 \times 1.1 \times 1.1)$원이 됩니다.

소수의 곱셈으로 이자를 계산해 볼까요?

다음 이자율에 따른 금액을 구해 봅시다.

[1] 10000원을 1년에 이자율 5 %인 은행에 2년 예금했을 때 2년 후의 예금액

[2] 50000원을 1년에 이자율 8 %인 은행에 2년 예금했을 때 2년 후의 예금액

[3] 200000원을 1년에 이자율 20 %인 은행에 3년 예금했을 때 3년 후의 예금액

5

직육면체

공부할 내용	공부한 날
15 직육면체와 정육면체	월 일
16 직육면체의 성질과 겨냥도	월 일
17 정육면체와 직육면체의 전개도	월 일

15 직육면체와 정육면체

우리는 [수학 3-1] 평면도형에서 직사각형과 정사각형을 알아보았습니다. 네 각이 모두 직각인 사각형을 직사각형이라고 하였고, 네 각이 모두 직각이고 네 변의 길이가 모두 같은 사각형을 정사각형이라고 하였습니다.

직사각형

정사각형

정사각형은 직사각형이라고 할 수 있지만 직사각형은 정사각형이라고 할 수 없습니다.

그렇다면 직사각형 또는 정사각형으로 둘러싸인 상자 모양의 도형을 무엇이라고 할까요?

오른쪽 그림과 같이 직사각형 6개로 둘러싸인 도형을 **직육면체**라고 합니다.

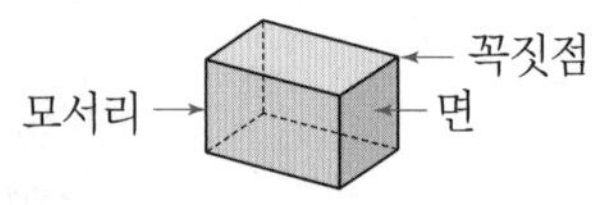

직육면체에서 선분으로 둘러싸인 부분을 **면**이라고 하고, 면과 면이 만나는 선분을 **모서리**라고 하며, 모서리와 모서리가 만나는 점을 **꼭짓점**이라고 합니다.

특히, 직육면체 중에서 정사각형 6개로 둘러싸인 도형을 **정육면체**라고 합니다.

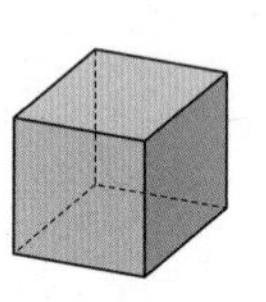

정육면체는 직육면체라고 할 수 있지만 직육면체는 정육면체라고 할 수 없습니다.

직육면체와 정육면체의 공통점과 차이점을 찾아보면 다음과 같습니다.

도형	공통점			차이점	
	면의 수	모서리의 수	꼭짓점의 수	면의 모양	모서리의 길이
직육면체	6	12	8	직사각형	서로 다릅니다.
정육면체	6	12	8	정사각형	모두 같습니다.

직육면체의 특징
- 서로 마주 보는 면의 모양과 크기는 같습니다.
- 서로 평행한 모서리의 길이는 같습니다.

여기서 직육면체와 정육면체의 모서리의 길이를 알아봅시다. □ 안에 알맞은 수를 써넣으시오.

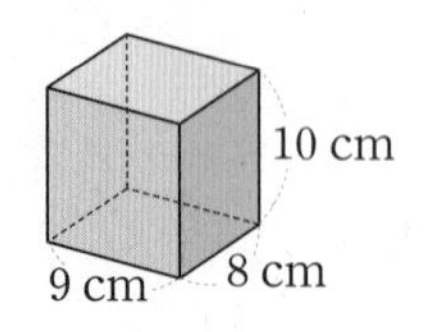

직육면체에서 길이가 같은 모서리는 4개씩 3쌍입니다.
즉, 9 cm인 모서리는 4개입니다.

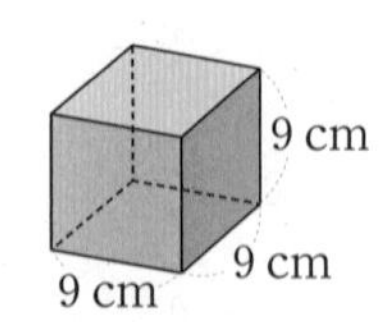

정육면체의 모든 모서리의 길이는 같습니다.
즉, 9 cm인 모서리는 □개입니다.

답 12

풍산자 비법

❶ 직육면체 ⇨ 직사각형 6개로 둘러싸인 도형

❷ 정육면체 ⇨ 정사각형 6개로 둘러싸인 도형

교과서 + 익힘책 유형

01 □ 안에 알맞은 말을 써넣으시오.

직육면체에서 선분으로 둘러싸인 부분을 □, 면과 면이 만나는 선분을 □, 모서리와 모서리가 만나는 점을 □ 이라고 합니다.

02 그림을 보고 빈칸에 알맞은 것을 써넣으시오.

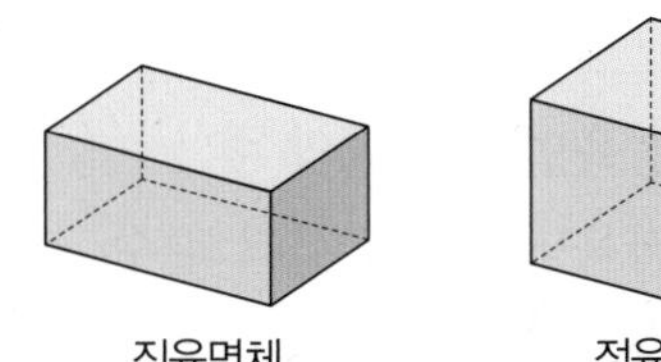

직육면체　　정육면체

	면의 수	모서리의 수	꼭짓점의 수	면의 모양
직육면체			8	
정육면체	6			

03 직육면체와 정육면체에 대한 설명입니다. 옳은 설명에는 ○표, 틀린 설명에는 ×표 하시오.

- 모든 정육면체는 직육면체입니다. (　　　)
- 직육면체의 면의 모양은 정사각형입니다. (　　　)
- 직육면체와 정육면체의 모서리의 개수는 같습니다. (　　　)

04 정육면체에서 색칠한 면의 모양을 모눈종이에 그려 보시오.

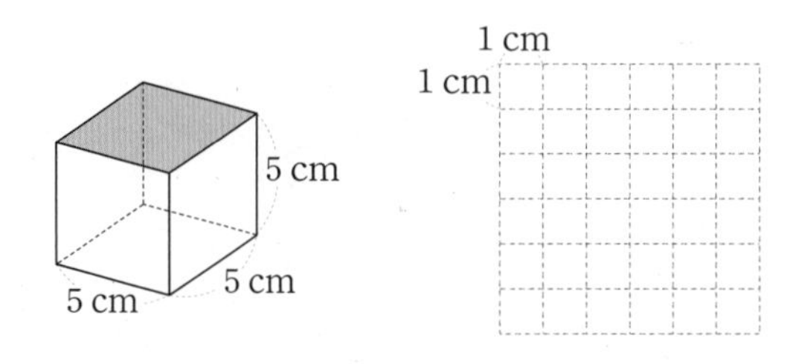

[05-06] 물음에 답하시오.

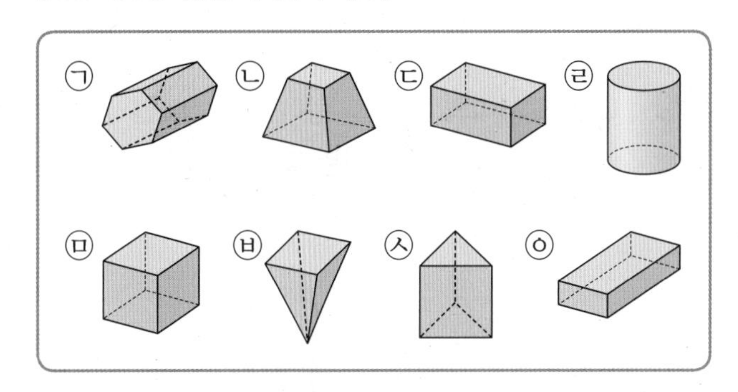

05 직육면체인 것을 모두 찾아 기호를 쓰시오.

06 정육면체인 것을 찾아 기호를 쓰시오.

07 정육면체입니다. □ 안에 알맞은 수를 써넣으시오.

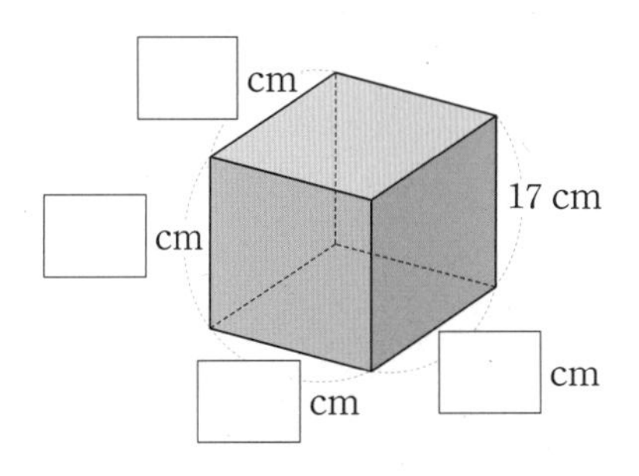

교과서 + 익힘책 응용 유형

08 빈칸에 알맞은 수의 합을 구하시오.

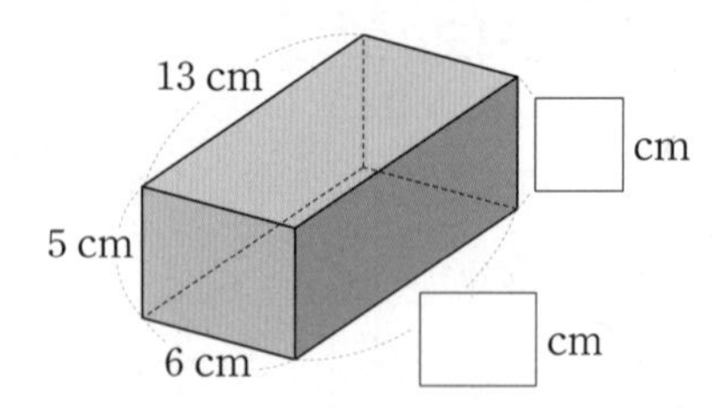

09 모든 모서리의 길이의 합이 144 cm인 정육면체의 한 모서리의 길이는 몇 cm인지 구하시오.

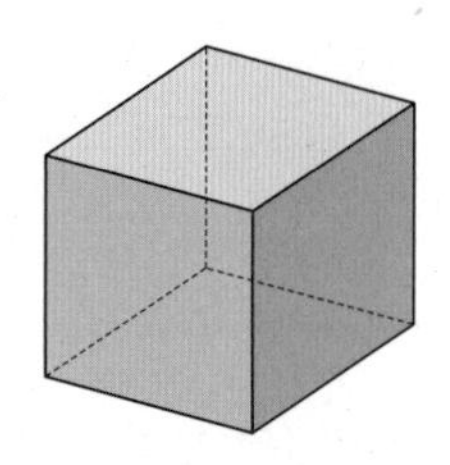

10 직육면체의 모서리의 수는 한 면의 꼭짓점의 수의 몇 배인지 쓰시오.

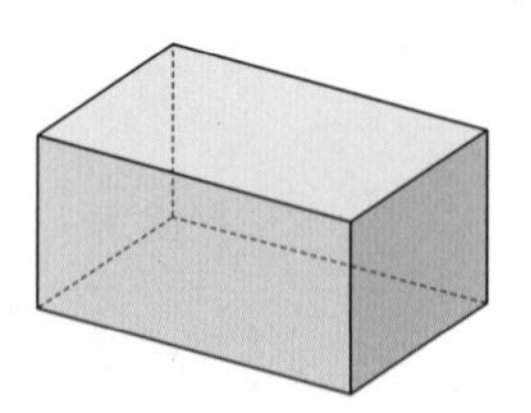

11 직육면체에서 보이지 않는 모서리의 수와 보이지 않는 꼭짓점의 수의 차를 구하시오.

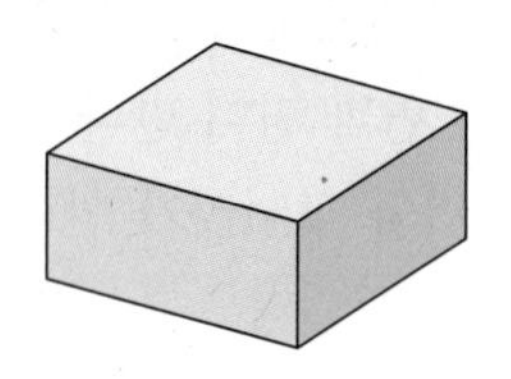

12 ㉠+㉡−㉢의 값을 구하시오.

> ㉠ 정육면체의 면의 수
> ㉡ 직육면체의 모서리의 수
> ㉢ 정육면체의 꼭짓점의 수

13 도형 ㉠, ㉡ 중 슬기와 보람이가 가지고 있는 도형을 각각 찾으시오.

㉠ 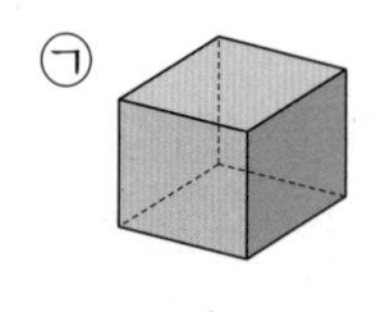 ㉡ 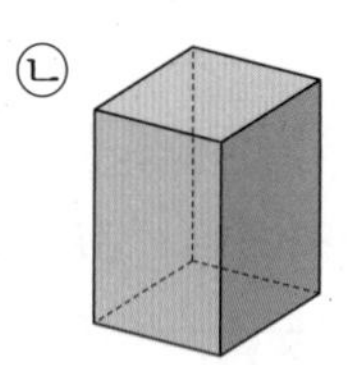

> 슬기: 모양과 크기가 같은 면이 3쌍인 직육면체를 가지고 있습니다.
> 보람: 모든 면이 정사각형인 직육면체를 가지고 있습니다.

잘 틀리는 유형

14 직육면체와 정육면체에서 길이가 7 cm인 모서리의 수를 각각 ㉠개, ㉡개라고 합니다. ㉠과 ㉡의 합을 구하시오.

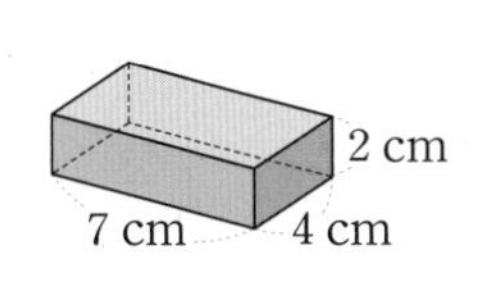

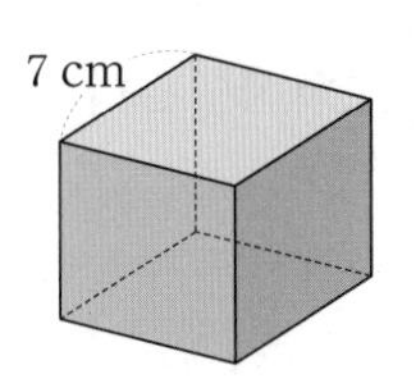

15 직육면체의 모든 모서리의 길이의 합은 68 cm입니다. □ 안에 알맞은 수를 써넣으시오.

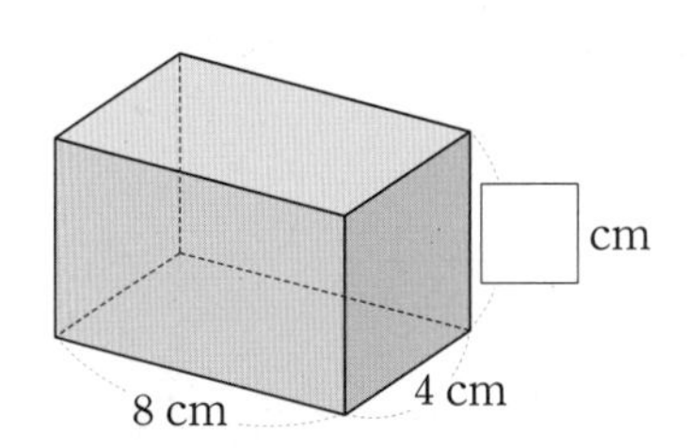

16 직육면체에서 ㉠과 ㉡의 차를 구하시오.

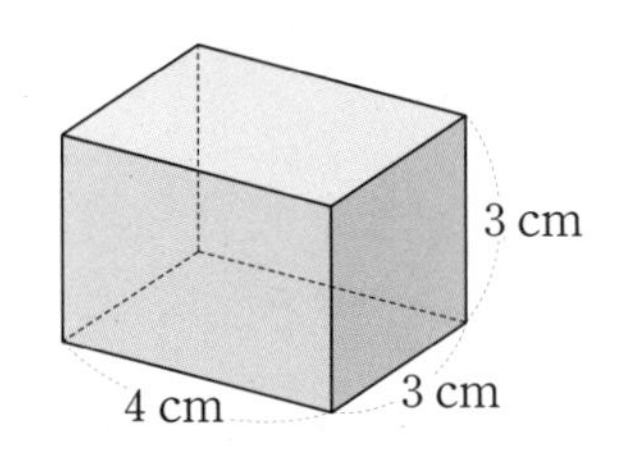

㉠	㉡
넓이가 12 cm^2인 면의 수	길이가 3 cm인 모서리의 수

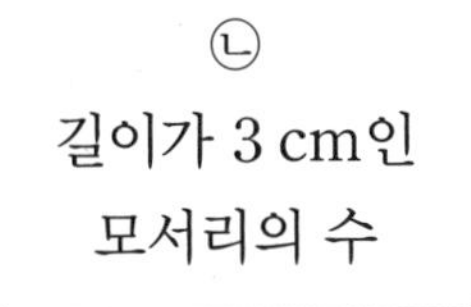

17 설명하는 수가 큰 것부터 차례대로 기호를 쓰시오.

> ㉠ 직육면체의 모서리의 수
> ㉡ 한 모서리의 길이가 0.9인 정육면체의 모서리의 길이의 합
> ㉢ 정육면체의 합동인 면의 수

18 직육면체와 정육면체에 대하여 잘못 설명한 친구는 누구인지 쓰시오.

> 영미: 직육면체의 면은 모두 합동입니다.
> 서진: 모든 정육면체는 직육면체입니다.
> 민주: 직육면체와 정육면체는 면, 모서리, 꼭짓점의 수가 서로 같습니다.

19 그림과 같이 상자를 끈으로 묶는데 필요한 끈의 길이를 구하시오. (단, 매듭을 묶을 때 필요한 끈의 길이는 24 cm입니다.)

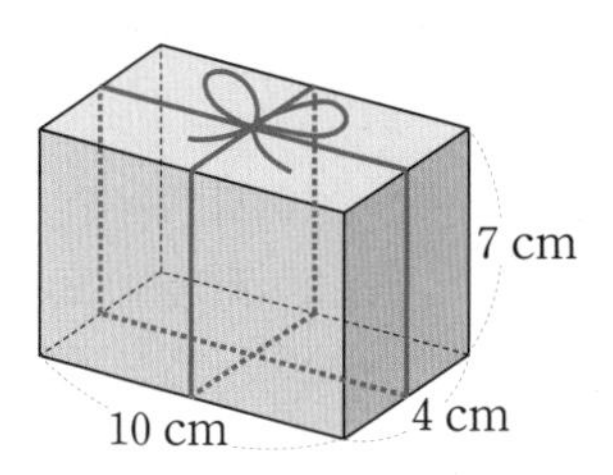

16 직육면체의 성질과 겨냥도

우리는 앞 단원에서 직육면체와 정육면체를 알아보았습니다. 직육면체는 직사각형 6개로 둘러싸인 도형이고, 정육면체는 정사각형 6개로 둘러싸인 도형이었습니다.

그렇다면 직육면체는 어떤 성질이 있을까요?

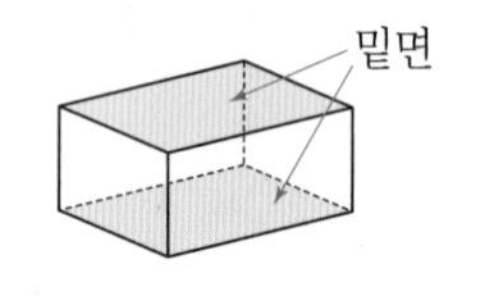

그림과 같이 직육면체에서 색칠한 두 면처럼 계속 늘여도 만나지 않는 두 면을 서로 평행하다고 하고, 이 두 면을 직육면체의 **밑면**이라고 합니다. 직육면체에는 평행한 면이 3쌍 있고 이 평행한 면은 각각 밑면이 될 수 있습니다.

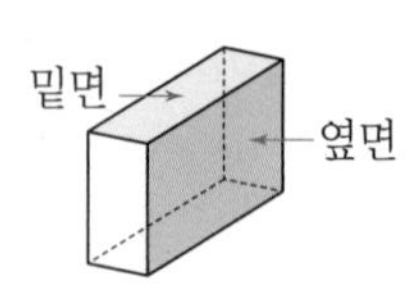

직육면체에서 한 면과 만나는 면들은 서로 수직이고, 밑면과 수직인 면을 직육면체의 **옆면**이라고 합니다. 직육면체에는 한 밑면과 수직인 면이 4개 있고 이 수직인 면은 각각 옆면이 될 수 있습니다.

직육면체에서 평행한 3쌍의 면은 서로 모양과 크기가 같습니다.

면 ㄱㄴㄷㄹ과 평행한 면 ⇨ 면 ㅁㅂㅅㅇ
면 ㄱㄴㅂㅁ과 평행한 면 ⇨ 면 ㄹㄷㅅㅇ
면 ㄱㅁㅇㄹ과 평행한 면 ⇨ 면 ㄴㅂㅅㄷ
면 ㄱㄴㄷㄹ과 수직인 면 ⇨ 면 ㄴㅂㅁㄱ, 면 ㄴㅂㅅㄷ,
면 ㄷㅅㅇㄹ, 면 ㄱㅁㅇㄹ

직육면체에서 한 꼭짓점과 만나는 면들은 모두 3개이고 한 꼭짓점을 중심으로 모두 직각입니다.

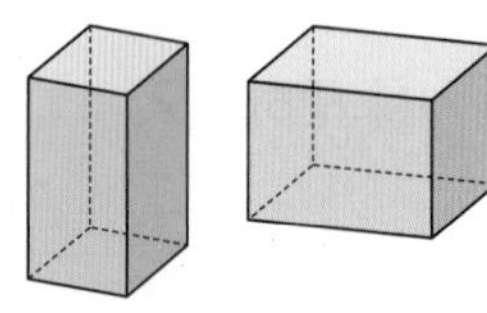

직육면체 모양을 잘 알 수 있도록 나타낸 오른쪽과 같은 그림을 직육면체의 **겨냥도**라고 합니다. 겨냥도에서 보이는 모서리는 실선으로, 보이지 않는 모서리는 점선으로 그립니다.

직육면체의 겨냥도에서 보이는 모서리는 9개, 보이지 않는 모서리는 3개입니다.

여기서 직육면체의 겨냥도에서 보이지 않는 부분을 알아봅시다. □ 안에 알맞은 것을 써넣으시오.

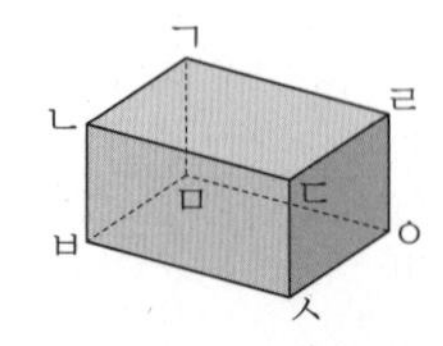

- 보이지 않는 면: 면 ㄱㄴㅂㅁ, 면 ㄱㅁㅇㄹ, 면 ㅁㅂㅅㅇ ⇨ 3개
- 보이지 않는 모서리: 모서리 ㄱㅁ, 모서리 ㅁㅂ, 모서리 ㅁㅇ ⇨ 3개
- 보이지 않는 점: □ ⇨ 1개

답 점 ㅁ

풍산자 비법

❶ 직육면체의 성질 ⇨ 서로 마주 보고 있는 3쌍의 면은 평행하고, 서로 만나는 면은 수직이다.

❷ 겨냥도 ⇨ 보이는 모서리는 실선으로, 보이지 않는 모서리는 점선으로 그린다.

교과서 + 익힘책 유형

01 직육면체에서 색칠한 면과 평행한 면을 찾아 색칠해 보시오.

(1)

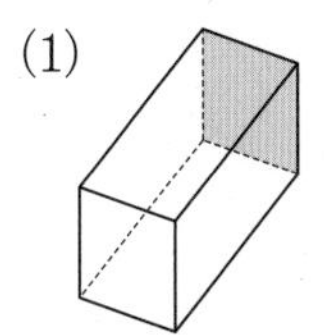

(2)

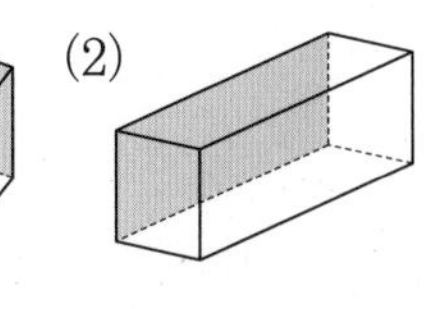

(3)

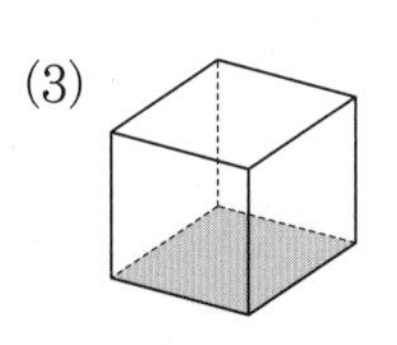

02 직육면체를 보고 물음에 답하시오.

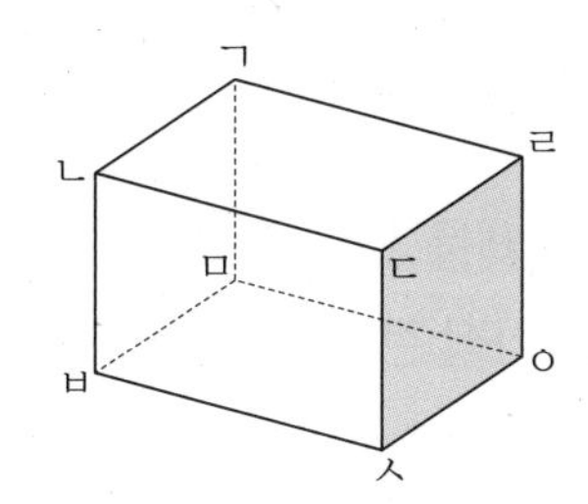

(1) 색칠한 면과 평행한 면을 쓰시오.

(2) 색칠한 면과 수직인 면을 모두 쓰시오.

(3) 꼭짓점 ㄷ과 만나는 면을 모두 쓰시오.

03 직육면체에서 색칠한 면이 밑면일 때, 보이는 밑면에 색칠해 보시오.

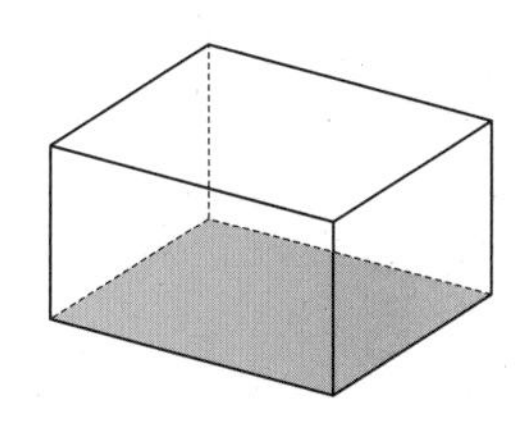

04 □ 안에 알맞은 말을 써넣으시오.

> 직육면체의 모양을 잘 알 수 있도록 하기 위하여 보이는 모서리는 □으로, 보이지 않는 모서리는 □으로 그린 그림을 직육면체의 □라고 합니다.

05 그림에서 빠진 부분을 그려 넣어 직육면체의 겨냥도를 완성해 보시오.

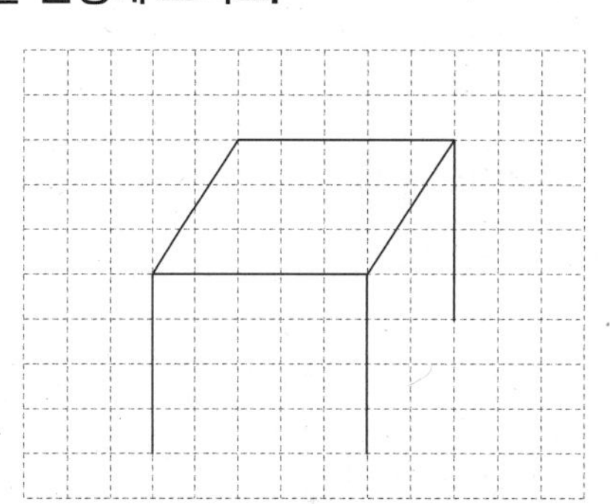

06 직육면체의 겨냥도입니다. 보이지 않는 모서리를 모두 찾아 쓰시오.

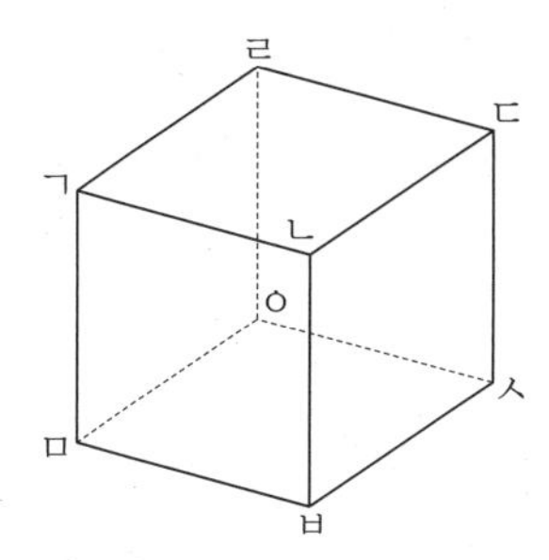

교과서 + 익힘책 응용 유형

07 직육면체에서 ㉠과 ㉡의 합을 구하시오.

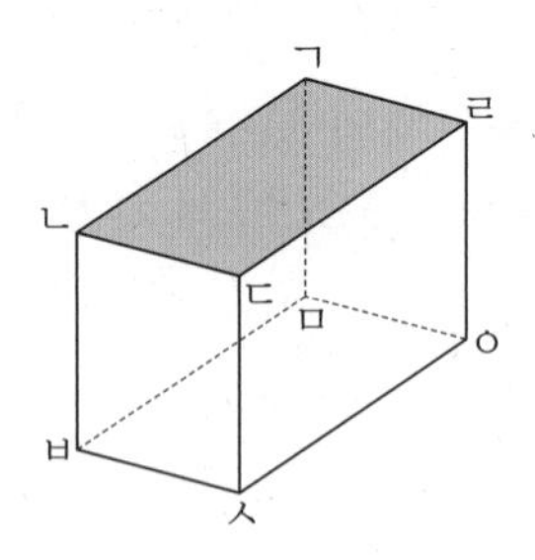

㉠ 색칠한 면과 수직인 면의 수	㉡ 꼭짓점 ㄱ과 만나는 면의 수

08 직육면체에서 면 ㄷㅅㅇㄹ과 평행한 면의 모서리의 길이의 합을 구하시오.

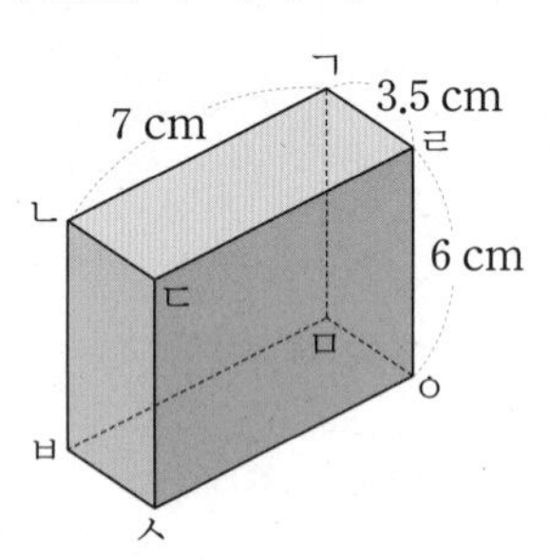

09 직육면체의 겨냥도에서 보이지 않는 모서리의 길이의 합을 구하시오.

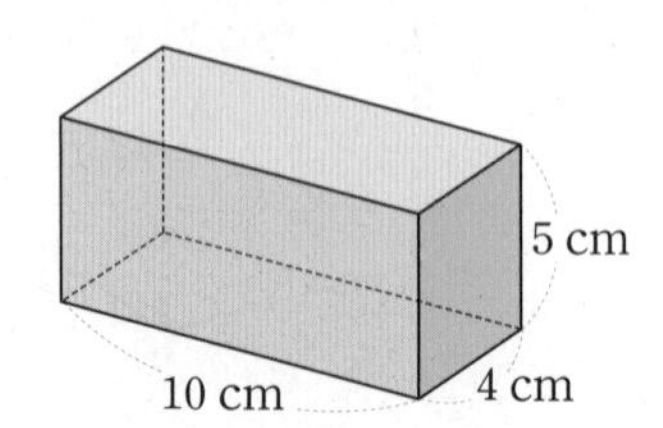

10 직육면체에서 색칠한 면과 수직인 면을 모두 찾아 기호를 쓰시오.

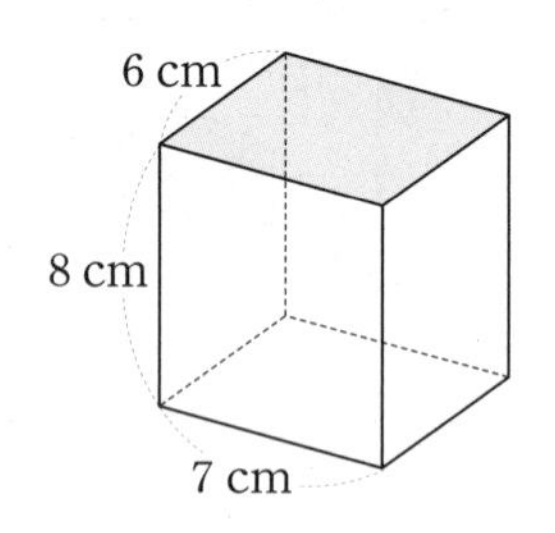

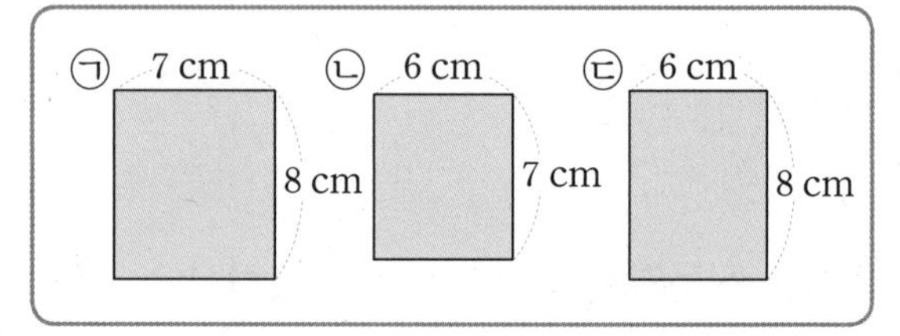

11 직육면체를 보고 표의 ㉠, ㉡, ㉢, ㉣에 알맞은 수 중 가장 큰 수의 기호를 쓰시오.

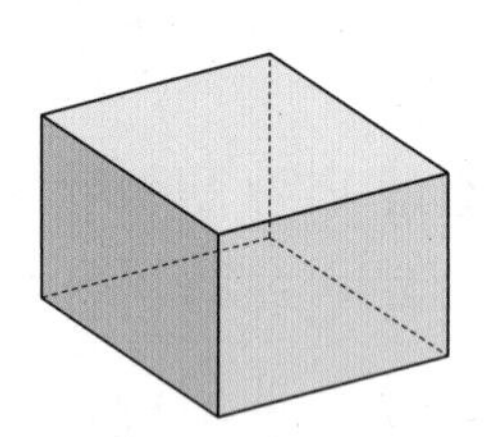

보이는 면	㉠개
보이지 않는 면	㉡개
보이는 모서리	㉢개
보이지 않는 모서리	㉣개

12 직육면체의 겨냥도를 맞게 그린 것은 어느 것입니까? (정답 2개)

① 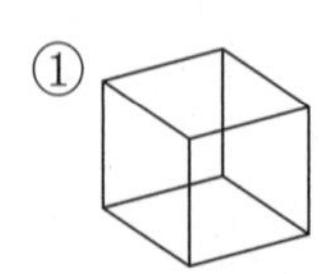
② 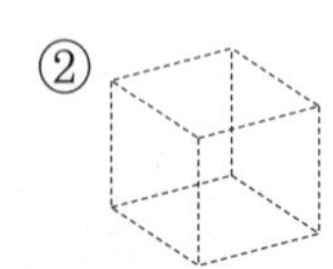
③ 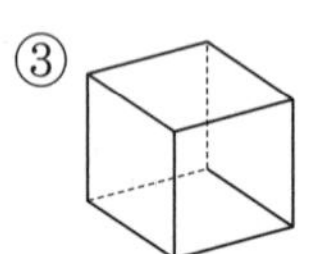
④ 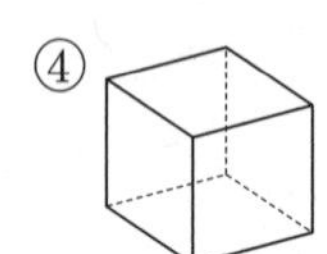
⑤ 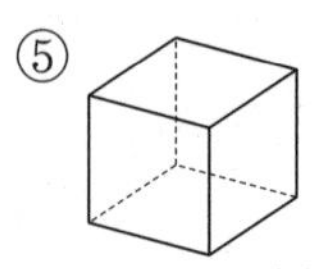

잘 틀리는 유형

13 □ 안에 알맞은 수의 합을 구하시오.

- 직육면체에서 한 면과 수직으로 만나는 면은 모두 □개입니다.
- 직육면체에서 한 꼭짓점과 만나는 면은 모두 □개입니다.
- 직육면체에서 서로 마주 보고 있는 면은 모두 □쌍입니다.

14 면 사이의 관계가 다른 하나는 어느 것입니까?

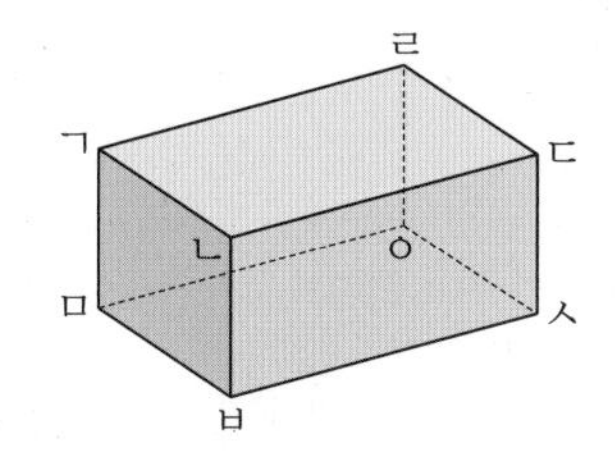

① 면 ㄱㅁㅂㄴ과 면 ㄴㅂㅅㄷ
② 면 ㄱㄴㄷㄹ과 면 ㄹㅇㅅㄷ
③ 면 ㅁㅂㅅㅇ과 면 ㄱㄴㄷㄹ
④ 면 ㄴㅂㅅㄷ과 면 ㄹㅇㅅㄷ
⑤ 면 ㄱㅁㅇㄹ과 면 ㄱㄴㄷㄹ

15 주사위에서 서로 평행한 두 면의 눈의 수의 합은 7입니다. ㉠에 올 수 있는 눈의 수를 모두 찾고 그 차를 구하시오.

16 직육면체의 겨냥도에 대하여 잘못 설명한 친구는 누구인지 쓰시오.

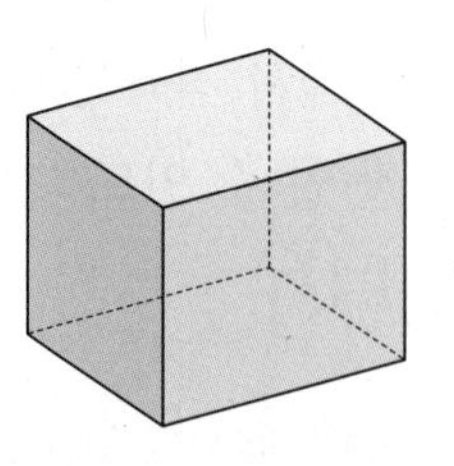

지민: 보이는 면은 3개야.
영미: 보이는 꼭짓점은 4개야.
서진: 보이지 않는 모서리는 3개야.

17 직육면체의 겨냥도에서 보이는 모서리의 길이의 합과 보이지 않는 모서리의 길이의 합의 차를 구하시오.

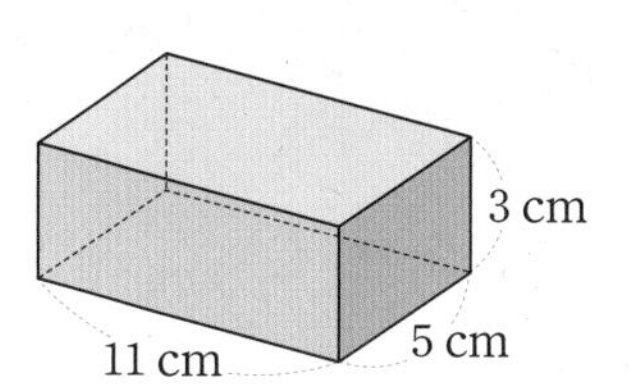

18 보영이는 직육면체 모양의 큐브를 가지고 있습니다. 서로 평행한 면에 같은 색이 칠해져 있고, 평행하지 않은 면은 다른 색이 칠해져 있을 때, 큐브에 칠해진 색은 모두 몇 가지인지 구하시오.

17 정육면체와 직육면체의 전개도

우리는 앞 단원에서 직육면체의 겨냥도에 대해서 알아보았습니다. 겨냥도는 직육면체의 모양을 잘 알 수 있도록 보이는 모서리는 실선으로, 보이지 않는 모서리는 점선으로 그렸습니다.

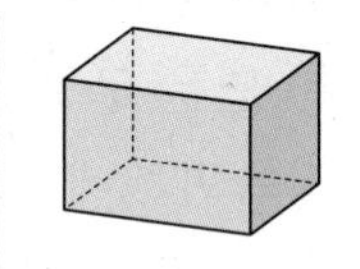

그렇다면 정육면체와 직육면체의 모서리를 잘라서 펼친 모양은 어떻게 나타낼까요?

정육면체(직육면체)의 모서리를 잘라서 펼쳐 놓은 그림을 정육면체(직육면체)의 **전개도**라고 합니다.
정육면체와 직육면체의 전개도에서 잘린 모서리는 실선으로, 잘리지 않은 모서리는 점선으로 표시합니다.
직육면체의 전개도를 살펴보면 다음과 같은 사실을 알 수 있습니다.

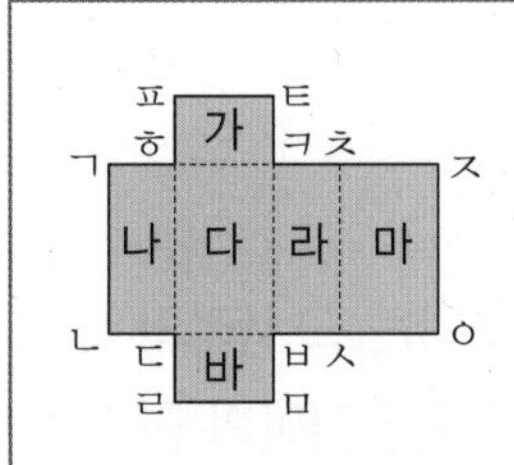

전개도를 접었을 때
- 점 ㅌ과 만나는 점 ⇨ 점 ㅊ
- 선분 ㅌㅋ과 만나는 모서리 ⇨ 선분 ㅊㅋ
- 면 **나**와 평행한 면 ⇨ 면 **라**
- 면 **다**와 수직인 면 ⇨ 면 **가**, 면 **나**, 면 **라**, 면 **바**

또한, 직육면체의 전개도는 모서리를 자르는 방법에 따라 다음과 같이 여러 가지 모양으로 그릴 수 있습니다.

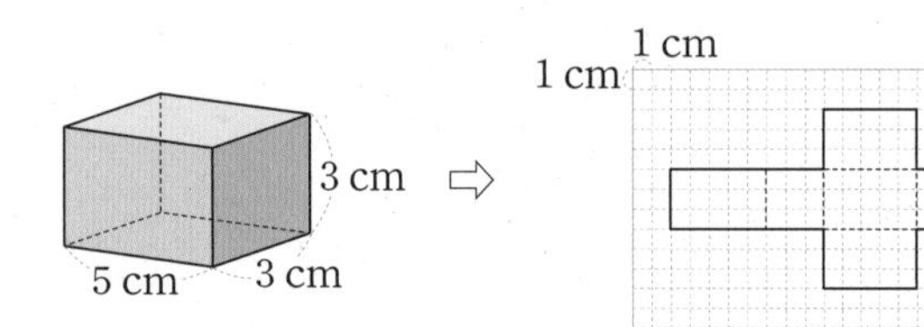

⇨

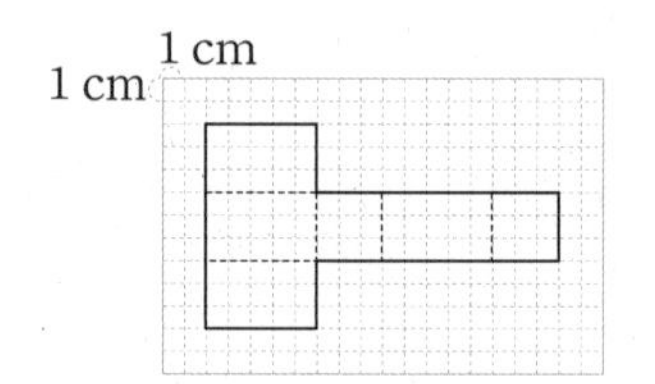

정육면체의 전개도에서는 합동인 면이 6개 있습니다.

여기서 직육면체의 전개도가 될 수 없는 경우를 알아봅시다. □ 안에 알맞은 수를 써넣으시오.

- 접었을 때 서로 겹치는 면이 있습니다.
- 모양과 크기가 같은 면이 □쌍이 아닙니다.
- 접었을 때 서로 만나지 못한 모서리가 있습니다.
- 한 면에 수직인 면이 □개가 되어야 하는데 그렇지 못한 면이 존재합니다.

답 3, 4

풍산자 비법

전개도에서 잘린 모서리는 실선으로, 잘리지 않은 모서리는 점선으로 그린다.

교과서 + 익힘책 유형

01 정육면체의 모서리를 잘라서 정육면체의 전개도를 만들었습니다. □ 안에 알맞은 기호를 써넣으시오.

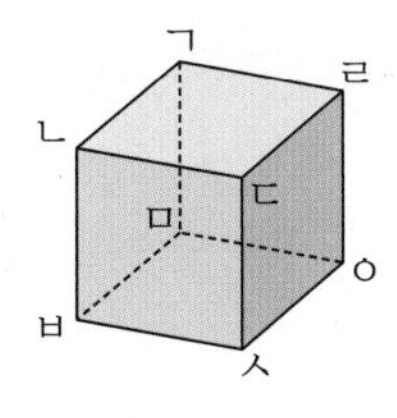

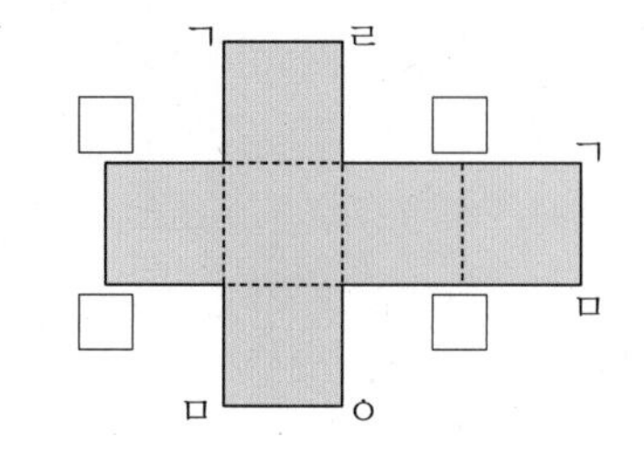

02 전개도를 접어서 정육면체를 만들었습니다. 물음에 답하시오.

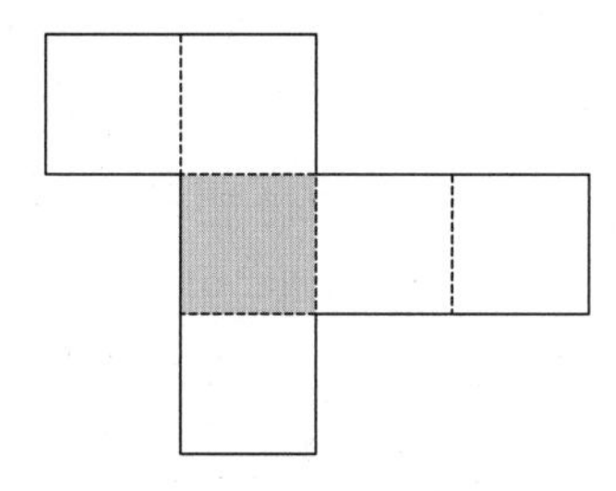

(1) 색칠한 면과 평행한 면에 ○표 하시오.

(2) 색칠한 면과 수직인 면에 △표 하시오.

03 전개도로 직육면체를 만들었을 때, 주어진 선분과 만나는 모서리를 찾아 쓰시오.

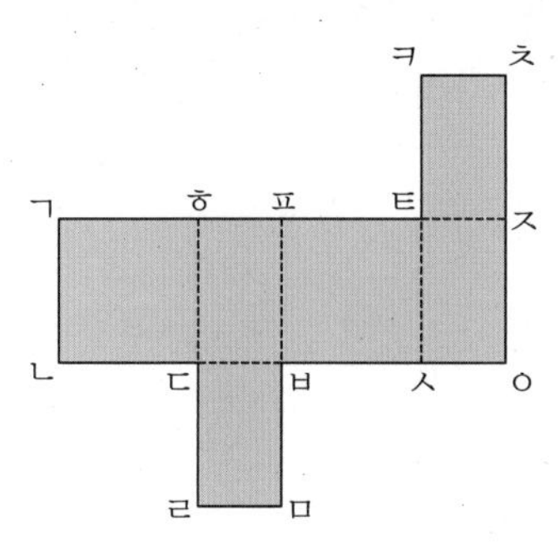

(1) 선분 ㅌㅋ

(2) 선분 ㄹㅁ

04 직육면체의 겨냥도를 보고 전개도를 그려 보시오.

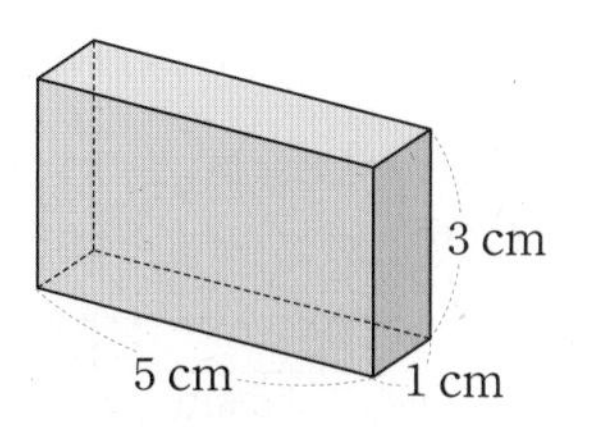

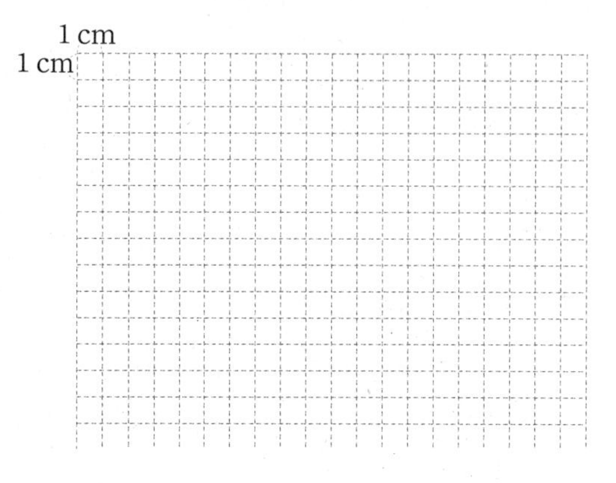

05 직육면체의 전개도를 그린 것입니다. □ 안에 알맞은 수를 써넣으시오.

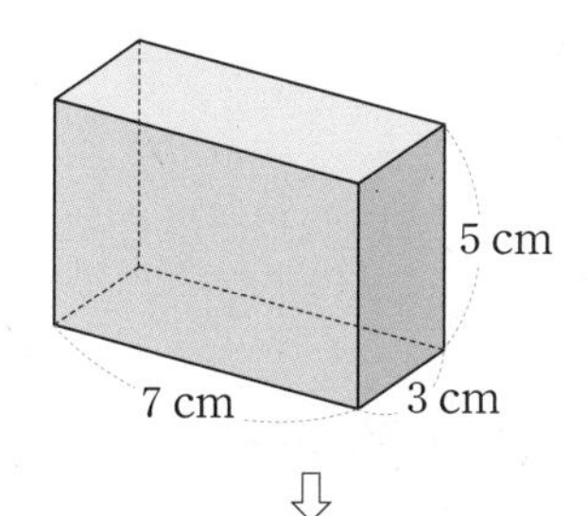

⇩

7 cm

□ cm

5 cm

□ cm

교과서 + 익힘책 응용 유형

06 직육면체의 전개도입니다. □ 안에 알맞은 수를 써넣으시오.

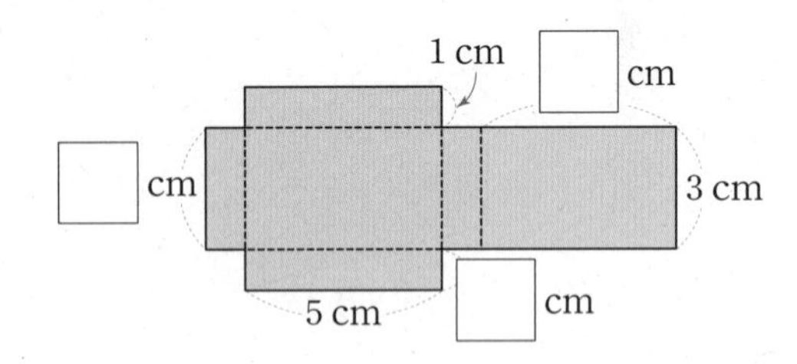

07 직육면체의 전개도에서 실선으로 그려진 부분 중에서 빨간 선분과 길이가 같은 선분의 개수와 파란 선분과 길이가 같은 선분의 개수의 합을 구하시오.

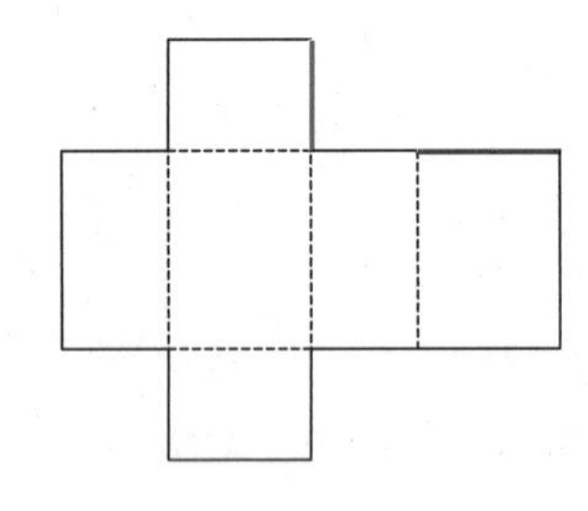

08 직육면체의 전개도를 잘못 그린 친구의 이름을 쓰고, 전개도가 아닌 이유를 써보시오.

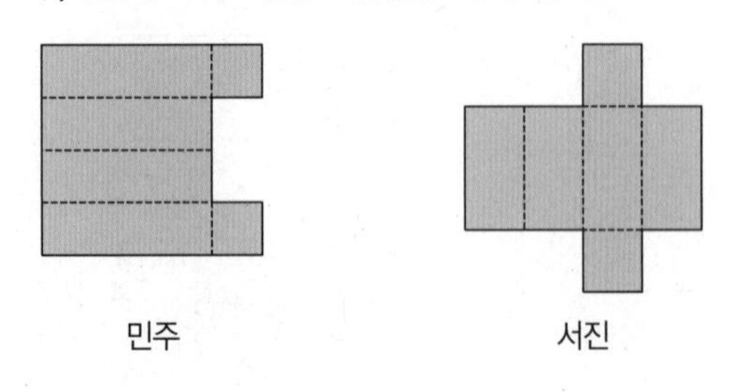

09 전개도를 접어서 직육면체를 만들었을 때 면 ㄱㄴㅍㅎ과 만나지 않는 면을 쓰시오.

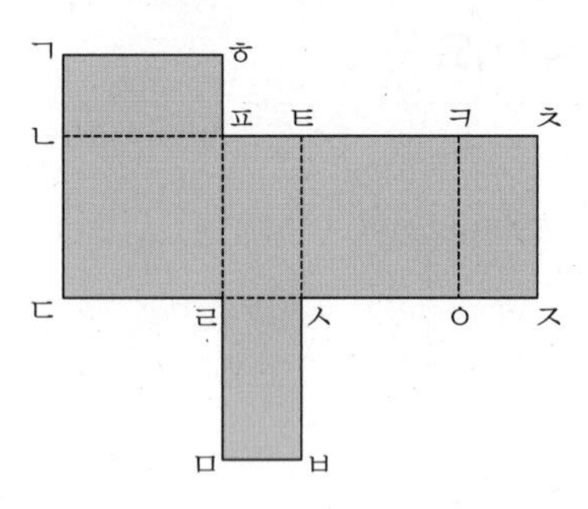

10 주사위의 마주 보는 면의 눈의 수의 합은 7입니다. 정육면체 전개도의 빈 곳에 주사위의 눈을 알맞게 그리시오.

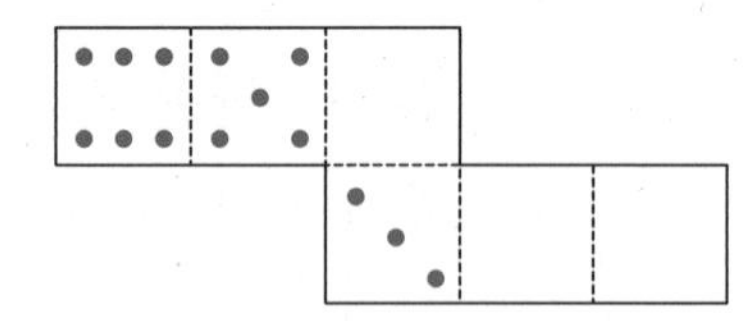

11 직육면체에 선을 그었습니다. 전개도에 선이 지나간 자리 중 빠진 부분을 그리시오.

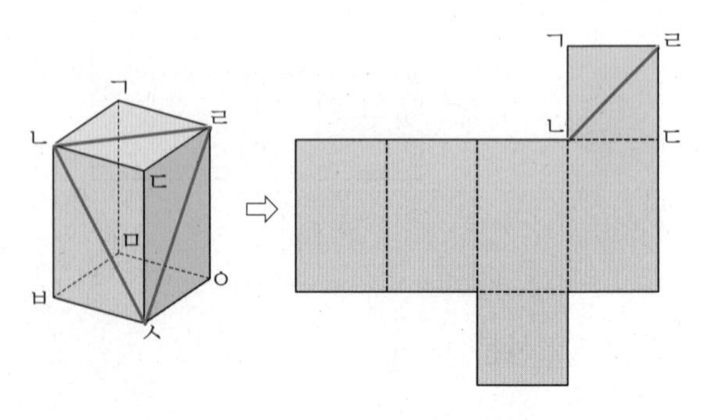

잘 틀리는 유형

12 겨냥도를 보고 색 테이프가 지나간 자리를 전개도에 그리시오.

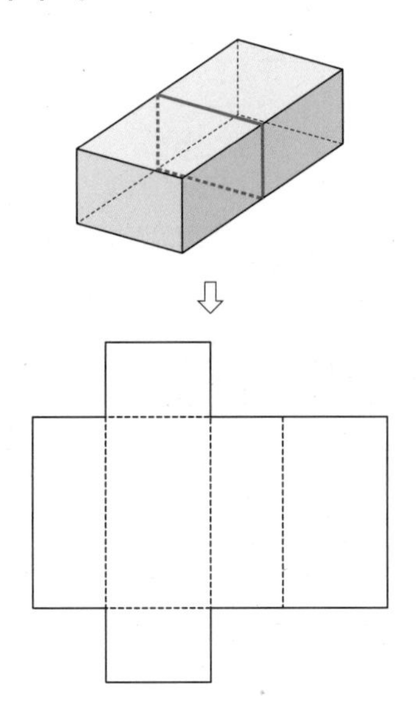

13 주사위에서 서로 평행한 두 면의 눈의 수의 합이 7입니다. 정육면체의 전개도에서 면 ㉠과 면 ㉡의 눈의 수의 합을 구하시오.

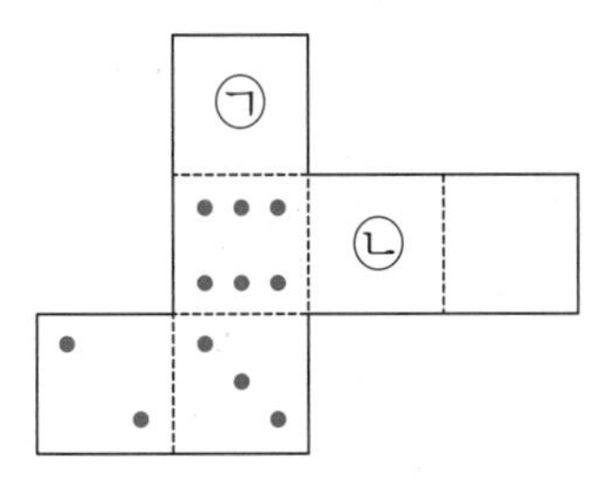

14 주사위에서 평행한 두 면의 눈의 수의 합은 7입니다. 주사위에서 보이지 않는 면에 있는 눈의 수의 합을 구하시오.

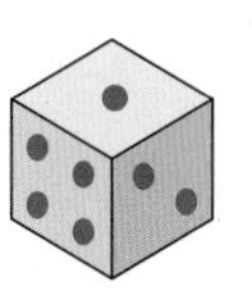

15 직육면체의 전개도를 잘못 그린 것입니다. 잘못 그린 이유를 바르게 설명한 친구는 누구인지 모두 쓰시오.

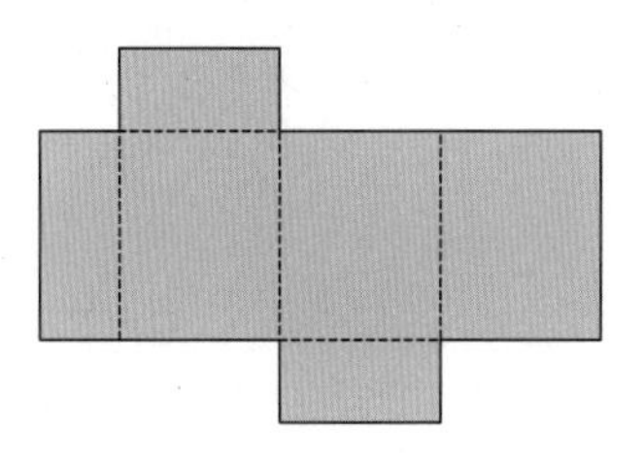

> 영미: 겹치는 면이 있기 때문이야.
> 서진: 만나는 모서리의 길이가 다르기 때문이야.
> 민주: 크기와 모양이 같은 면이 3개씩 있기 때문이야.

다양한 입체도형

지금까지 우리는 직육면체를 배웠습니다.
입체도형에는 직육면체와 정육면체만 있을까요?
그럴리가요.
[수학 6-1], [수학 6-2]에서 자세히 배우지만
여기서 살짝만 알아볼까요?

다양한 입체도형을 알아볼까요?

오른쪽 그림과 같은 도형을 각기둥이라고 합니다.
각기둥은 위와 아래에 있는 면이 서로 평행하고 합동인 다각형으로 이루어진 입체도형입니다.
각기둥은 밑면의 모양이 삼각형, 사각형, 오각형…… 일 때, 삼각기둥, 사각기둥, 오각기둥……이라고 합니다.

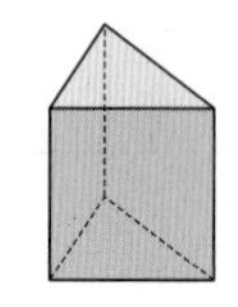
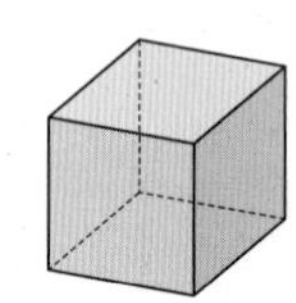
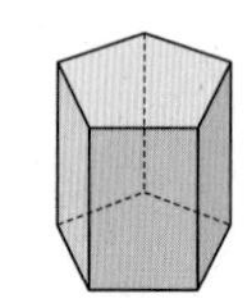

오른쪽 그림과 같은 도형을 각뿔이라고 합니다.
각뿔은 밑에 놓인 면이 다각형이고 옆으로 둘러싼 면이 삼각형인 입체도형입니다.
각뿔은 밑면의 모양이 삼각형, 사각형, 오각형……일 때, 삼각뿔, 사각뿔, 오각뿔……이라고 합니다.

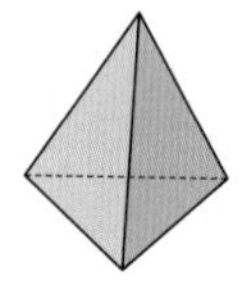
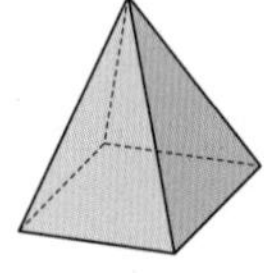
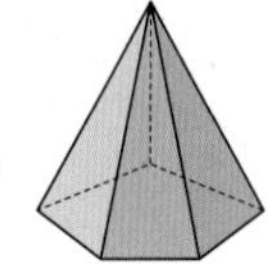

오른쪽 그림과 같은 도형을 원기둥이라고 합니다.
원기둥은 위와 아래에 있는 면이 서로 평행하고 합동인 원으로 이루어진 둥근기둥 모양의 입체도형입니다.

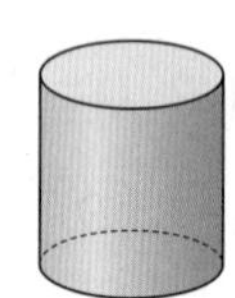
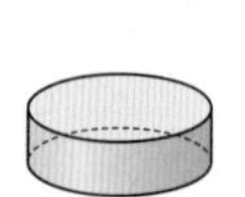

아래 그림과 같이 평평한 면이 1개이고 원이며 뾰족한 뿔 모양의 입체도형을 원뿔이라고 하고, 공 모양의 입체도형을 구라고 합니다.

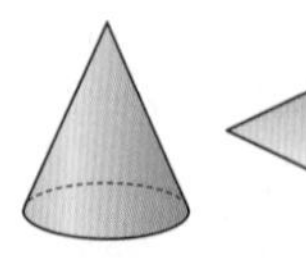
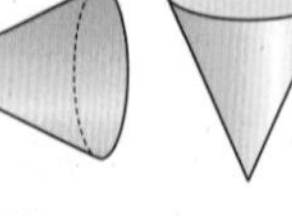

원뿔　　　　구

6

평균과 가능성

공부할 내용	공부한 날
18 평균 구하기	월 일
19 평균 이용하기	월 일
20 일이 일어날 가능성	월 일

18 평균 구하기

우리는 [수학 4-1]에서 막대그래프를 알아보았습니다. 오른쪽 그림과 같은 막대그래프를 통해 가장 많은 학생들이 좋아하는 과목은 수학임을 알 수 있었습니다.

좋아하는 과목별 학생 수

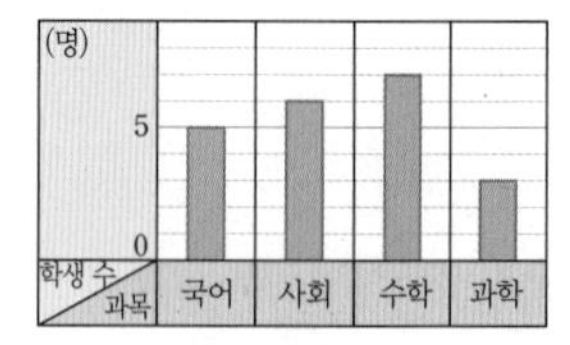

그렇다면 자료를 대표하는 값은 어떻게 정할 수 있을까요?
각 자료의 값을 모두 더하여 자료의 수로 나눈 값을 그 자료를 대표하는 값으로 정할 수 있습니다. 이 값을 **평균**이라고 합니다.

(평균)=(자료 값의 합)÷(자료의 수)

■÷▲는 분수 $\frac{■}{▲}$로 나타내어 계산할 수 있음을 [수학 6-1]에서 자세히 배웁니다.

평균은 주어진 자료 전체를 더한 값을 자료의 수로 나누거나 평균을 예상하고 자료의 값을 고르게 하여 구할 수 있습니다.

민주의 과목별 시험 성적

과목	국어	영어	수학	과학
점수(점)	90점	88점	92점	90점

(자료 값의 합)÷(자료의 수)로 평균 구하기

⇨ (평균)$=\frac{90+88+92+90}{4}=\frac{360}{4}=90$(점)

자료의 값을 고르게 하여 평균 구하기
⇨ 평균을 90점으로 예상한 후 (90, 90), (92, 88)로 수를 옮기고 짝 지어 자료의 값을 고르게 하여 구한 성적의 평균은 90점입니다.

여기서 평균을 어떻게 구하는지 그림으로 알아봅시다. □ 안에 알맞은 수를 써넣으시오.

초록색 종이테이프 24 cm와 노란색 종이테이프 18 cm가 있습니다. 두 종이테이프 길이의 평균을 구해 봅시다.

두 종이테이프를 겹치지 않게 이어 보면 전체 길이는 모두 42 cm이고, 이어진 종이테이프를 반으로 접으면 반으로 접은 곳은 21 cm입니다.
따라서 두 종이테이프 길이의 평균은 □ cm입니다. 답 21

풍산자 비법

(평균)=(자료 값의 합)÷(자료의 수)

교과서 + 익힘책 유형

[01-02] 지난 1월부터 5월까지 희민이의 독서량을 나타낸 표입니다. 물음에 답하시오.

희민이의 독서량

월(월)	1	2	3	4	5
책(권)	4	3	1	4	3

01 지난 1월부터 5월까지 희민이의 독서량을 막대 그래프로 나타내고, 막대의 높이를 고르게 해보시오.

희민이의 독서량

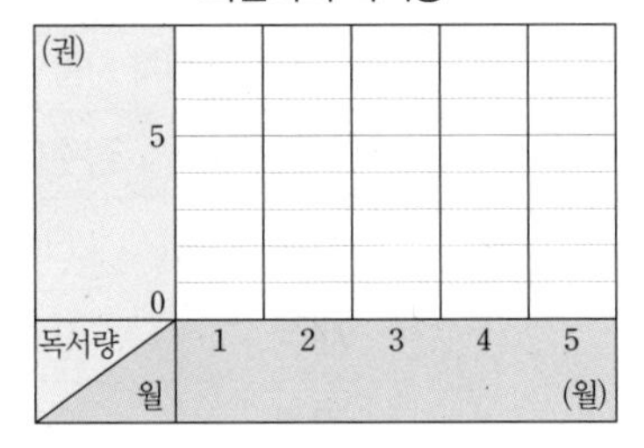

02 □ 안에 알맞은 수를 써넣으시오.

$(\text{평균}) = \dfrac{\square}{5} = \square(\text{권})$

03 자료의 평균을 두 가지 방법으로 구하는 과정입니다. □ 안에 알맞은 수를 써넣으시오.

20 13 10 17 15 15

[방법 1]
평균을 15로 예상한 후 (20, 10), (17, 13), (15, 15)로 수를 옮기고 짝 지어 20의 □를 10에 나누어 주고, 17의 □를 13에 나누어 주어 자료의 값을 고르게 하여 구한 평균은 □입니다.

[방법 2]

$(\text{평균}) = \dfrac{\square}{6} = \square$

04 음료수가 6개의 컵에 다음과 같이 들어 있습니다. 음료수를 다시 6개의 컵에 똑같이 담는다면 한 컵에 몇 L의 물이 담기는지 구하시오.

[05-06] 나래의 월요일부터 토요일까지의 줄넘기 기록을 나타낸 표입니다. 물음에 답하시오.

나래의 줄넘기 기록

요일(요일)	월	화	수	목	금	토
줄넘기 기록(번)	30	11	26	17	21	27

05 나래의 줄넘기 기록의 평균을 구하시오.

06 일요일까지의 줄넘기 기록의 평균이 토요일까지의 줄넘기 기록의 평균보다 높으려면 일요일에는 적어도 몇 번의 기록을 내야 하는지 구하시오.

교과서 + 익힘책 응용 유형

[07-08] 소라네 모둠 친구들의 키를 조사한 표입니다. 물음에 답하시오.

소라네 모둠 친구들의 키

이름	키(cm)	이름	키(cm)
소라	159.5	경식	148.3
예나	150	희수	151.5
승현	157.7	정민	145

07 소라네 모둠 친구들 키의 평균보다 키가 큰 친구의 이름을 모두 쓰시오.

08 소라네 모둠 친구들 키의 평균보다 키가 작은 친구의 이름을 모두 쓰시오.

09 은비는 하루 평균 30분씩 운동을 하려고 합니다. 평균 운동 시간이 30분이 되기 위해서 내일 운동을 몇 분 해야 하는지 구하시오.

은비의 운동 시간

날짜	운동 시간(분)
어제	30
오늘	25
내일	

10 영미는 한 쪽에 문제가 12개씩 있는 수학 문제집 10쪽을 4시간 동안 풀려고 합니다. 수학 문제 1개를 평균 몇 분 동안 풀어야 하는지 구하시오.

11 명수네 모둠 학생들의 수학 시험 점수입니다. ㉠과 ㉡의 차를 구하시오.

명수네 모둠 수학 시험 점수

이름	점수(점)
명수	60
재석	95
광희	90
동훈	80
준하	55

㉠ 명수네 모둠 수학 시험 점수의 평균
㉡ 가장 높은 점수와 가장 낮은 점수의 평균

12 여섯 종류의 과자 중에서 판매량이 평균보다 높은 과자는 더 많이 생산하기로 했습니다. 더 많이 생산해야 하는 과자를 모두 찾아 쓰시오.

과자 판매량

과자	가	나	다	라	마	바
판매량(개)	153	235	276	380	308	250

잘 틀리는 유형

13 빈칸에 알맞은 수의 합을 구하시오.

날짜별 강수량

날짜(일)	1	2	3	4
강수량(mm)	30	25	20	25

2일과 4일의 강수량은 □mm로 같고 1일의 강수량에서 □mm를 빼서 3일의 강수량에 더해 주면 4일 동안의 평균 강수량은 □mm입니다.

14 요일별로 서진이가 읽은 책의 쪽수를 나타낸 표입니다. 서진이가 하루에 읽은 평균 쪽수로 15일 동안 책을 읽으면 모두 몇 쪽을 읽을 수 있는지 구하시오.

요일별 읽은 책의 쪽수

요일(요일)	월	화	수	목	금	토
쪽수(쪽)	42	21	38	15	32	20

15 똑같은 책을 지민이는 일주일 동안에 266쪽을 읽었고, 민주는 10일 동안에 330쪽을 읽었습니다. 누가 더 빨리 읽는 편인지 구하시오.

16 기호 ★을 다음과 같이 약속할 때, 66★38을 계산하시오.

㉠★㉡은 (㉠+㉡)과 (㉠−㉡)의 평균

17 단원평가 점수가 1단원은 2단원보다 12점 더 높고, 3단원은 1단원보다 15점 더 높습니다. 2단원 점수가 70점일 때 3단원까지의 단원평가 점수의 평균을 구하시오.

18 수랑이네 반 학생들이 미술 시간에 가지고 온 리본을 길이별로 나타낸 표입니다. 학생 한 명이 리본을 평균 몇 m씩 가지고 왔는지 구하시오.

가지고 온 리본의 길이별 학생 수

길이(m)	1	2	3
학생 수(명)	3	4	3

19 평균 이용하기

우리는 앞 단원에서 평균 구하는 방법을 알아보았습니다. 평균은 주어진 자료 전체를 더한 값을 자료의 수로 나누거나 평균을 예상하고 자료의 값을 고르게 하여 구할 수 있었습니다.

그렇다면 다양한 문제를 해결할 때 평균을 어떻게 이용할까요?
평균을 이용하면 두 집단 사이의 통계적 사실을 한눈에 알기 쉽게 비교할 수 있습니다.

월별 도서관 이용자 수

월(월)	3	4	5	6	7
남학생	75	70	47	64	79
여학생	87	74	46	55	68

• 남학생의 월별 평균 도서관 이용자 수: $\frac{75+70+47+64+79}{5}=\frac{335}{5}=67$(명)

• 여학생의 월별 평균 도서관 이용자 수: $\frac{87+74+46+55+68}{5}=\frac{330}{5}=66$(명)

따라서 월별 평균 도서관 이용자 수는 남학생이 1명 더 많습니다.

자료의 수가 다른 두 집단을 비교할 때에는 평균을 비교해야 공평합니다.

또한, 평균을 이용하면 모르는 자료 값을 구할 수 있습니다.

민주의 윗몸일으키기 평균 기록이 24번일 때, 3회에 몇 번 했는지 알아봅시다.

민주의 윗몸일으키기 기록

회(회)	1	2	3	4
기록(번)	20	31		28

⇨ 민주는 4회 동안 윗몸일으키기를 $24\times4=96$(번) 했습니다.
따라서 민주는 3회에 윗몸일으키기를 $96-(20+31+28)=96-79=17$(번) 했습니다.

(평균)=(자료 값의 합)÷(자료의 수)에서 (자료 값의 합)=(평균)×(자료의 수)이므로 평균을 이용하여 자료 값의 합을 구한 후, 자료 값의 합에서 모르는 자료 값을 제외한 나머지 자료 값을 빼어 모르는 자료 값을 구합니다.

여기서 평균을 이용하여 자료를 해석하는 것을 알아봅시다. □ 안에 알맞은 것을 써넣으시오.

자료의 값에서 구한 평균을 기준으로 하면 자료가 큰 편인지, 작은 편인지, 높은 편이지, 낮은 편인지 등의 위치를 알 수 있습니다. 예를 들어, 민주네 반의 평균 키가 145 cm일 때, 민주의 키가 155 cm이면 민주는 반에서 키가 □입니다.

답 큰 편

(평균)=(자료 값의 합)÷(자료의 수) ⇨ (자료 값의 합)=(평균)×(자료의 수)

교과서 + 익힘책 유형

01 예서와 우주의 윗몸일으키기 기록을 나타낸 표입니다. 윗몸일으키기 평균 기록이 누가 얼마나 더 많은지 쓰시오.

예서의 기록

회(회)	기록(번)
1	12
2	15
3	9
4	19
5	25

우주의 기록

회(회)	기록(번)
1	33
2	26
3	21
4	20
5	20

02 수찬이의 줄넘기 평균 기록이 18번일 때, 3회의 기록이 몇 번인지 구하시오.

수찬이의 줄넘기 기록

회(회)	1	2	3	4	5
줄넘기 기록(번)	35	10		7	24

03 평균 키가 142.5 cm인 네 사람이 있습니다. 네 사람의 키의 합은 몇 cm인지 구하시오.

04 수들의 평균을 비교하여 ○ 안에 $>$, $=$, $<$를 알맞게 써넣으시오.

(1) 37, 43, 34 ○

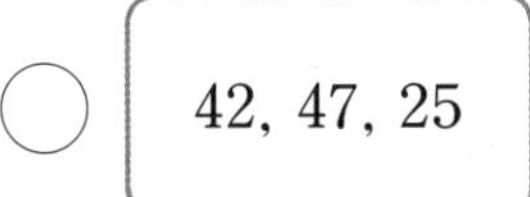
42, 47, 25

(2) 32, 39, 30, 15 ○ 29, 28, 31, 20

05 볼링 동아리 남자 회원과 여자 회원의 나이를 각각 나타낸 표입니다. 볼링 동아리 전체 회원의 평균 나이를 구하시오.

볼링 동아리 회원의 나이

	회원 수(명)	평균(세)
남자	5	28
여자	10	31

06 지민이네 모둠의 남학생 5명의 평균 몸무게는 54 kg이고, 여학생 3명의 평균 몸무게는 46 kg입니다. 지민이네 모둠 학생들의 평균 몸무게는 몇 kg인지 구하시오.

교과서 + 익힘책 응용 유형

07 철수네 가족과 영희네 가족의 물 섭취량을 나타낸 표입니다. 평균 물 섭취량이 더 많은 가족을 구하시오.

철수네 가족

가족	물 섭취량(mL)
아빠	430
엄마	750
누나	2100
철수	320

영희네 가족

이름	물 섭취량(mL)
할머니	320
아빠	680
엄마	700
영희	1200
동생	1500

08 은애는 줄넘기를 어제까지 3일 동안 하루 평균 30번 했습니다. 오늘 줄넘기를 하여 4일 동안 하루 평균 32번 했다면 은애는 오늘 줄넘기를 몇 번 했는지 구하시오.

09 수지의 성적표 일부가 찢어져 점수를 알 수 없게 되었습니다. 수학과 과학 점수를 각각 구하시오.

수지의 성적표

과목	국어	영어	사회	수학	과학	평균
점수(점)	90	75	73.5	9	1.5	82.3

10 마을별 과일 가게의 사과 가격을 조사하였습니다. 사과가 가장 비싸다고 할 수 있는 마을을 쓰시오.

〈장수네 마을〉
5개에 3000원

〈윤아네 마을〉
4개에 2500원

〈준서네 마을〉
2개에 1500원

〈효리네 마을〉
10개에 6500원

11 정은이네 모둠 학생들의 키를 조사하여 나타낸 표입니다. 평균 키가 151 cm일 때, 여학생의 평균 키를 구하시오.

정은이네 모둠 학생들의 키

	학생 수(명)	평균(cm)
남학생	3	156
여학생	5	

12 감귤나무 한 그루에서 평균 67개의 감귤을 땄습니다. 이 감귤나무 100그루에서 딴 감귤을 한 개에 200원씩 팔았다면, 감귤을 판 돈은 모두 얼마인지 구하시오.

잘 틀리는 유형

13 5대의 스쿨버스에 탄 학생 수를 나타낸 표입니다. 전체 학생 수는 같고, 버스만 7대로 늘리면 한 대의 버스에 타는 평균 학생 수는 버스가 5대일 때의 평균 학생 수보다 몇 명이 더 적은지 구하시오.

스쿨버스별 학생 수

스쿨버스(호)	1	2	3	4	5
학생 수(명)	42	41	40	44	43

14 혜진이의 성적표입니다. 수학 성적이 사회 성적보다 20점 높다고 할 때, 빈칸에 알맞은 수를 써넣으시오.

혜진이의 성적표

과목	국어	사회	수학	과학	영어	평균
점수(점)	90			90	95	91

15 1반과 2반의 영어 시험 평균 점수를 나타낸 표입니다. 1반과 2반 전체 학생의 영어 시험 평균 점수를 반올림하여 소수 둘째 자리까지 구하시오.

영어 시험 평균 점수

	학생 수(명)	평균(점)
1반	32	75
2반	28	60

16 혜림이네 학교 운동장과 은희네 학교 운동장의 넓이와 각 학교 학생 수를 나타낸 것입니다. 어느 학교 학생들이 운동장을 더 넓게 사용하고 있는지 구하시오.

〈혜림이네 학교〉
운동장의 넓이: 6160 m^2, 학생 수: 560명

〈은희네 학교〉
운동장의 넓이: 7560 m^2, 학생 수: 630명

17 서진이의 2회까지 수학 시험의 평균은 85점이고, 3회까지 수학 시험의 평균은 87점입니다. 3회의 수학 점수가 1회의 수학 점수보다 15점 더 높았다면, 1회부터 3회까지의 수학 시험의 점수는 각각 몇 점인지 쓰시오.

18 영미가 5번에 걸쳐서 멀리뛰기를 한 평균 기록은 80 cm입니다. 6번째 멀리뛰기를 한 뒤 평균 기록이 4 cm 높아지려면 6번째 멀리뛰기 기록은 몇 cm이어야 하는지 구하시오.

20 일이 일어날 가능성

우리는 [수학 4-2]에서 꺾은선그래프를 알아보았습니다. 꺾은선그래프는 조사하지 않은 중간값을 예상할 수 있었습니다.

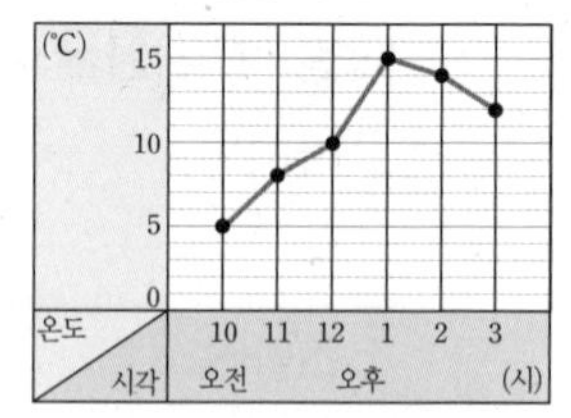

오후 2시 30분의 운동장의 온도를 13 ℃로 예상할 수 있습니다.

그렇다면 일이 일어날 가능성을 어떻게 표현할까요?
내일 아침에 동쪽에서 해가 뜰 가능성은 확실합니다. 이처럼 **가능성**은 어떠한 상황에서 특정한 일이 일어나길 기대할 수 있는 정도를 말합니다. 가능성의 정도는 **불가능하다, ~아닐 것 같다, 반반이다, ~일 것 같다, 확실하다** 등으로 표현할 수 있습니다.

일이 일어날 가능성이 낮습니다. ← 불가능하다 | ~아닐 것 같다 | 반반이다 | ~일 것 같다 | 확실하다 → 일이 일어날 가능성이 높습니다.

- 불가능하다 ⇨ 주사위를 굴리면 주사위 눈의 수가 7이 나올 것이다.
- ~아닐 것 같다 ⇨ 주사위를 세 번 굴리면 주사위의 눈의 수가 모두 6이 나올 것이다.
- 반반이다 ⇨ 주사위를 굴리면 주사위 눈의 수가 짝수가 나올 것이다.
- ~일 것 같다 ⇨ 주사위를 굴리면 주사위 눈의 수가 1 이상 5 이하로 나올 것이다.
- 확실하다 ⇨ 주사위를 굴리면 주사위 눈의 수가 6 이하로 나올 것이다.

이때 일이 일어날 가능성을 '확실하다'는 1로, '반반이다'는 $\frac{1}{2}$로, '불가능하다'는 0으로 표현할 수 있습니다.

반드시 일어나는 일의 가능성은 1이고 절대 일어나지 않는 일의 가능성은 0입니다.

- 주사위를 굴리면 주사위 눈의 수가 6 이하로 나올 가능성 ⇨ 1
- 주사위를 굴리면 주사위 눈의 수가 짝수가 나올 가능성 ⇨ $\frac{1}{2}$
- 주사위를 굴리면 주사위 눈의 수가 7이 나올 가능성 ⇨ 0

여기서 일이 일어날 가능성을 비교해 봅시다. □ 안에 알맞은 것을 써넣으시오.

지민: 동전을 던지면 숫자 면이 나올 거야.
서진: 내년은 1년이 370일이 될 거야.
영미: 검은색 바둑돌이 들어 있는 통에서 꺼낸 바둑돌은 검은색일 거야.

지민이 말하는 일이 일어날 가능성은 $\frac{1}{2}$, 서진이 말하는 일이 일어날 가능성은 0, 영미가 말하는 일이 일어날 가능성은 1이므로 말하는 일이 일어날 가능성이 높은 친구부터 이름을 순서대로 쓰면 □ 입니다.

답 영미, 지민, 서진

풍산자 비법 일이 일어날 가능성 ⇨ 어떠한 상황에서 특정한 일이 일어나길 기대할 수 있는 정도

교과서 + 익힘책 유형

01 일이 일어날 가능성을 생각해 보고, 알맞게 표현한 곳에 ○표 하시오.

(1)

내일 아침에 서쪽에서 해가 뜰 것입니다.				
불가능하다	~아닐 것 같다	반반이다	~일 것 같다	확실하다

(2)

7월에 비가 내릴 것입니다.				
불가능하다	~아닐 것 같다	반반이다	~일 것 같다	확실하다

(3)

○, × 퀴즈의 정답을 맞출 것입니다.				
불가능하다	~아닐 것 같다	반반이다	~일 것 같다	확실하다

02 빨간색, 파란색, 노란색으로 이루어진 회전판과 회전판을 100번 돌려 화살이 멈춘 횟수를 나타낸 표입니다. 일이 일어날 가능성이 가장 비슷한 것끼리 이어 보시오.

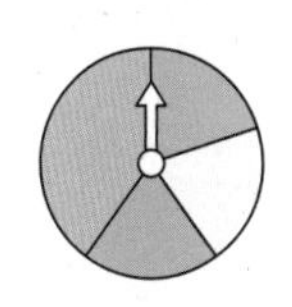

색깔	빨강	파랑	노랑
횟수(회)	50	25	25

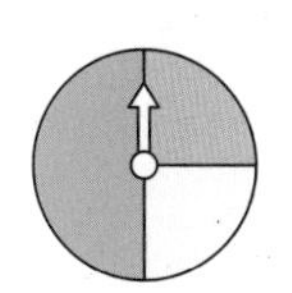

색깔	빨강	파랑	노랑
횟수(회)	40	40	20

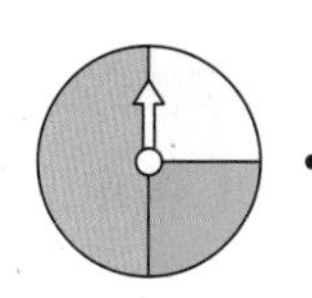

색깔	빨강	파랑	노랑
횟수(회)	25	50	25

03 서진이는 회전판 돌리기를 하고 있습니다. 물음에 답하시오.

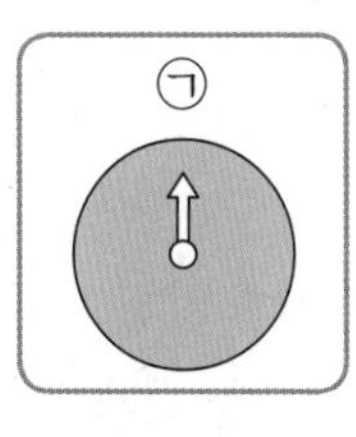

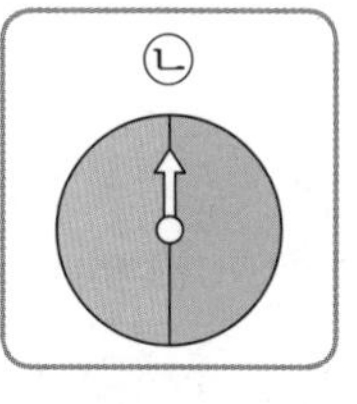

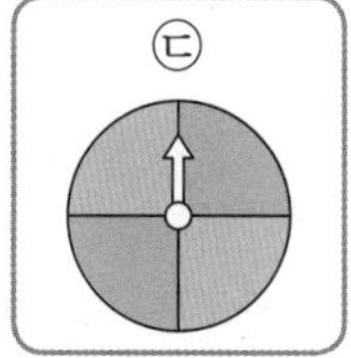

(1) ㉠ 회전판을 돌릴 때 화살이 파란색에 멈출 가능성을 ⇩로 나타내어 보시오.

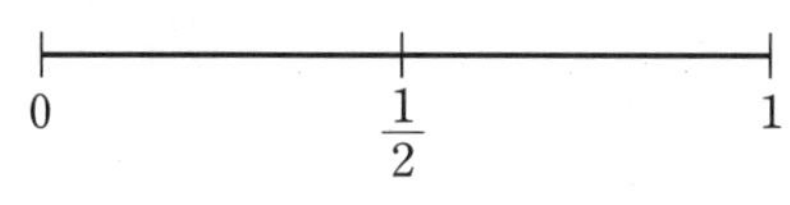

(2) ㉡ 회전판을 돌릴 때 화살이 파란색에 멈출 가능성을 ⇩로 나타내어 보시오.

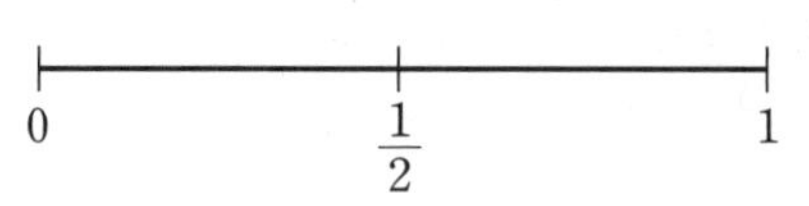

(3) ㉢ 회전판을 돌릴 때 화살이 빨간색에 멈출 가능성을 ⇩로 나타내어 보시오.

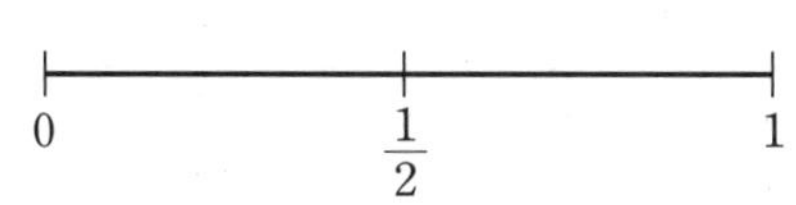

04 일이 일어날 가능성을 말과 수로 표현해 보시오.

(1) 동전을 던지면 그림 면이 나올 것입니다.

말: 수:

(2) 주사위를 굴리면 주사위 눈의 수가 10보다 작게 나올 것입니다.

말: 수:

(3) 1월 32일에 해가 뜰 것입니다.

말: 수:

교과서 + 익힘책 응용 유형

05 일이 일어날 가능성이 높은 것부터 차례대로 기호를 쓰시오.

> ㉠ 주사위를 던져 짝수의 눈이 나올 가능성
> ㉡ 일요일의 다음 날이 월요일일 가능성
> ㉢ 흰색 공 1개와 파란색 공 3개가 들어 있는 주머니에서 공 1개를 꺼낼 때, 꺼낸 공이 노란색일 가능성

06 내일 해가 동쪽에서 질 가능성과 회전판을 돌릴 때 화살이 파란색에 멈출 가능성이 같도록 빨간색, 파란색, 노란색을 사용하여 회전판을 색칠해 보시오.

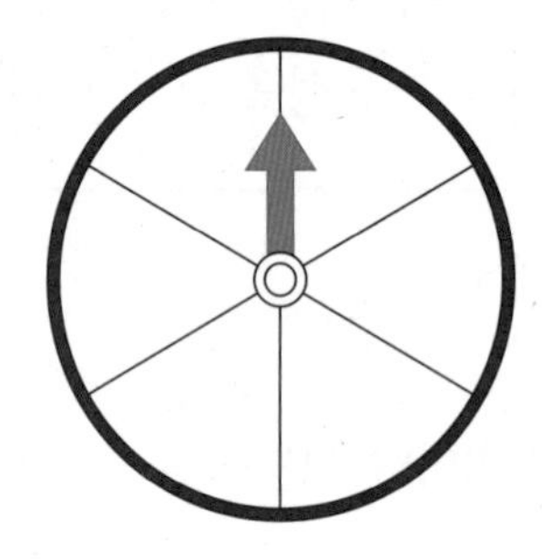

07 일이 일어날 가능성에 대해 바르게 말한 친구는 누구인지 쓰시오.

> 서진: 지구에 공기가 있을 가능성은 1이야.
> 민주: 3월의 다음달이 5월일 가능성은 반반이야.
> 영미: 동전을 던져서 숫자 면이 나오는 가능성은 불가능해.

08 주머니 속에 노란색 구슬 2개와 파란색 구슬 2개가 있습니다. 주머니에서 구슬 1개를 꺼낼 때 ㉠+㉡의 값을 구하시오.

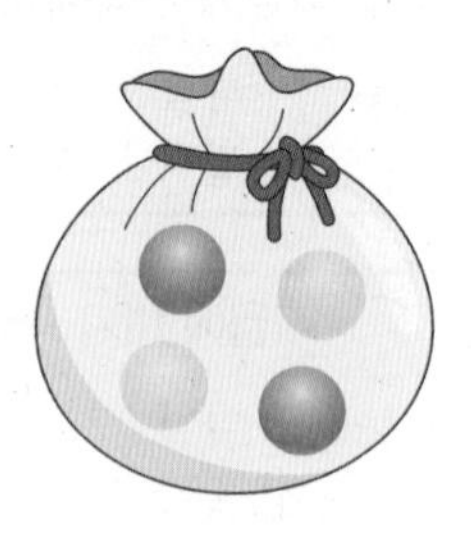

> ㉠ 꺼낸 구슬이 파란색일 가능성
> ㉡ 꺼낸 구슬이 파란색 또는 노란색일 가능성

09 주머니에 숫자 1과 2가 각각 적혀 있는 공이 8개씩 들어 있습니다. 이 주머니에서 공 1개를 꺼낼 때 가능성이 다른 것의 기호를 쓰시오.

> ㉠ 숫자 2가 나올 가능성
> ㉡ 숫자 1이 나올 가능성
> ㉢ 숫자 0이 나올 가능성
> ㉣ 홀수가 나올 가능성

10 주머니 안에 숫자 1, 2, 3, 4가 각각 적혀 있는 카드 네 장이 들어 있습니다. 이 주머니에서 카드 한 장을 꺼낼 때, 홀수가 나올 가능성과 짝수가 나올 가능성의 차를 구하시오.

잘 틀리는 유형

11 주머니에서 공을 1개 꺼낼 때, 꺼낸 공이 파란색일 가능성이 높은 주머니부터 차례대로 기호를 쓰시오.

㉠ 빨간색 공 2개와 파란색 공 2개가 들어 있는 주머니
㉡ 빨간색 공 4개가 들어 있는 주머니
㉢ 파란색 공 4개가 들어 있는 주머니

12 일이 일어날 가능성을 수로 나타낼 때 ㉠, ㉡이 나타내는 두 수의 차를 구하시오.

㉠ 한 여름 최고 기온이 0 ℃일 가능성
㉡ 피아노에서 흰색 건반을 누를 가능성

13 도형 중 한 개를 고를 때 고른 도형의 변의 개수가 6개보다 많을 가능성을 수로 나타내시오.

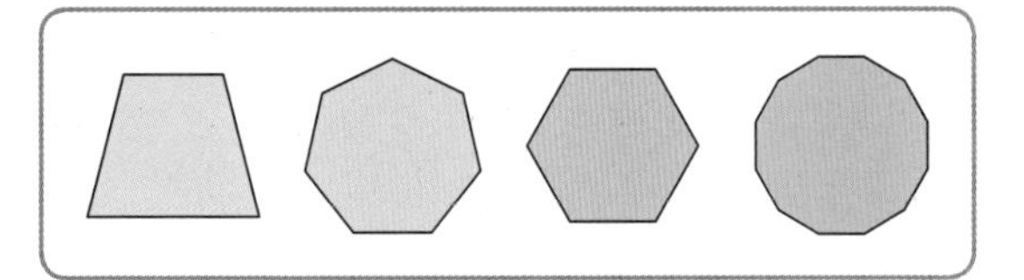

14 주머니에서 공 1개를 꺼낼 때 노란색 공이 나올 가능성이 낮은 것부터 차례대로 기호를 쓰시오.

㉠

㉡

㉢

15 4장의 수 카드를 숫자가 보이지 않게 뒤집어 놓았습니다. 수 카드 한 장을 선택하여 숫자가 보이게 뒤집었을 때, 사건이 일어날 가능성이 높은 것부터 차례대로 기호를 쓰시오.

㉠ 뒤집은 숫자가 2보다 작을 가능성
㉡ 뒤집은 숫자가 홀수일 가능성
㉢ 뒤집은 숫자가 10보다 작을 가능성

16 빨간색 공 2개, 파란색 공 4개, 노란색 공 6개가 들어 있는 주머니에서 공 한 개를 꺼낼 때, 노란색 공이 나오지 않을 가능성을 수로 나타내시오.

경우의 수와 확률

지금까지 우리는 평균과 가능성을 배웠습니다.

어떠한 상황에서 특정한 일이 일어나길 기대할 수 있는 정도를 일이 일어날 가능성이라고 하였고, 일이 일어날 가능성을 '확실하다'는 1로, '반반이다'는 $\frac{1}{2}$로, '불가능하다'는 0으로 표현할 수 있었습니다.

그렇다면 일이 일어날 가능성을 0, $\frac{1}{2}$, 1로만 나타낼 수 있을까요?

그럴리가요.

중학교에서 자세히 배우지만 여기서 살짝만 알아볼까요?

경우의 수와 확률을 알아볼까요?

주사위를 던질 때 '1의 눈이 나온다.', '5의 눈이 나온다.' 등과 같이 동일한 조건 아래에서 여러 번 반복할 수 있는 실험이나 관찰을 통해 얻어지는 결과를 사건이라고 합니다.

이때 사건이 일어날 수 있는 경우의 가짓수를 경우의 수라고 합니다.

예를 들어 주사위를 던질 때 일어나는 모든 경우의 수는 6이고, 짝수의 눈이 나오는 경우의 수는 3입니다.

각 경우가 일어날 가능성이 같은 어떤 실험이나 관찰에서 일어날 수 있는 모든 경우의 수와 어떤 사건이 일어나는 경우의 수에 대하여

$$\frac{(\text{어떤 사건이 나오는 경우의 수})}{(\text{모든 경우의 수})}$$

를 어떤 사건이 일어날 확률이라고 합니다.

주사위를 던질 때 짝수의 눈이 나올 확률은 모든 경우의 수가 6이고, 짝수의 눈이 나올 경우의 수가 3이므로 $\frac{3}{6}$입니다.

3 ← 짝수의 눈이 나오는 경우의 수
6 ← 일어나는 모든 경우의 수

경우의 수를 이용하여 확률을 구해 볼까요?

다음 확률을 구해 봅시다.

[1] 주사위를 던질 때 2의 눈이 나올 확률

[2] 주사위를 던질 때 3의 배수의 눈이 나올 확률

[3] 주사위를 던질 때 4 이하의 눈이 나올 확률

[4] 주사위를 던질 때 5 이상의 눈이 나올 확률

풍산자 라인업

초등 풍산자로 개념을 적용하고 응용하여 연산, 유형, 서술형을 풀면 실력이 탄탄해집니다

처음 배우는 수학을 쉽게 접근하는 초등 풍산자 로드맵

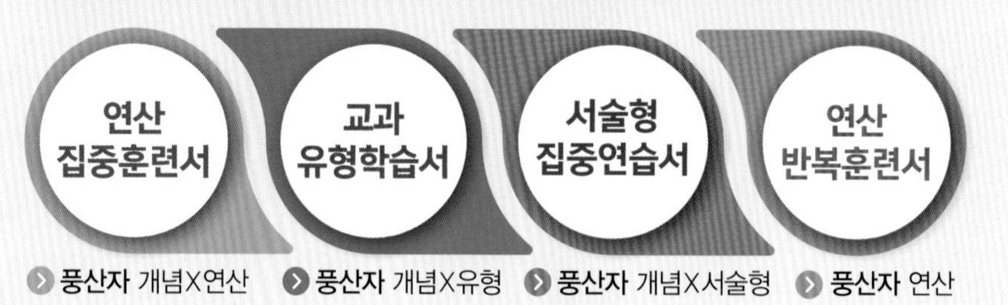

초등 풍산자 교재	하	중하	중	상
연산 집중훈련서 **풍산자 개념X연산**	개념 적용 연산 학습, 기초 실력 완성 (하 ~ 중)			
교과 유형학습서 **풍산자 개념X유형**		개념 응용 유형 학습, 기본 실력 완성 (중하 ~ 상)		
서술형 집중연습서 **풍산자 개념X서술형**		개념 활용 서술형 연습, 문제 해결력 완성 (중하 ~ 상)		
출시 예정 연산 반복훈련서 **풍산자 연산**	연산만 집중적으로 반복 학습 (하 ~ 중하)			

풍산자

개념 × 유형

정답과 풀이

초등 수학

5-2

지학사

교과서 속 유형을 빠르게!

풍산자

개념 × 유형

정답과 풀이

초등 수학 5-2

1 수의 범위와 어림하기

01 이상과 이하, 초과와 미만

p. 07~09

> 교과서 + 익힘책 유형

01 풀이 참조
02 (1) 54, 46, 59, 43, 47 (2) 29, 24, 23
03 풀이 참조 **04** 이상, 미만
05 (1) 아린, 명진, 현경, 성규 (2) 2명
06 ㉠, ㉡

> 교과서 + 익힘책 응용 유형

07 18, 19, 20, 21, 22 **08** 풀이 참조
09 이상, 이하 **10** 3개 **11** ㉡, ㉢
12 2

> 잘 틀리는 유형

13 3 **14** 30, 42 **15** 70
16 14000원 **17** 22, 23, 24, 25
18 ■=15, ◆=85

01 답 풀이 참조

(1) 20 21 22 23 24 25 26 27 28 29 (26에 ●)

(2) 20 21 22 23 24 25 26 27 28 29 (24에 ●)

(3) 20 21 22 23 24 25 26 27 28 29 (27에 ○)

(4) 20 21 22 23 24 25 26 27 28 29 (22에 ○)

02 답 (1) 54, 46, 59, 43, 47 (2) 29, 24, 23

(1) 40 이상인 수는 40보다 크거나 같은 수이므로 54, 46, 59, 43, 47입니다.

(2) 30 이하인 수는 30보다 작거나 같은 수이므로 29, 24, 23입니다.

03 답 풀이 참조

㉓ 10 △8 20 ㉜ △9 18 ㉗

20 초과인 수는 20보다 큰 수이므로 23, 32, 27입니다. 10 미만인 수는 10보다 작은 수이므로 8, 9입니다.

04 답 이상, 미만

수직선에 나타낸 수의 범위는 7 이상 10 미만인 수입니다.

05 답 (1) 아린, 명진, 현경, 성규 (2) 2명

(1) 45 미만인 수는 45보다 작은 수입니다. 따라서 아린이네 모둠 학생들 중 몸무게가 45 kg 미만인 학생은 아린, 명진, 현경, 성규입니다.

(2) 38.8 초과 45 미만인 수는 38.8보다 크고 45보다 작은 수입니다. 따라서 38.8 kg 초과 45 kg 미만인 학생은 명진, 현경으로 2명입니다.

06 답 ㉠, ㉡

㉠ 27보다 크거나 같고 29보다 작은 수이므로 27이 포함됩니다.

㉡ 25보다 크거나 같고 28보다 작거나 같은 수이므로 27이 포함됩니다.

㉢ 26보다 크고 27보다 작은 수이므로 27이 포함되지 않습니다.

㉣ 28보다 크고 29보다 작은 수이므로 27이 포함되지 않습니다.

따라서 27이 포함되는 수의 범위는 ㉠, ㉡입니다.

07 답 18, 19, 20, 21, 22

수직선에 나타낸 수의 범위는 18 이상 23 미만인 수이므로 수의 범위 안에 있는 자연수는 18, 19, 20, 21, 22입니다.

08 답

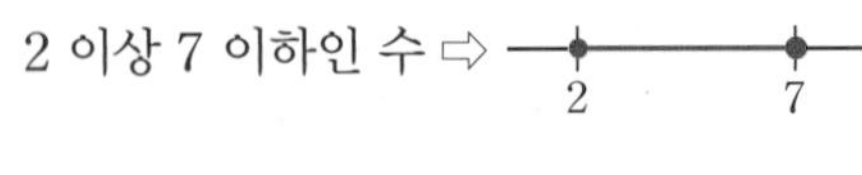

2 이상 7 이하인 수 ⇨ (2 ●, 7 ●)

2 초과 7 이하인 수 ⇨ (2 ○, 7 ●)

2 초과 7 미만인 수 ⇨ (2 ○, 7 ○)

2 이상 7 미만인 수 ⇨ (2 ●, 7 ○)

09 답 이상, 이하

주어진 수들 중 가장 작은 수는 30이고 가장 큰 수는 39입니다. 따라서 주어진 수들은 30보다 크거나 같고 39보다 작거나 같은 수이므로 30 이상 39 이하인 자연수입니다.

10 답 3개

71 초과인 수는 71보다 큰 수이므로 71.5, 101, 75의 3개입니다.

11 답 ㉡, ㉢

㉠ 55 미만인 수는 55보다 작은 수이므로 55를 포함하지 않습니다.

㉡ 14 초과인 수는 14보다 큰 수이므로 15를 포함합니다.

㉢ 35 초과인 수는 35보다 큰 수이므로 31, 35, 36 중에서 36뿐입니다.

따라서 바르게 설명한 것은 ㉡, ㉢입니다.

12 답 2

㉠ 7 이상 14 이하인 자연수는 7, 8, 9, 10, 11, 12, 13, 14의 8개입니다.

㉡ 22 초과 29 미만인 자연수는 23, 24, 25, 26, 27, 28의 6개입니다.

따라서 ㉠－㉡＝8－6＝2입니다.

13 답 3

수직선에 나타낸 수의 범위는 16 이상 20 미만인 수이므로 범위에 속하는 자연수는 16, 17, 18, 19입니다. 따라서 수직선에 나타낸 수의 범위에서 가장 큰 자연수는 19이고 가장 작은 자연수는 16이므로 두 수의 차는 19－16＝3입니다.

14 답 30, 42

30 이상 50 이하인 자연수 중에서 2와 3의 공배수는 6의 배수로 30, 36, 42, 48입니다. 이 중에서 십의 자리 숫자가 일의 자리 숫자보다 큰 수는 30, 42입니다.

따라서 조건에 알맞은 수는 30, 42입니다.

15 답 70

수직선에 나타낸 수의 범위는 ㉠ 초과 75 이하인 수이므로 ㉠보다 크고 75보다 작거나 같은 수입니다. 범위에 속하는 자연수는 5개이므로 75, 74, 73, 72, 71입니다.

따라서 ㉠에 알맞은 자연수는 70입니다.

16 답 14000원

50대 부부는 '50세 이상 70세 미만'에 속하므로 입장료는 5000×2＝10000(원)입니다. 12세의 아들은 13세 미만이므로 무료입니다. 18세의 딸은 '13세 이상 50세 미만'에 속하므로 입장료는 4000원입니다.

따라서 입장료는 모두 14000원입니다.

17 답 22, 23, 24, 25

22 이상인 수는 22보다 크거나 같은 수입니다.

20 초과 25 이하인 수는 20보다 크고 25보다 작거나 같은 수입니다.

27 미만인 수는 27보다 작은 수입니다.

따라서 어떤 수로 될 수 있는 것은 22, 23, 24, 25입니다.

18 답 ■＝15, ◆＝85

11 이상 ■ 이하인 수는 11보다 크거나 같고 ■보다 작거나 같은 수입니다. 범위에 속하는 자연수가 5개이므로 11, 12, 13, 14, 15입니다.

따라서 ■에 알맞은 수는 15입니다.

77 초과 ◆ 미만인 수는 77보다 크고 ◆보다 작은 수입니다. 범위에 속하는 자연수가 7개이므로 78, 79, 80, 81, 82, 83, 84입니다.

따라서 ◆에 알맞은 수는 85입니다.

02 올림, 버림, 반올림

p. 11~13

> 교과서 + 익힘책 유형

01 풀이 참조 **02** 풀이 참조 **03** 11 cm

04 (1) ○ (2) × (3) ○

05 (왼쪽에서부터) 3200, 3000

06 (1) 6 (2) 33

> 교과서 + 익힘책 응용 유형

07 (1) < (2) = **08** ㉢

09 경수 **10** ㉢ **11** 5, 6, 7, 8, 9

12 559

> 잘 틀리는 유형

13 90000 **14** 999 **15** 10

16 13 cm **17** 500

18 (1) 25700원 (2) 25000원

01 답 풀이 참조

수를 올림, 버림, 반올림하여 백의 자리까지 나타내려면 십의 자리에서 올림, 버림, 반올림합니다.

수	올림	버림	반올림
4125	4200	4100	4100
2639	2700	2600	2600
12416	12500	12400	12400
25761	25800	25700	25800

02 답 풀이 참조

5610 (4513) 4499 (5278) (4736)

반올림하여 천의 자리까지 나타내려면 백의 자리에서 반올림합니다.
5610을 백의 자리에서 반올림하면 6000
4513을 백의 자리에서 반올림하면 5000
4499를 백의 자리에서 반올림하면 4000
5278을 백의 자리에서 반올림하면 5000
4736을 백의 자리에서 반올림하면 5000
따라서 반올림하여 천의 자리까지 나타냈을 때 5000이 되는 수는 4513, 5278, 4736입니다.

03 답 11 cm

연필의 길이는 10.6 cm입니다. 반올림하여 일의 자리까지 나타내려면 소수 첫째 자리에서 반올림하므로 11 cm입니다.

04 답 (1) ○ (2) × (3) ○

(1) 512를 버림하여 십의 자리까지 나타내려면 일의 자리에서 버림하므로 510입니다.
(2) 1529를 올림하여 백의 자리까지 나타내려면 십의 자리에서 올림하므로 1600입니다.
(3) 7.607을 반올림하여 소수 둘째 자리까지 나타내려면 소수 셋째 자리에서 반올림하므로 7.61입니다.

05 답 (왼쪽에서부터) 3200, 3000

3130을 올림하여 백의 자리까지 나타내려면 십의 자리에서 올림하므로 3200입니다.
3130을 버림하여 천의 자리까지 나타내려면 백의 자리에서 버림하므로 3000입니다.

06 답 (1) 6 (2) 33

(1) 귤 678개를 한 상자에 100개씩 담아서 판다면 6상자에 100개씩 담고 78개가 남습니다. 따라서 상자에 담아서 팔 수 있는 귤은 최대 6상자입니다.
(2) 328명이 10명씩 의자에 앉는다면 의자 32개에 10명씩 앉고 8명이 앉을 의자가 한 개 더 필요합니다. 따라서 328명이 모두 의자에 앉으려면 의자가 최소 33개 필요합니다.

07 답 (1) < (2) =

(1) 211을 올림하여 십의 자리까지 나타내면 220입니다. 225를 반올림하여 십의 자리까지 나타내면 230입니다.
따라서 ○ 안에 알맞은 것은 <입니다.
(2) 6521을 버림하여 천의 자리까지 나타내면 6000입니다. 5727을 반올림하여 천의 자리까지 나타내면 6000입니다.
따라서 ○ 안에 알맞은 것은 =입니다.

08 답 ㉢

반올림하여 천의 자리까지 나타내려면 백의 자리에서 반올림합니다.
㉠ 2752 ⇨ 3000 ㉡ 2977 ⇨ 3000
㉢ 2025 ⇨ 2000 ㉣ 2834 ⇨ 3000
따라서 반올림하여 천의 자리까지 나타낸 수가 다른 것은 ㉢입니다.

09 답 경수

올림하여 백의 자리까지 나타내려면 십의 자리에서 올림합니다. 7819를 올림하여 백의 자리까지 나타내면 7900이므로 잘못 나타낸 사람은 경수입니다.

10 답 ㉢

수를 버림, 반올림하여 백의 자리까지 나타내려면 십의 자리에서 버림, 반올림합니다.

수	버림	반올림
㉠ 1267	1200	1300
㉡ 450	400	500
㉢ 8201	8200	8200

따라서 버림, 반올림하여 백의 자리까지 나타낸 수가 같은 것은 ㉢입니다.

11 답 5, 6, 7, 8, 9

525□를 반올림하여 십의 자리까지 나타내려면 일의 자리에서 반올림합니다. 반올림하여 나타낸 수가 5260이므로 □는 5 이상 9 이하인 수입니다.

따라서 □ 안에 들어갈 수 있는 수는 5, 6, 7, 8, 9입니다.

12 답 559

반올림하여 십의 자리까지 나타내려면 일의 자리에서 반올림합니다. 반올림하여 십의 자리까지 나타냈을 때 280이 될 수 있는 수의 범위는 275 이상 284 이하이므로 조건을 만족하는 가장 큰 수는 284이고 가장 작은 수는 275입니다.

따라서 두 수의 합은 $284+275=559$입니다.

13 답 90000

다섯 장의 수 카드를 한 번씩 모두 사용하여 만들 수 있는 가장 큰 수는 85410입니다.

따라서 이 수를 올림하여 만의 자리까지 나타내면 90000입니다.

14 답 999

반올림하여 천의 자리까지 나타내려면 백의 자리에서 반올림합니다. 반올림하여 천의 자리까지 나타냈을 때 4000이 될 수 있는 수의 범위는 3500 이상 4499 이하이므로 조건을 만족하는 가장 큰 수는 4499이고 가장 작은 수는 3500입니다.

따라서 두 수의 차는 $4499-3500=999$입니다.

15 답 10

75□219를 반올림하여 만의 자리까지 나타내려면 천의 자리에서 반올림합니다. 반올림하여 나타낸 수가 750000이므로 □ 안에 들어갈 수 있는 한자리 자연수는 1 이상 4 이하입니다.

따라서 □ 안에 들어갈 수 있는 한 자리 자연수의 합은 $1+2+3+4=10$입니다.

16 답 13 cm

마름모의 둘레는 $3.33 \times 4=13.32$(cm)입니다.

버림하여 자연수 부분까지 나타내려면 소수 첫째 자리에서 버림합니다.

따라서 마름모의 둘레를 버림하여 자연수 부분까지 나타내면 13 cm입니다.

17 답 500

26480을 반올림하여 천의 자리까지 나타낸 수는 26000이고 반올림하여 백의 자리까지 나타낸 수는 26500입니다.

따라서 두 수의 차는 $26500-26000=500$입니다.

18 답 (1) 25700원 (2) 25000원

(1) 25750원을 100원짜리 동전으로 바꾼다면 25700원을 100원짜리 동전으로 바꾸고 50원이 남습니다.

따라서 100원짜리 동전으로 바꿀 수 있는 돈은 최대 25700원입니다.

(2) 25750원을 1000원짜리 지폐로 바꾼다면 25000원을 1000원짜리 지폐로 바꾸고 750원이 남습니다.

따라서 1000원짜리 지폐로 바꿀 수 있는 돈은 최대 25000원입니다.

p. 14

가우스 기호

[1] 10 [2] 1 [3] 2 [4] 5

[5] 4 이상 5 미만인 수

[6] 5 이상 6 미만인 수

[7] 6 이상 7 미만인 수

[8] 7 이상 8 미만인 수

2 ::: 분수의 곱셈

03 (분수)×(자연수)

p. 17~19

> 교과서 + 익힘책 유형

01 풀이 참조 **02** 풀이 참조

03 (1) $2\frac{2}{7}$ (2) $6\frac{1}{4}$

04 (1) $1\frac{10}{11}$ (2) $2\frac{6}{17}$ (3) $6\frac{3}{8}$ (4) $9\frac{3}{4}$

05 풀이 참조 **06** (1) > (2) <

> 교과서 + 익힘책 응용 유형

07 ㉠, ㉣, ㉡, ㉢

08 (위에서부터) $7\frac{1}{5}$, $6\frac{4}{5}$ **09** 풀이 참조

10 $4\frac{2}{5}$ **11** ㉠ **12** $7\frac{3}{11}$ cm

> 잘 틀리는 유형

13 $\frac{2}{15}$ **14** $9\frac{3}{5}$ cm **15** 3개

16 우주 **17** $\frac{3}{4}$판 **18** $26\frac{1}{4}$ cm^2

01 답 풀이 참조

$$\frac{3}{5}\times3=\frac{3}{5}+\frac{3}{5}+\frac{3}{5}=\frac{3\times\boxed{3}}{5}=\frac{\boxed{9}}{\boxed{5}}=\boxed{1}\frac{\boxed{4}}{\boxed{5}}$$

02 답 풀이 참조

$$\frac{8}{15}\times9=\frac{8\times9}{15}=\frac{\overset{\boxed{24}}{\cancel{72}}}{\underset{\boxed{5}}{\cancel{15}}}=\frac{\boxed{24}}{\boxed{5}}=\boxed{4}\frac{\boxed{4}}{\boxed{5}}$$

$$\frac{8}{15}\times9=\frac{8\times\overset{\boxed{3}}{\cancel{9}}}{\underset{\boxed{5}}{\cancel{15}}}=\frac{\boxed{24}}{\boxed{5}}=\boxed{4}\frac{\boxed{4}}{\boxed{5}}$$

$$\frac{8}{\underset{\boxed{5}}{\cancel{15}}}\times\overset{\boxed{3}}{\cancel{9}}=\frac{\boxed{24}}{\boxed{5}}=\boxed{4}\frac{\boxed{4}}{\boxed{5}}$$

03 답 (1) $2\frac{2}{7}$ (2) $6\frac{1}{4}$

(1) $\frac{4}{7}\times4=\frac{4\times4}{7}=\frac{16}{7}=2\frac{2}{7}$

(2) $3\frac{1}{8}\times2=\frac{25}{\underset{4}{\cancel{8}}}\times\overset{1}{\cancel{2}}=\frac{25}{4}=6\frac{1}{4}$

04 답 (1) $1\frac{10}{11}$ (2) $2\frac{6}{17}$ (3) $6\frac{3}{8}$ (4) $9\frac{3}{4}$

(1) $\frac{3}{11}\times7=\frac{3\times7}{11}=\frac{21}{11}=1\frac{10}{11}$

(2) $\frac{8}{17}\times5=\frac{8\times5}{17}=\frac{40}{17}=2\frac{6}{17}$

(3) $2\frac{1}{8}\times3=\frac{17}{8}\times3=\frac{17\times3}{8}=\frac{51}{8}=6\frac{3}{8}$

(4) $3\frac{1}{4}\times3=\frac{13}{4}\times3=\frac{13\times3}{4}=\frac{39}{4}=9\frac{3}{4}$

05 답

$1\frac{5}{6}\times2=\frac{11}{\underset{3}{\cancel{6}}}\times\overset{1}{\cancel{2}}=\frac{11}{3}=3\frac{2}{3}$

$\frac{7}{8}\times3=\frac{7\times3}{8}=\frac{21}{8}=2\frac{5}{8}$

$\frac{5}{9}\times3=\frac{5}{\underset{3}{\cancel{9}}}\times\overset{1}{\cancel{3}}=\frac{5}{3}=1\frac{2}{3}$

06 답 (1) > (2) <

(1) $\frac{5}{7}\times3=\frac{5\times3}{7}=\frac{15}{7}=2\frac{1}{7}$

$\frac{5}{9}\times2=\frac{5\times2}{9}=\frac{10}{9}=1\frac{1}{9}$

따라서 ○ 안에 알맞은 것은 >입니다.

(2) $\frac{4}{15}\times7=\frac{4\times7}{15}=\frac{28}{15}=1\frac{13}{15}$

$1\frac{4}{15}\times2=\frac{19}{15}\times2=\frac{19\times2}{15}=\frac{38}{15}=2\frac{8}{15}$

따라서 ○ 안에 알맞은 것은 <입니다.

07 답 ㉠, ㉣, ㉡, ㉢

㉠ $2\frac{1}{6}\times4=\frac{13}{\underset{3}{\cancel{6}}}\times\overset{2}{\cancel{4}}=\frac{26}{3}=8\frac{2}{3}$

㉡ $\frac{7}{10}\times3=\frac{21}{10}=2\frac{1}{10}$

㉢ $\frac{8}{9}\times2=\frac{16}{9}=1\frac{7}{9}$

㉣ $1\frac{1}{2}\times5=\frac{3}{2}\times5=\frac{15}{2}=7\frac{1}{2}$

따라서 계산 결과가 큰 것부터 차례대로 기호를 쓰면 ㉠, ㉣, ㉡, ㉢입니다.

08 답 (위에서부터) $7\frac{1}{5}$, $6\frac{4}{5}$

$1\frac{4}{5}\times4=\frac{9}{5}\times4=\frac{36}{5}=7\frac{1}{5}$

$3\frac{2}{5}\times2=\frac{17}{5}\times2=\frac{34}{5}=6\frac{4}{5}$

09 답 풀이 참조

$\frac{6}{7}\times3$	$\frac{3}{14}\times12$	$1\frac{2}{9}\times4$
(　　)	(　　)	(○)

$\frac{6}{7}\times3=\frac{18}{7}=2\frac{4}{7}$

$\frac{3}{\cancel{14}_{7}}\times\cancel{12}^{6}=\frac{18}{7}=2\frac{4}{7}$

$1\frac{2}{9}\times4=\frac{11}{9}\times4=\frac{44}{9}=4\frac{8}{9}$

따라서 계산 결과가 다른 식은 $1\frac{2}{9}\times4$입니다.

10 답 $4\frac{2}{5}$

$\frac{11}{15}$의 6배인 수는 $\frac{11}{15}\times6$으로 나타낼 수 있습니다.

$\frac{11}{\cancel{15}_{5}}\times\cancel{6}^{2}=\frac{22}{5}=4\frac{2}{5}$

따라서 $\frac{11}{15}$의 6배인 수는 $4\frac{2}{5}$입니다.

11 답 ㉠

㉠ $\frac{6}{\cancel{7}_{1}}\times\cancel{14}^{2}=12$

㉡ $1\frac{4}{9}\times6=\frac{13}{\cancel{9}_{3}}\times\cancel{6}^{2}=\frac{26}{3}=8\frac{2}{3}$

㉢ $1\frac{7}{8}\times4=\frac{15}{\cancel{8}_{2}}\times\cancel{4}^{1}=\frac{15}{2}=7\frac{1}{2}$

따라서 계산 결과가 자연수인 것은 ㉠입니다.

12 답 $7\frac{3}{11}$ cm

$\frac{8}{11}\times10=\frac{8\times10}{11}=\frac{80}{11}=7\frac{3}{11}$(cm)

따라서 색 테이프의 전체 길이는 $7\frac{3}{11}$ cm가 됩니다.

13 답 $\frac{2}{15}$

㉠ $1\frac{3}{10}\times4=\frac{13}{\cancel{10}_{5}}\times\cancel{4}^{2}=\frac{26}{5}=5\frac{1}{5}$

㉡ $2\frac{2}{3}\times2=\frac{8}{3}\times2=\frac{16}{3}=5\frac{1}{3}$

따라서 ㉠과 ㉡의 차는

$5\frac{1}{3}-5\frac{1}{5}=5\frac{5}{15}-5\frac{3}{15}=\frac{2}{15}$입니다.

14 답 $9\frac{3}{5}$ cm

한 변이 $2\frac{2}{5}$ cm인 정사각형의 둘레는

$2\frac{2}{5}\times4=\frac{12}{5}\times4=\frac{48}{5}=9\frac{3}{5}$(cm)입니다.

15 답 3개

$2\frac{1}{8}\times4=\frac{17}{\cancel{8}_{2}}\times\cancel{4}^{1}=\frac{17}{2}=8\frac{1}{2}$

$\frac{6}{\cancel{7}_{1}}\times\cancel{14}^{2}=12$

$8\frac{1}{2}<\square<12$이므로 □ 안에 들어갈 수 있는 자연수는 9, 10, 11의 3개입니다.

16 답 우주

우주: $3\frac{5}{6}\times2=\frac{23}{\cancel{6}_{3}}\times\cancel{2}^{1}=\frac{23}{3}=7\frac{2}{3}$

예나: $\frac{9}{\cancel{16}_{8}}\times\cancel{2}^{1}=\frac{9}{8}=1\frac{1}{8}$

서준: $\frac{9}{11}\times9=\frac{81}{11}=7\frac{4}{11}$

따라서 잘못 계산한 사람은 우주입니다.

17 답 $\frac{3}{4}$판

$\frac{3}{8}$판씩 6명이 먹었으므로 먹은 피자의 양은

$\frac{3}{\cancel{8}_{4}}\times\cancel{6}^{3}=\frac{9}{4}=2\frac{1}{4}$(판)

따라서 남은 피자의 양은

$3-2\frac{1}{4}=2\frac{4}{4}-2\frac{1}{4}=\frac{3}{4}$(판)입니다.

18 답 $26\frac{1}{4}$ cm²

가로가 $4\frac{3}{8}$ cm, 세로가 6 cm인 직사각형의 넓이는

$4\frac{3}{8}\times6=\frac{35}{\cancel{8}_{4}}\times\cancel{6}^{3}=\frac{105}{4}=26\frac{1}{4}$(cm²)입니다.

04 (자연수)×(분수)

p. 21~23

> 교과서 + 익힘책 유형

01 풀이 참조 **02** (1) $4\frac{4}{5}$ (2) $5\frac{5}{8}$

03 (왼쪽에서부터) 40, $13\frac{3}{4}$

04 (1) $4\frac{1}{6}$ (2) $4\frac{3}{8}$ (3) $11\frac{4}{7}$ (4) $17\frac{1}{3}$

05 풀이 참조 **06** (1) $<$ (2) $<$

> 교과서 + 익힘책 응용 유형

07 (위에서부터) $2\frac{5}{8}$, 36 **08** 풀이 참조

09 ㉢ **10** 풀이 참조 **11** 15명

12 무궁화

> 잘 틀리는 유형

13 5 **14** $9\frac{7}{10}$ **15** $14\frac{1}{2}$

16 나은, 시후 **17** $4\frac{1}{5}$ L **18** $16\frac{4}{5}$ L

01 답 풀이 참조

[방법 1]

$$5\times1\frac{1}{4}=5\times\frac{\boxed{5}}{4}=\frac{\boxed{5}\times\boxed{5}}{4}=\boxed{6}\frac{\boxed{1}}{\boxed{4}}$$

[방법 2]

$$5\times1\frac{1}{4}=(5\times1)+\left(5\times\frac{1}{4}\right)=\boxed{5}+\frac{\boxed{5}\times1}{\boxed{4}}$$

$$=\boxed{6}\frac{\boxed{1}}{\boxed{4}}$$

02 답 (1) $4\frac{4}{5}$ (2) $5\frac{5}{8}$

(1) $6\times\frac{4}{5}=\frac{6\times4}{5}=\frac{24}{5}=4\frac{4}{5}$

(2) $5\times1\frac{1}{8}=5\times\frac{9}{8}=\frac{5\times9}{8}=\frac{45}{8}=5\frac{5}{8}$

03 답 (왼쪽에서부터) 40, $13\frac{3}{4}$

$28\times1\frac{3}{7}=\overset{4}{\cancel{28}}\times\frac{10}{\underset{1}{\cancel{7}}}=40$

$\overset{5}{\cancel{40}}\times\frac{11}{\underset{4}{\cancel{32}}}=\frac{55}{4}=13\frac{3}{4}$

04 답 (1) $4\frac{1}{6}$ (2) $4\frac{3}{8}$ (3) $11\frac{4}{7}$ (4) $17\frac{1}{3}$

(1) $5\times\frac{5}{6}=\frac{5\times5}{6}=\frac{25}{6}=4\frac{1}{6}$

(2) $7\times\frac{5}{8}=\frac{7\times5}{8}=\frac{35}{8}=4\frac{3}{8}$

(3) $9\times1\frac{2}{7}=9\times\frac{9}{7}=\frac{81}{7}=11\frac{4}{7}$

(4) $8\times2\frac{1}{6}=\overset{4}{\cancel{8}}\times\frac{13}{\underset{3}{\cancel{6}}}=\frac{52}{3}=17\frac{1}{3}$

05 답

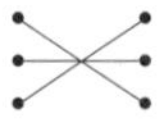

$8\times\frac{4}{5}=\frac{8\times4}{5}=\frac{32}{5}=6\frac{2}{5}$

$9\times\frac{5}{7}=\frac{9\times5}{7}=\frac{45}{7}=6\frac{3}{7}$

$8\times2\frac{1}{2}=\overset{4}{\cancel{8}}\times\frac{5}{\underset{1}{\cancel{2}}}=20$

06 답 (1) $<$ (2) $<$

(1) $\overset{3}{\cancel{6}}\times\frac{3}{\underset{4}{\cancel{8}}}=\frac{9}{4}=2\frac{1}{4}$

$5\times1\frac{5}{6}=5\times\frac{11}{6}=\frac{5\times11}{6}=\frac{55}{6}=9\frac{1}{6}$

따라서 ○ 안에 알맞은 것은 $<$입니다.

(2) $5\times\frac{11}{12}=\frac{5\times11}{12}=\frac{55}{12}=4\frac{7}{12}$

$8\times1\frac{3}{10}=\overset{4}{\cancel{8}}\times\frac{13}{\underset{5}{\cancel{10}}}=\frac{52}{5}=10\frac{2}{5}$

따라서 ○ 안에 알맞은 것은 $<$입니다.

07 답 (위에서부터) $2\frac{5}{8}$, 36

$\overset{3}{\cancel{12}}\times\frac{7}{\underset{8}{\cancel{32}}}=\frac{21}{8}=2\frac{5}{8}$

$14\times2\frac{4}{7}=\overset{2}{\cancel{14}}\times\frac{18}{\underset{1}{\cancel{7}}}=36$

08 답 풀이 참조

$8\times\frac{9}{16}$	$6\times1\frac{4}{5}$	$12\times\frac{5}{8}$
(○)	( )	( )

$\overset{1}{\cancel{8}}\times\frac{9}{\underset{2}{\cancel{16}}}=\frac{9}{2}=4\frac{1}{2}$

$6\times1\frac{4}{5}=6\times\frac{9}{5}=\frac{54}{5}=10\frac{4}{5}$

$\overset{3}{\cancel{12}}\times\frac{5}{\underset{2}{\cancel{8}}}=\frac{15}{2}=7\frac{1}{2}$

따라서 계산 결과가 가장 작은 식은 $8\times\frac{9}{16}$입니다.

09 답 ㉢

㉠ $5\times2\frac{1}{2}=5\times\frac{5}{2}=\frac{25}{2}=12\frac{1}{2}$

㉡ $3\times4\frac{1}{6}=\overset{1}{\cancel{3}}\times\frac{25}{\underset{2}{\cancel{6}}}=\frac{25}{2}=12\frac{1}{2}$

㉢ $\overset{1}{\cancel{7}}\times\frac{11}{\underset{2}{\cancel{14}}}=\frac{11}{2}=5\frac{1}{2}$

따라서 계산 결과가 다른 것은 ㉢입니다.

10 답 풀이 참조

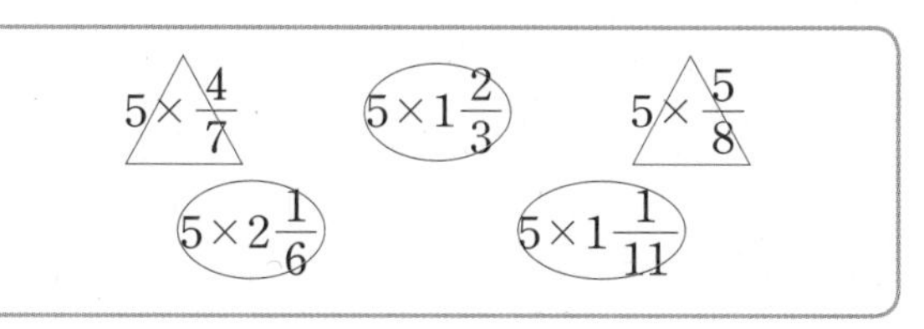

5에 진분수를 곱하면 계산 결과는 5보다 작아집니다. 또한 5에 대분수나 가분수를 곱하면 계산 결과는 5보다 커집니다.

11 답 15명

예솔이네 반 학생 중에서 안경을 쓴 학생 수는

$\overset{3}{\cancel{27}}\times\frac{4}{\underset{1}{\cancel{9}}}=12$(명)입니다.

따라서 예솔이네 반에서 안경을 쓰지 않는 학생은

$27-12=15$(명)입니다.

12 답 무궁화

$\overset{1}{\cancel{7}}\times\frac{17}{\underset{3}{\cancel{21}}}=\frac{17}{3}=5\frac{2}{3}$ ⇨ 궁

$\overset{3}{\cancel{15}}\times\frac{2}{\underset{1}{\cancel{5}}}=6$ ⇨ 무

$\overset{1}{\cancel{11}}\times\frac{5}{\underset{2}{\cancel{22}}}=\frac{5}{2}=2\frac{1}{2}$ ⇨ 화

따라서 계산 결과가 큰 수부터 차례대로 쓰면 무궁화입니다.

13 답 5

$5\times\frac{4}{7}=\frac{20}{7}=2\frac{6}{7}$

$2\times2\frac{5}{6}=\overset{1}{\cancel{2}}\times\frac{17}{\underset{3}{\cancel{6}}}=\frac{17}{3}=5\frac{2}{3}$

$2\frac{6}{7}<\square<5\frac{2}{3}$이므로 □ 안에 들어갈 수 있는 자연수는 3, 4, 5입니다.

따라서 □ 안에 들어갈 수 있는 자연수 중에서 가장 큰 수는 5입니다.

14 답 $9\frac{7}{10}$

㉠ $\overset{2}{\cancel{10}}\times\frac{2}{\underset{5}{\cancel{25}}}=\frac{4}{5}$

㉡ $8\times1\frac{5}{16}=\overset{1}{\cancel{8}}\times\frac{21}{\underset{2}{\cancel{16}}}=\frac{21}{2}=10\frac{1}{2}$

$10\frac{1}{2}-\frac{4}{5}=10\frac{5}{10}-\frac{8}{10}=9\frac{15}{10}-\frac{8}{10}=9\frac{7}{10}$

따라서 ㉠과 ㉡의 차는 $9\frac{7}{10}$입니다.

15 답 $14\frac{1}{2}$

(어떤 수)$=\overset{2}{\cancel{18}}\times\frac{2}{\underset{1}{\cancel{9}}}=4$

$\left(\text{어떤 수의 } 3\frac{5}{8}\right)=4\times3\frac{5}{8}=\overset{1}{\cancel{4}}\times\frac{29}{\underset{2}{\cancel{8}}}=\frac{29}{2}=14\frac{1}{2}$

따라서 구하는 수는 $14\frac{1}{2}$입니다.

16 답 나은, 시후

1시간은 60분이므로 1시간의 $\frac{4}{5}$는

$\overset{12}{\cancel{60}}\times\frac{4}{\underset{1}{\cancel{5}}}=48$(분)입니다.

1 L는 1000 mL이므로 1 L의 $\frac{1}{8}$은

$\overset{125}{\cancel{1000}}\times\frac{1}{\underset{1}{\cancel{8}}}=125$(mL)입니다.

1 m는 100 cm이므로 1 m의 $\frac{1}{4}$은

$\overset{25}{\cancel{100}}\times\frac{1}{\underset{1}{\cancel{4}}}=25$(cm)입니다.

따라서 바르게 말한 친구는 나은, 시후입니다.

17 답 $4\frac{1}{5}$ L

(나래가 4일 동안 마신 우유의 양)

$=4\times1\frac{1}{5}=4\times\frac{6}{5}=\frac{24}{5}=4\frac{4}{5}$(L)

따라서 남은 우유의 양은

$9-4\frac{4}{5}=8\frac{5}{5}-4\frac{4}{5}=4\frac{1}{5}$(L)입니다.

18 답 $16\frac{4}{5}$ L

(오늘 판 커피의 양)=(어제 판 커피의 양)$\times1\frac{2}{5}$

$12\times1\frac{2}{5}=12\times\frac{7}{5}=\frac{84}{5}=16\frac{4}{5}$이므로

따라서 오늘 판 커피의 양은 $16\frac{4}{5}$ L입니다.

05 (진분수)×(진분수)

p. 25~27

> 교과서 + 익힘책 유형

01 (왼쪽에서부터) 5, 4, 20, 10

02 (1) $\frac{2}{3}$ (2) $\frac{5}{18}$

03 (1) $\frac{1}{8}$ (2) $\frac{4}{9}$ (3) $\frac{2}{11}$ (4) $\frac{8}{15}$

04 풀이 참조 **05** (1) $>$ (2) $<$

06 (왼쪽에서부터) $\frac{1}{4}$, $\frac{3}{14}$

> 교과서 + 익힘책 응용 유형

07 ㉡ **08** ㉡, ㉠, ㉣, ㉢ **09** $\frac{10}{27}$ cm^2

10 ㉡ **11** 풀이 참조 **12** 8, 9

> 잘 틀리는 유형

13 풀이 참조 **14** 2개 **15** 아라, 지혜

16 $\frac{33}{64}$ **17** $\frac{14}{27}$ kg **18** $\frac{5}{12}$ cm^2

01 답 (왼쪽에서부터) 5, 4, 20, 10

$\frac{2}{5}\times\frac{1}{4}=\frac{2\times1}{\boxed{5}\times\boxed{4}}=\frac{2}{\boxed{20}}=\frac{1}{\boxed{10}}$

02 답 (1) $\frac{2}{3}$ (2) $\frac{5}{18}$

(1) $\frac{\cancel{8}^{2}}{\cancel{9}_{3}}\times\frac{\cancel{3}^{1}}{\cancel{4}_{1}}=\frac{2}{3}$

(2) $\frac{\cancel{3}^{1}}{\cancel{10}_{2}}\times\frac{\cancel{25}^{5}}{\cancel{27}_{9}}=\frac{5}{18}$

03 답 (1) $\frac{1}{8}$ (2) $\frac{4}{9}$ (3) $\frac{2}{11}$ (4) $\frac{8}{15}$

(1) $\frac{\cancel{3}^{1}}{4}\times\frac{1}{\cancel{6}_{2}}=\frac{1}{8}$

(2) $\frac{4}{\cancel{7}_{1}}\times\frac{\cancel{7}^{1}}{9}=\frac{4}{9}$

(3) $\frac{1}{\cancel{3}_{1}}\times\frac{\cancel{6}^{2}}{11}=\frac{2}{11}$

(4) $\frac{8}{\cancel{9}_{3}}\times\frac{\cancel{3}^{1}}{5}=\frac{8}{15}$

04 답

$\frac{9}{\cancel{10}_{5}}\times\frac{\cancel{6}^{3}}{7}=\frac{27}{35}$, $\frac{\cancel{10}^{5}}{11}\times\frac{5}{\cancel{6}_{3}}=\frac{25}{33}$

$\frac{11}{\cancel{12}_{3}}\times\frac{\cancel{4}^{1}}{5}=\frac{11}{15}$

05 답 (1) $>$ (2) $<$

(1) $\frac{\cancel{5}^{1}}{\cancel{6}_{2}}\times\frac{\cancel{9}^{3}}{\cancel{10}_{2}}=\frac{3}{4}$, $\frac{1}{\cancel{16}_{2}}\times\frac{\cancel{8}^{1}}{9}=\frac{1}{18}$

$\frac{3}{4}=\frac{27}{36}$, $\frac{1}{18}=\frac{2}{36}$이므로 $\frac{3}{4}$이 더 큽니다.

따라서 ○ 안에 알맞은 것은 $>$입니다.

(2) $\frac{\cancel{3}^{1}}{\cancel{8}_{2}}\times\frac{\cancel{4}^{1}}{\cancel{9}_{3}}=\frac{1}{6}$, $\frac{\cancel{3}^{1}}{5}\times\frac{11}{\cancel{12}_{4}}=\frac{11}{20}$

$\frac{1}{6}=\frac{10}{60}$, $\frac{11}{20}=\frac{33}{60}$이므로 $\frac{11}{20}$이 더 큽니다.

따라서 ○ 안에 알맞은 것은 $<$입니다.

06 답 (왼쪽에서부터) $\frac{1}{4}$, $\frac{3}{14}$

$\frac{\cancel{5}^{1}}{\cancel{8}_{4}}\times\frac{\cancel{2}^{1}}{\cancel{5}_{1}}=\frac{1}{4}$, $\frac{1}{\cancel{4}_{2}}\times\frac{\cancel{6}^{3}}{7}=\frac{3}{14}$

07 답 ㉡

㉠ $\frac{3}{\cancel{5}_{1}}\times\frac{\cancel{15}^{3}}{16}=\frac{9}{16}$

㉡ $\frac{\cancel{6}^{3}}{13}\times\frac{3}{\cancel{4}_{2}}=\frac{9}{26}$

㉢ $\frac{9}{\cancel{10}_{2}}\times\frac{\cancel{5}^{1}}{8}=\frac{9}{16}$

따라서 계산 결과가 다른 것은 ㉡입니다.

08 답 ㉡, ㉠, ㉣, ㉢

㉠ $\frac{\cancel{3}^{1}}{\cancel{10}_{2}}\times\frac{\cancel{5}^{1}}{\cancel{12}_{4}}=\frac{1}{8}$ ㉡ $\frac{\cancel{5}^{1}}{\cancel{9}_{1}}\times\frac{\cancel{9}^{1}}{\cancel{10}_{2}}=\frac{1}{2}$

㉢ $\frac{1}{\cancel{14}_{2}}\times\frac{\cancel{7}^{1}}{15}=\frac{1}{30}$ ㉣ $\frac{\cancel{3}^{1}}{\cancel{8}_{2}}\times\frac{\cancel{4}^{1}}{\cancel{27}_{9}}=\frac{1}{18}$

단위분수에서는 분모가 작을수록 큽니다.

따라서 계산 결과가 큰 것부터 차례대로 기호를 쓰면 ㉡, ㉠, ㉣, ㉢입니다.

09 답 $\frac{10}{27}$ cm^2

가로가 $\frac{4}{9}$ cm, 세로가 $\frac{5}{6}$ cm인 직사각형의 넓이는

$\frac{\cancel{4}^{2}}{9}\times\frac{5}{\cancel{6}_{3}}=\frac{10}{27}$(cm^2)입니다.

10 답 ㉡

㉠ $\frac{\overset{1}{\cancel{5}}}{\underset{8}{\cancel{24}}} \times \frac{\overset{3}{\cancel{9}}}{\underset{2}{\cancel{10}}} = \frac{3}{16}$ ⇨ $\frac{3}{16} < \frac{5}{16}$

㉡ $\frac{11}{\underset{8}{\cancel{24}}} \times \frac{\overset{1}{\cancel{3}}}{4} = \frac{11}{32}$ ⇨ $\left(\frac{11}{32}, \frac{10}{32}\right)$ ⇨ $\frac{11}{32} > \frac{5}{16}$

㉢ $\frac{\overset{1}{\cancel{13}}}{\underset{12}{\cancel{24}}} \times \frac{\overset{1}{\cancel{2}}}{\underset{1}{\cancel{13}}} = \frac{1}{12}$ ⇨ $\left(\frac{4}{48}, \frac{15}{48}\right)$ ⇨ $\frac{1}{12} < \frac{5}{16}$

㉣ $\frac{\overset{1}{\cancel{7}}}{\underset{6}{\cancel{24}}} \times \frac{\overset{1}{\cancel{4}}}{\underset{1}{\cancel{7}}} = \frac{1}{6}$ ⇨ $\left(\frac{8}{48}, \frac{15}{48}\right)$ ⇨ $\frac{1}{6} < \frac{5}{16}$

따라서 계산 결과가 $\frac{5}{16}$보다 큰 것은 ㉡입니다.

11 답 풀이 참조

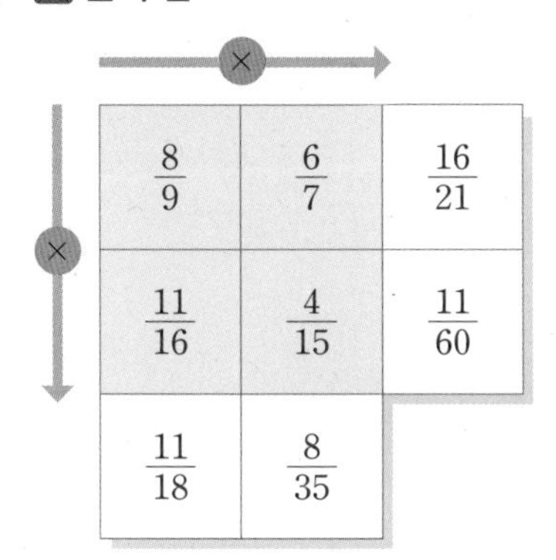

$\frac{8}{\underset{3}{\cancel{9}}} \times \frac{\overset{2}{\cancel{6}}}{7} = \frac{16}{21}$, $\frac{11}{\underset{4}{\cancel{16}}} \times \frac{\overset{1}{\cancel{4}}}{15} = \frac{11}{60}$

$\frac{\overset{1}{\cancel{8}}}{9} \times \frac{11}{\underset{2}{\cancel{16}}} = \frac{11}{18}$, $\frac{\overset{2}{\cancel{6}}}{7} \times \frac{4}{\underset{5}{\cancel{15}}} = \frac{8}{35}$

12 답 8, 9

$\frac{\overset{1}{\cancel{5}}}{11} \times \frac{7}{\underset{5}{\cancel{25}}} = \frac{7}{55} < \frac{\square}{55}$, $7 < \square$이므로 □ 안에 들어갈 수 있는 수는 8, 9입니다.

13 답 풀이 참조

$\frac{5}{6} \times \frac{14}{15}$	$\frac{8}{9} \times \frac{7}{8}$	$\frac{10}{11} \times \frac{4}{15}$
(　　)	(　　)	(○)

$\frac{\overset{1}{\cancel{5}}}{\underset{3}{\cancel{6}}} \times \frac{\overset{7}{\cancel{14}}}{\underset{3}{\cancel{15}}} = \frac{7}{9}$　$\frac{\overset{1}{\cancel{8}}}{9} \times \frac{7}{\underset{1}{\cancel{8}}} = \frac{7}{9}$

$\frac{\overset{2}{\cancel{10}}}{11} \times \frac{4}{\underset{3}{\cancel{15}}} = \frac{8}{33}$

따라서 계산 결과가 다른 식은 $\frac{10}{11} \times \frac{4}{15}$입니다.

14 답 2개

$\frac{\square}{18} < \frac{\overset{1}{\cancel{3}}}{\underset{2}{\cancel{14}}} \times \frac{\overset{1}{\cancel{7}}}{\underset{3}{\cancel{9}}} = \frac{1}{6}$, $\frac{\square}{18} < \frac{1}{6}$, $\frac{\square}{18} < \frac{3}{18}$이므로

□ 안에 들어갈 수 있는 자연수의 개수는 1, 2의 2개입니다.

15 답 아라, 지혜

아라: $\frac{8}{\underset{3}{\cancel{9}}} \times \frac{\overset{2}{\cancel{6}}}{13} = \frac{16}{39}$, 민우: $\frac{\overset{1}{\cancel{5}}}{11} \times \frac{7}{\underset{5}{\cancel{25}}} = \frac{7}{55}$

지혜: $\frac{11}{\underset{4}{\cancel{16}}} \times \frac{\overset{1}{\cancel{4}}}{7} = \frac{11}{28}$

따라서 잘못 계산한 친구는 아라, 지혜입니다.

16 답 $\frac{33}{64}$

분모가 다른 분수끼리의 크기는 분모를 통분하여 비교할 수 있습니다.

$\left(\frac{9}{16}, \frac{11}{12}\right)$ ⇨ $\left(\frac{27}{48}, \frac{44}{48}\right)$ ⇨ $\frac{9}{16} < \frac{11}{12}$

$\left(\frac{11}{12}, \frac{7}{8}\right)$ ⇨ $\left(\frac{22}{24}, \frac{21}{24}\right)$ ⇨ $\frac{11}{12} > \frac{7}{8}$

$\left(\frac{9}{16}, \frac{7}{8}\right)$ ⇨ $\left(\frac{9}{16}, \frac{14}{16}\right)$ ⇨ $\frac{9}{16} < \frac{7}{8}$

이므로 큰 수부터 차례대로 나열하면 $\frac{11}{12}$, $\frac{7}{8}$, $\frac{9}{16}$입니다.

따라서 가장 큰 수와 가장 작은 수의 곱은

$\frac{11}{\underset{4}{\cancel{12}}} \times \frac{\overset{3}{\cancel{9}}}{16} = \frac{33}{64}$입니다.

17 답 $\frac{14}{27}$ kg

$\frac{7}{9} \times \frac{1}{3} = \frac{7}{27}$(kg)

따라서 민주가 도자기를 만들고 남은 찰흙의 양은

$\frac{7}{9} - \frac{7}{27} = \frac{21}{27} - \frac{7}{27} = \frac{14}{27}$(kg)입니다.

18 답 $\frac{5}{12}$ cm^2

$\frac{3}{4} \times \frac{5}{6} \times \frac{2}{3} = \left(\frac{\overset{1}{\cancel{3}}}{4} \times \frac{5}{\underset{2}{\cancel{6}}}\right) \times \frac{2}{3}$

$= \frac{5}{\underset{4}{\cancel{8}}} \times \frac{\overset{1}{\cancel{2}}}{3} = \frac{5}{12}$($cm^2$)

따라서 사용한 널빤지의 넓이는 $\frac{5}{12}$ cm^2입니다.

06 (분수)×(분수)

p. 29~31

> 교과서 + 익힘책 유형

01 풀이 참조

02 (1) 6 (2) $4\frac{1}{6}$ (3) $2\frac{1}{4}$ (4) $2\frac{2}{5}$

03 풀이 참조

04 (왼쪽에서부터) $3\frac{1}{3}$, $8\frac{1}{3}$

05 풀이 참조

06 (1) < (2) <

> 교과서 + 익힘책 응용 유형

07 ㉡

08 ㉣, ㉡, ㉠, ㉢

09 8

10 $2\frac{1}{4}$ m

11 $2\frac{4}{15}$ cm^2

12 $2\frac{1}{7}$ m^2

> 잘 틀리는 유형

13 $7\frac{7}{10}$

14 4

15 $11\frac{1}{9}$ km

16 $7\frac{1}{2}$ cm^2

17 현주

18 $5\frac{1}{5}$ m^2

01 답 풀이 참조

(1)

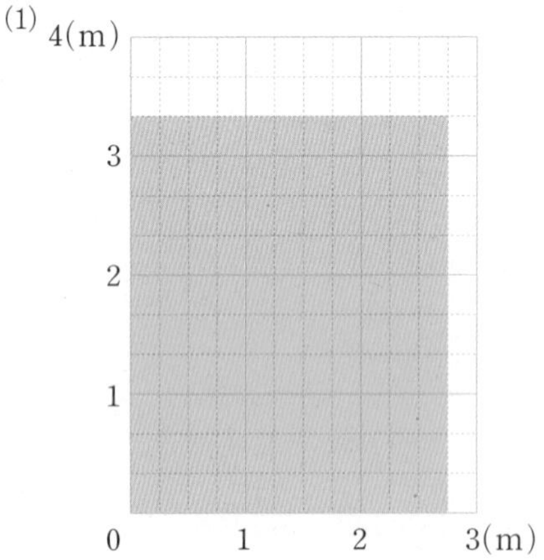

(2) $2\frac{3}{4}\times3\frac{1}{3}=\frac{\boxed{11}}{\underset{2}{\cancel{4}}}\times\frac{\boxed{\overset{5}{\cancel{10}}}}{3}=\frac{\boxed{55}}{6}=\boxed{9}\frac{\boxed{1}}{6}$

02 답 (1) 6 (2) $4\frac{1}{6}$ (3) $2\frac{1}{4}$ (4) $2\frac{2}{5}$

(1) $2\frac{1}{4}\times2\frac{2}{3}=\frac{\overset{3}{\cancel{9}}}{\underset{1}{\cancel{4}}}\times\frac{\overset{2}{\cancel{8}}}{\underset{1}{\cancel{3}}}=6$

(2) $2\frac{1}{2}\times1\frac{2}{3}=\frac{5}{2}\times\frac{5}{3}=\frac{5\times5}{2\times3}=\frac{25}{6}=4\frac{1}{6}$

(3) $3\times\frac{3}{4}=\frac{3}{1}\times\frac{3}{4}=\frac{3\times3}{1\times4}=\frac{9}{4}=2\frac{1}{4}$

(4) $4\times\frac{3}{5}=\frac{4}{1}\times\frac{3}{5}=\frac{4\times3}{1\times5}=\frac{12}{5}=2\frac{2}{5}$

03 답 풀이 참조

(1) $1\frac{1}{2}\times1\frac{2}{3}\times2\frac{2}{5}=\left(\frac{\overset{1}{\cancel{3}}}{2}\times\frac{5}{\underset{1}{\cancel{3}}}\right)\times\frac{\boxed{12}}{5}$

$=\frac{\boxed{\overset{1}{\cancel{5}}}}{\underset{1}{\cancel{2}}}\times\frac{\overset{6}{\cancel{12}}}{\underset{1}{\cancel{5}}}=\boxed{6}$

(2) $1\frac{1}{4}\times2\frac{2}{5}\times1\frac{2}{9}=\left(\frac{\overset{1}{\cancel{5}}}{\underset{1}{\cancel{4}}}\times\frac{\overset{3}{\cancel{12}}}{\underset{1}{\cancel{5}}}\right)\times\frac{\boxed{11}}{9}$

$=\boxed{\overset{1}{\cancel{3}}}\times\frac{\boxed{11}}{\underset{3}{\cancel{9}}}=\boxed{3}\frac{\boxed{2}}{\boxed{3}}$

04 답 (왼쪽에서부터) $3\frac{1}{3}$, $8\frac{1}{3}$

$4\times\frac{5}{6}=\frac{\overset{2}{\cancel{4}}}{1}\times\frac{5}{\underset{3}{\cancel{6}}}=\frac{10}{3}=3\frac{1}{3}$

$3\frac{1}{3}\times2\frac{1}{2}=\frac{\overset{5}{\cancel{10}}}{3}\times\frac{5}{\underset{1}{\cancel{2}}}=\frac{25}{3}=8\frac{1}{3}$

05 답

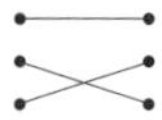

$1\frac{2}{3}\times3\frac{1}{3}=\frac{5}{3}\times\frac{10}{3}=\frac{5\times10}{3\times3}=\frac{50}{9}=5\frac{5}{9}$

$1\frac{1}{7}\times2\frac{4}{5}=\frac{8}{\underset{1}{\cancel{7}}}\times\frac{\overset{2}{\cancel{14}}}{5}=\frac{16}{5}=3\frac{1}{5}$

$6\times\frac{9}{10}=\frac{\overset{3}{\cancel{6}}}{1}\times\frac{9}{\underset{5}{\cancel{10}}}=\frac{27}{5}=5\frac{2}{5}$

06 답 (1) < (2) <

(1) $1\frac{1}{4}\times2\frac{1}{10}=\frac{\overset{1}{\cancel{5}}}{4}\times\frac{21}{\underset{2}{\cancel{10}}}=\frac{21}{8}=2\frac{5}{8}$

$7\times\frac{5}{8}=\frac{7}{1}\times\frac{5}{8}=\frac{7\times5}{1\times8}=\frac{35}{8}=4\frac{3}{8}$

따라서 ○ 안에 알맞은 것은 <입니다.

(2) $4\times\frac{7}{9}=\frac{4}{1}\times\frac{7}{9}=\frac{4\times7}{1\times9}=\frac{28}{9}=3\frac{1}{9}$

$3\frac{3}{4}\times1\frac{5}{6}=\frac{\overset{5}{\cancel{15}}}{4}\times\frac{11}{\underset{2}{\cancel{6}}}=\frac{55}{8}=6\frac{7}{8}$

따라서 ○ 안에 알맞은 것은 <입니다.

07 답 ㉡

㉠ $3\frac{4}{7}\times1\frac{4}{5}=\frac{\overset{5}{\cancel{25}}}{7}\times\frac{9}{\underset{1}{\cancel{5}}}=\frac{45}{7}=6\frac{3}{7}$

㉡ $9\times\frac{4}{7}=\frac{9}{1}\times\frac{4}{7}=\frac{36}{7}=5\frac{1}{7}$

㉢ $1\frac{2}{3}\times3\frac{6}{7}=\frac{5}{\underset{1}{\cancel{3}}}\times\frac{\overset{9}{\cancel{27}}}{7}=\frac{45}{7}=6\frac{3}{7}$

따라서 계산 결과가 다른 것은 ㉡입니다.

08 답 ㉣, ㉡, ㉠, ㉢

㉠ $3\frac{1}{2}\times1\frac{3}{14}=\frac{\overset{1}{\cancel{7}}}{2}\times\frac{17}{\underset{2}{\cancel{14}}}=\frac{17}{4}=4\frac{1}{4}$

㉡ $1\frac{4}{5}\times3\frac{2}{3}=\frac{\overset{3}{\cancel{9}}}{5}\times\frac{11}{\underset{1}{\cancel{3}}}=\frac{33}{5}=6\frac{3}{5}$

㉢ $1\frac{2}{7}\times2\frac{1}{3}=\frac{\overset{3}{\cancel{9}}}{\underset{1}{\cancel{7}}}\times\frac{\overset{1}{\cancel{7}}}{\underset{1}{\cancel{3}}}=3$

㉣ $10\times\frac{7}{8}=\frac{\overset{5}{\cancel{10}}}{1}\times\frac{7}{\underset{4}{\cancel{8}}}=\frac{35}{4}=8\frac{3}{4}$

따라서 계산 결과가 큰 것부터 차례대로 기호를 쓰면 ㉣, ㉡, ㉠, ㉢입니다.

09 답 8

가장 큰 수는 $4\frac{1}{2}$이고 가장 작은 수는 $1\frac{7}{9}$입니다.

따라서 가장 큰 수와 가장 작은 수의 곱은

$4\frac{1}{2}\times1\frac{7}{9}=\frac{\overset{1}{\cancel{9}}}{\underset{1}{\cancel{2}}}\times\frac{\overset{8}{\cancel{16}}}{\underset{1}{\cancel{9}}}=8$입니다.

10 답 $2\frac{1}{4}$ m

(사용한 끈의 길이)

$=3\frac{3}{5}\times\frac{3}{8}=\frac{\overset{9}{\cancel{18}}}{5}\times\frac{3}{\underset{4}{\cancel{8}}}=\frac{27}{20}=1\frac{7}{20}$(m)

따라서 남은 끈의 길이는

$3\frac{3}{5}-1\frac{7}{20}=3\frac{12}{20}-1\frac{7}{20}=2\frac{5}{20}=2\frac{1}{4}$(m)

입니다.

11 답 $2\frac{4}{15}$ cm²

가로가 $2\frac{1}{8}$ cm, 세로가 $1\frac{1}{15}$ cm인 직사각형의 넓이는

$2\frac{1}{8}\times1\frac{1}{15}=\frac{17}{\underset{1}{\cancel{8}}}\times\frac{\overset{2}{\cancel{16}}}{15}=\frac{34}{15}=2\frac{4}{15}$(cm²)

입니다.

12 답 $2\frac{1}{7}$ m²

$3\frac{4}{7}\times\frac{3}{5}=\frac{\overset{5}{\cancel{25}}}{7}\times\frac{3}{\underset{1}{\cancel{5}}}=\frac{15}{7}=2\frac{1}{7}$(m²)

따라서 튤립이 심어진 꽃밭의 넓이는 $2\frac{1}{7}$ m²입니다.

13 답 $7\frac{7}{10}$

수 카드에서 3장을 뽑아 만들 수 있는 가장 큰 대분수는 $5\frac{1}{2}$이고 가장 작은 대분수는 $1\frac{2}{5}$입니다.

따라서 두 수의 곱은

$5\frac{1}{2}\times1\frac{2}{5}=\frac{11}{2}\times\frac{7}{5}=\frac{77}{10}=7\frac{7}{10}$입니다.

14 답 4

$2\frac{2}{3}\times1\frac{3}{5}=\frac{8}{3}\times\frac{8}{5}=\frac{64}{15}=4\frac{4}{15}>\square\frac{4}{17}$

분자가 같을 때 분모가 작을수록 큰 분수이므로

$\frac{4}{15}>\frac{4}{17}$입니다.

따라서 □는 4 이하의 자연수이므로 □ 안에 들어갈 수 있는 가장 큰 자연수는 4입니다.

15 답 $11\frac{1}{9}$ km

1시간은 60분이므로

(2시간 40분)$=2\frac{40}{60}$(시간)$=2\frac{2}{3}$(시간)입니다.

따라서 지호가 2시간 40분 동안 달린 거리는

$4\frac{1}{6}\times2\frac{2}{3}=\frac{25}{\underset{3}{\cancel{6}}}\times\frac{\overset{4}{\cancel{8}}}{3}=\frac{100}{9}=11\frac{1}{9}$(km)입니다.

16 답 $7\frac{1}{2}$ cm²

(마름모의 넓이)=(한 대각선의 길이)
×(다른 대각선의 길이)÷2

한 대각선의 길이는 $4\frac{1}{2}$ cm이고 다른 한 대각선의 길이는 $1\frac{2}{3}\times2=\frac{5}{3}\times2=\frac{10}{3}=3\frac{1}{3}$(cm)입니다.

$4\frac{1}{2}\times3\frac{1}{3}\div2=\left(\frac{\overset{3}{\cancel{9}}}{\underset{1}{\cancel{2}}}\times\frac{\overset{5}{\cancel{10}}}{\underset{1}{\cancel{3}}}\right)\div2=15\div2$

$=\frac{15}{2}=7\frac{1}{2}$(cm²)

따라서 마름모의 넓이는 $7\frac{1}{2}$ cm²입니다.

17 답 현주

효선: $1\frac{1}{4}\times1\frac{4}{11}=\frac{5}{4}\times\frac{15}{11}=\frac{75}{44}=1\frac{31}{44}$

선미: $1\frac{3}{7}\times2\frac{4}{5}=\frac{\cancel{10}^{2}}{\cancel{7}_{1}}\times\frac{\cancel{14}^{2}}{\cancel{5}_{1}}=4$

현주: $2\frac{1}{4}\times1\frac{7}{18}=\frac{\cancel{9}^{1}}{4}\times\frac{25}{\cancel{18}_{2}}=\frac{25}{8}=3\frac{1}{8}$

따라서 잘못 계산한 사람은 현주입니다.

18 답 $5\frac{1}{5}$ m²

$(\text{마당의 넓이})=4\frac{4}{5}\times3\frac{1}{4}=\frac{\cancel{24}^{6}}{5}\times\frac{13}{\cancel{4}_{1}}=\frac{78}{5}$

$=15\frac{3}{5}(\text{m}^2)$

$(\text{화단의 넓이})=(\text{마당의 넓이})\times\frac{1}{3}$

$=15\frac{3}{5}\times\frac{1}{3}=\frac{\cancel{78}^{26}}{5}\times\frac{1}{\cancel{3}_{1}}=\frac{26}{5}$

$=5\frac{1}{5}(\text{m}^2)$

따라서 화단의 넓이는 $5\frac{1}{5}$ m²입니다.

p. 32

분수의 나눗셈

[1] $\frac{3}{4}\div2=\frac{3}{4}\div\frac{2}{1}=\frac{3}{4}\times\frac{1}{2}=\frac{3}{8}$

[2] $\frac{9}{14}\div\frac{3}{14}=\frac{\cancel{9}^{3}}{\cancel{14}_{1}}\times\frac{\cancel{14}^{1}}{\cancel{3}_{1}}=3$

[3] $8\div\frac{2}{3}=\frac{8}{1}\div\frac{2}{3}=\frac{\cancel{8}^{4}}{1}\times\frac{3}{\cancel{2}_{1}}=12$

[4] $\frac{5}{8}\div\frac{2}{5}=\frac{5}{8}\times\frac{5}{2}=\frac{25}{16}$

답 [1] $\frac{3}{8}$ [2] 3 [3] 12 [4] $\frac{25}{16}$

3 ::: 합동과 대칭

07 도형의 합동

p. 35~37

> 교과서 + 익힘책 유형

01 가 **02** 다 **03** 가와 라
04 (1) 점 ㅇ (2) 변 ㅅㅂ (3) 각 ㄹㄷㄴ
05 (1) 13 cm (2) 35° **06** 4, 4, 4

> 교과서 + 익힘책 응용 유형

07 변 ㄹㄴ **08** 15 **09** 24 cm
10 18 cm **11** 9 cm² **12** 6 cm²

> 잘 틀리는 유형

13 8 cm **14** 65° **15** 20°
16 40° **17** 10 cm² **18** 45°

01 답 가
두 도형을 포개었을 때 완전히 겹치는 두 도형을 합동이라고 합니다.
따라서 주어진 도형과 합동인 도형은 **가**입니다.

02 답 다
도형을 서로 포개었을 때 완전히 겹치지 않는 도형은 **다**입니다.

03 답 가와 라
도형을 서로 포개었을 때 완전히 겹치는 도형은 **가와 라**입니다.

04 답 (1) 점 ㅇ (2) 변 ㅅㅂ (3) 각 ㄹㄷㄴ
(1) 두 도형을 완전히 포개었을 때 점 ㄴ과 겹치는 점은 점 ㅇ입니다.
(2) 두 도형을 완전히 포개었을 때 변 ㄱㄹ과 겹치는 변은 변 ㅅㅂ입니다.
(3) 두 도형을 완전히 포개었을 때 각 ㅂㅁㅇ과 겹치는 각은 각 ㄹㄷㄴ입니다.

05 답 (1) 13 cm (2) 35°

합동인 두 도형에서 대응변의 길이와 대응각의 크기는 서로 같습니다.

(1) (변 ㄱㄴ)=(변 ㅁㅂ)=13 cm

(2) (각 ㄱㄴㄷ)=(각 ㅁㅂㄹ)=35°

06 답 4, 4, 4

두 도형은 서로 합동인 사각형이므로 대응점, 대응변, 대응각이 각각 4쌍이 있습니다.

07 답 변 ㄹㄴ

두 도형을 완전히 포개었을 때 변 ㄱㄷ과 겹치는 변은 변 ㄹㄴ입니다.

08 답 15

두 도형은 서로 합동인 오각형이므로 대응점, 대응변, 대응각이 각각 5쌍이 있습니다.

따라서 ㉠+㉡+㉢=5+5+5=15입니다.

09 답 24 cm

변 ㄱㄷ의 대응변은 변 ㄹㅁ이므로 변 ㄱㄷ의 길이는 10 cm입니다.

따라서 (삼각형 ㄱㄴㄷ의 둘레)=6+8+10=24(cm)입니다.

10 답 18 cm

(변 ㄱㄴ)=(변 ㅂㅁ)=6 cm

(변 ㄹㅂ)=(변 ㄷㄱ)=12 cm

따라서 구하는 길이의 합은 6+12=18(cm)입니다.

11 답 9 cm^2

합동인 두 도형은 대응변의 길이가 같으므로

(변 ㄱㄹ)=(변 ㅅㅂ)=2 cm이고

(변 ㄹㄷ)=(변 ㅂㅁ)=3 cm입니다.

따라서

(사다리꼴 ㄱㄴㄷㄹ의 넓이)=(2+4)×3÷2=9(cm^2)입니다.

12 답 6 cm^2

(변 ㄱㅁ)=(변 ㅂㅁ)=5 cm이므로 변 ㅁㄴ의 길이는 8−5=3(cm)입니다.

따라서 (삼각형 ㅁㄴㅂ의 넓이)=4×3÷2=6(cm^2)입니다.

13 답 8 cm

두 사다리꼴이 서로 합동이므로

(변 ㄱㄹ)=(변 ㅇㅁ)=9 cm입니다.

80÷(9+11)×(변 ㄹㄷ)÷2이므로

(변 ㄹㄷ)=80×2÷(9+11)=8(cm)

따라서 (변 ㅁㅂ)=(변 ㄹㄷ)=8 cm입니다.

14 답 65°

각 ㉡의 크기와 각 ㉢의 크기가 같으므로

각 ㉡의 크기는 (180°−50°)÷2=65°입니다.

15 답 20°

각 ㄱㄷㄹ의 대응각은 각 ㄱㄴㄹ이고 대응각의 크기는 같으므로 (각 ㄱㄷㄹ)=(각 ㄱㄴㄹ)=70°입니다.

각 ㄷㄱㄹ의 대응각은 각 ㄴㄱㄹ이므로

(각 ㄷㄱㄹ)=(각 ㄴㄱㄹ)입니다.

따라서 각 ㄷㄱㄹ은 (180°−70°−70°)÷2=20°입니다.

16 답 40°

각 ㄱㄷㄴ의 대응각은 각 ㄹㄴㄷ이고 대응각의 크기는 같으므로 (각 ㄱㄷㄴ)=(각 ㄹㄴㄷ)=35°입니다.

삼각형 ㄱㄴㄷ의 세 각의 크기의 합은 180°이므로

(각 ㄱㄴㄷ)=180°−70°−35°=75°입니다.

따라서 (각 ㄱㄴㄹ)=75°−35°=40°입니다.

17 답 10 cm^2

변 ㄱㄴ의 대응변은 변 ㄷㅂ이고 대응변의 길이가 같으므로 (변 ㄱㄴ)=(변 ㄷㅂ)=4 cm입니다.

(삼각형 ㄱㅁㄷ의 넓이)=(변 ㅁㄷ)×(변 ㄱㄴ)÷2

=5×4÷2=10(cm^2)

따라서 삼각형 ㄱㅁㄷ의 넓이는 10 cm^2입니다.

18 답 45°

변 ㄱㄷ은 변 ㄷㅁ의 대응변이므로 길이가 같고

각 ㄱㄷㅁ이 90°이므로 삼각형 ㄱㄷㅁ은 한 각이 직각인 이등변삼각형입니다.

따라서 (각 ㄱㅁㄷ)=(180°−90°)÷2=45°입니다.

08 선대칭도형

p. 39~41

> 교과서 + 익힘책 유형

01 (1) 점 ㅂ (2) 변 ㄱㅂ (3) 각 ㅂㅁㄹ
02 풀이 참조 **03** ㉠, ㉢, ㉤ **04** 풀이 참조
05 (1) (왼쪽에서부터) 70, 6 (2) (위에서부터) 45, 3, 2

> 교과서 + 익힘책 응용 유형

06 (위에서부터) 60, 17 **07** ㉡
08 ㉡ **09** ㉡, ㉢, ㉠ **10** 36 cm
11 40 cm^2

> 잘 틀리는 유형

12 ㉣, ㉢, ㉡, ㉠ **13** 115°
14 서진 **15** ㉠, ㉢ **16** 97 cm^2
17 11 cm

01 답 (1) 점 ㅂ (2) 변 ㄱㅂ (3) 각 ㅂㅁㄹ

(1) 한 직선을 따라 접어서 완전히 포개었을 때 점 ㄴ과 겹치는 점은 점 ㅂ입니다.
(2) 한 직선을 따라 접어서 완전히 포개었을 때 변 ㄱㄴ과 겹치는 변은 변 ㄱㅂ입니다.
(3) 한 직선을 따라 접어서 완전히 포개었을 때 각 ㄴㄷㄹ과 겹치는 각은 각 ㅂㅁㄹ입니다.

02 답 풀이 참조

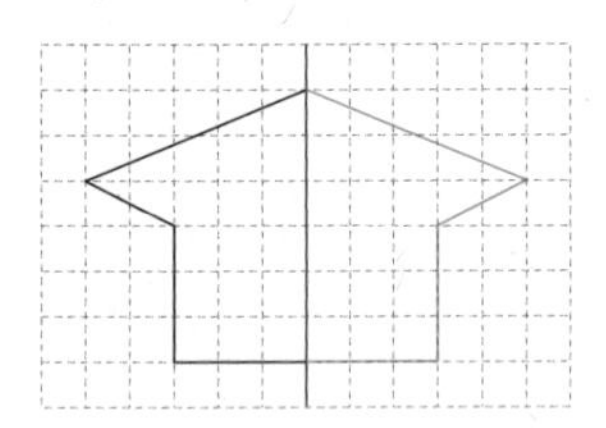

03 답 ㉠, ㉢, ㉤

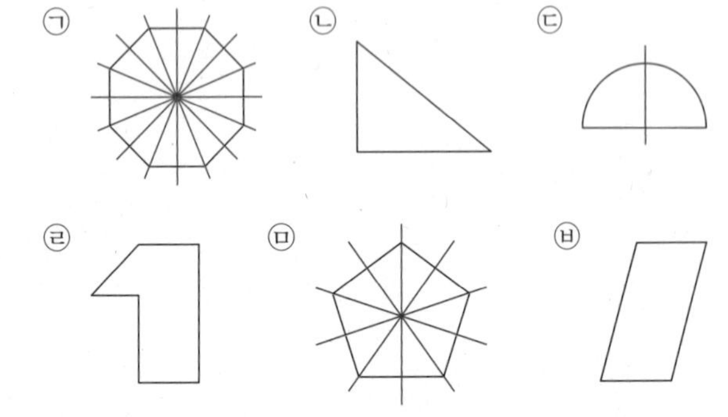

한 직선을 따라 접었을 때 완전히 겹치는 도형은 ㉠, ㉢, ㉤입니다.

04 답 풀이 참조

(1)
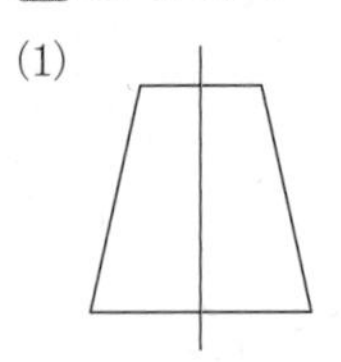
(2)
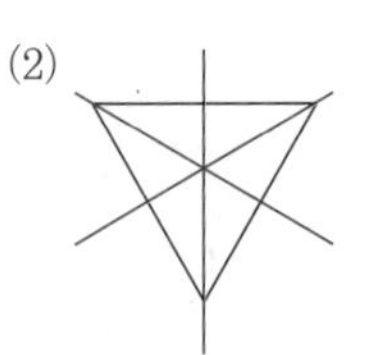
(3)
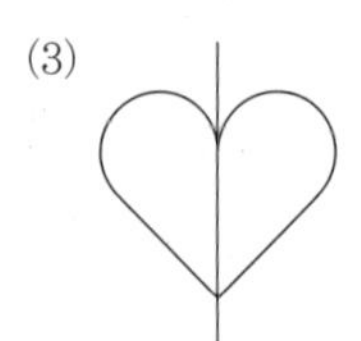
(4)
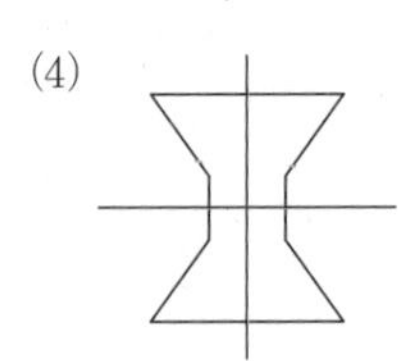

05 답 (1) (왼쪽에서부터) 70, 6
(2) (위에서부터) 45, 3, 2

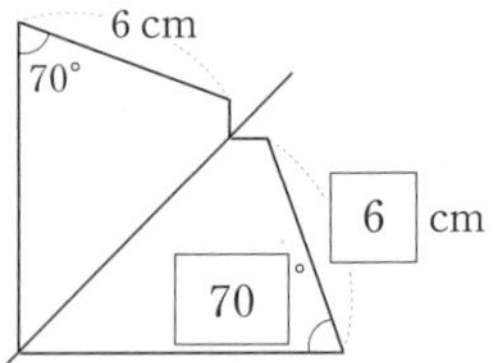

(1) 대칭축을 기준으로 대응변의 길이와 대응각의 크기는 각각 같습니다.
따라서 대응각의 크기는 70°, 대응변의 길이는 6 cm입니다.

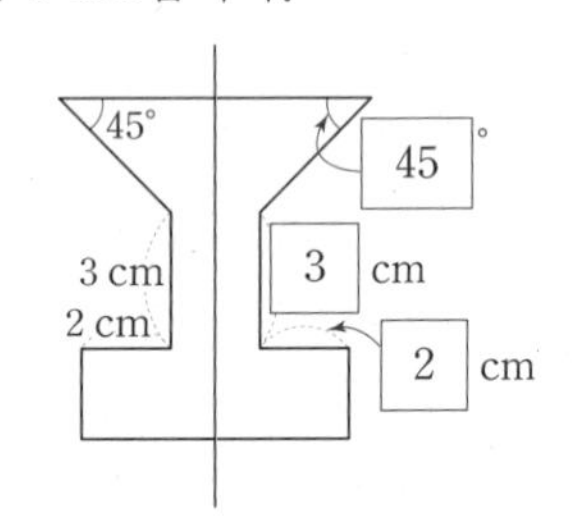

(2) 대칭축을 기준으로 대응변의 길이와 대응각의 크기는 각각 같습니다.
따라서 대응각의 크기는 45°이고 대응변의 길이는 각각 3 cm, 2 cm입니다.

06 답 (위에서부터) 60, 17

대칭축을 기준으로 대응각의 크기가 같으므로
□=180°−75°−45°=60°입니다.
또한, 대칭축을 기준으로 대응변의 길이가 같으므로
□=17입니다

07 답 ㉡

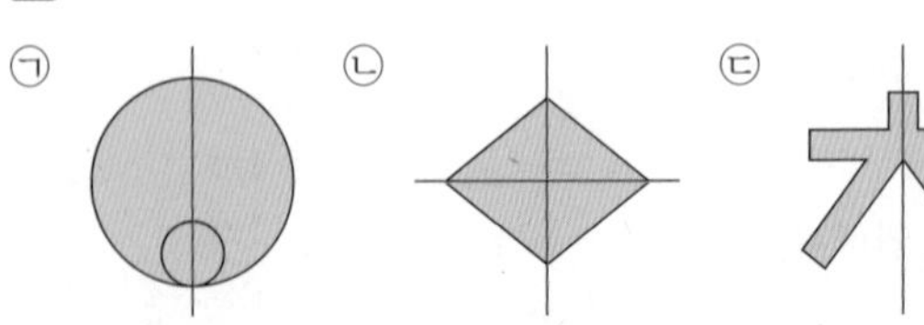

따라서 대칭축이 2개인 선대칭도형은 ㉡입니다.

08 답 ㉡

대칭축을 따라 접었을 때 완전히 겹치는 도형은 ㉡입니다.

09 답 ㉡, ㉢, ㉠

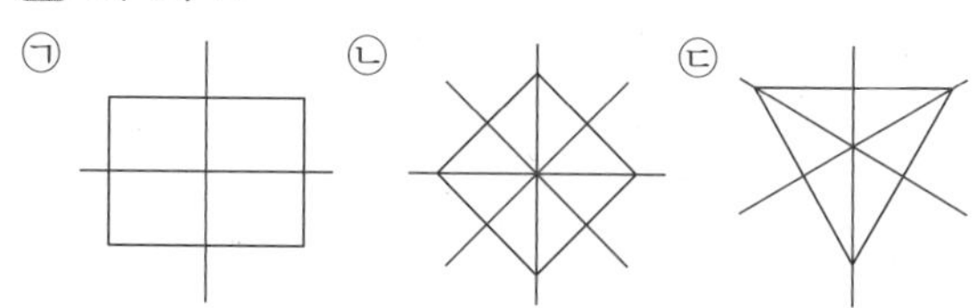

선대칭도형의 대칭축의 개수는 ㉠ 2개, ㉡ 4개, ㉢ 3개입니다.
따라서 대칭축의 개수가 많은 것부터 차례대로 기호를 쓰면 ㉡, ㉢, ㉠입니다.

10 답 36 cm

대칭축을 기준으로 대응변의 길이가 같습니다.
(변 ㅂㄹ)=(변 ㅂㅁ)=3 cm
(변 ㄷㄹ)=(변 ㄱㅁ)=5 cm
(변 ㄴㄱ)=(변 ㄴㄷ)=10 cm
따라서 도형의 둘레는
3+5+10+3+5+10=36(cm)입니다.

11 답 40 cm^2

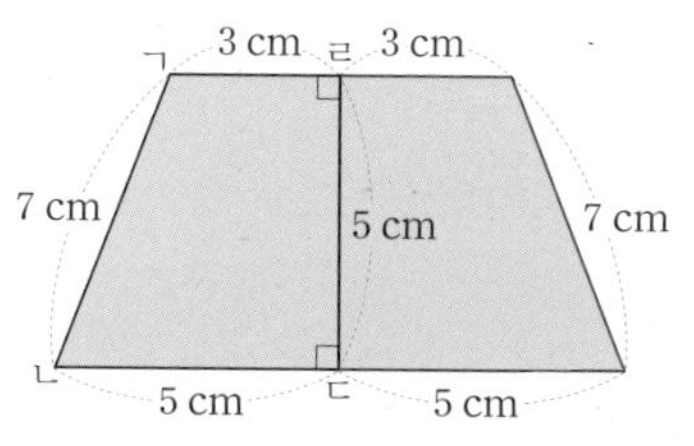

선대칭도형을 완성하면 그림과 같습니다. 대칭축을 기준으로 대응변의 길이가 같으므로 윗변 6 cm, 아랫변 10 cm, 높이 5 cm인 선대칭도형의 넓이는
$(6+10)\times5\div2=40(cm^2)$입니다.

12 답 ㉣, ㉢, ㉡, ㉠

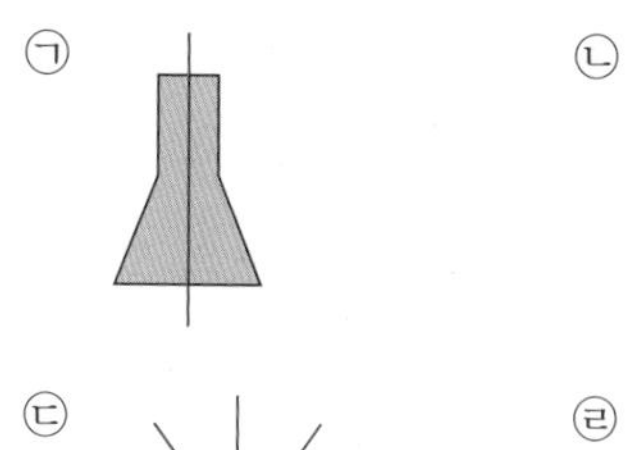

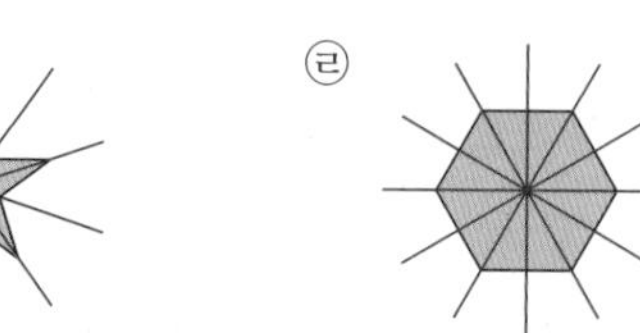

선대칭도형의 대칭축의 개수는 각각 ㉠ 1개, ㉡ 2개, ㉢ 5개, ㉣ 6개입니다.
따라서 대칭축의 개수가 많은 것부터 차례대로 기호를 쓰면 ㉣, ㉢, ㉡, ㉠입니다.

13 답 115°

(각 ㅁㄹㄷ)=(각 ㅁㄱㄴ)=80°
(각 ㅁㅂㄷ)=(각 ㅁㅂㄴ)=90°
사각형 ㅁㅂㄷㄹ의 네 각의 크기의 합은 360°이므로
(각 ㄹㅁㅂ)=360°−80°−90°−75°=115°입니다.

14 답 서진

선대칭도형은 모양에 따라 대칭축이 1개일 수도 있고 여러 개일 수도 있습니다.
따라서 선대칭도형에 대해서 잘못 설명한 친구는 서진입니다.

15 답 ㉠, ㉢

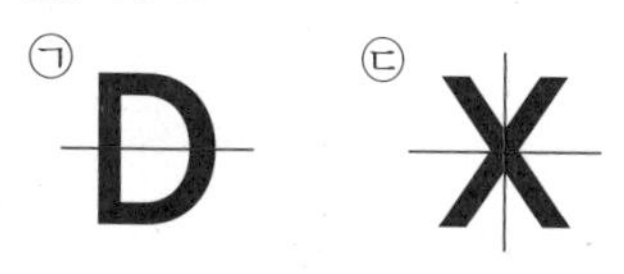

16 답 97 cm^2

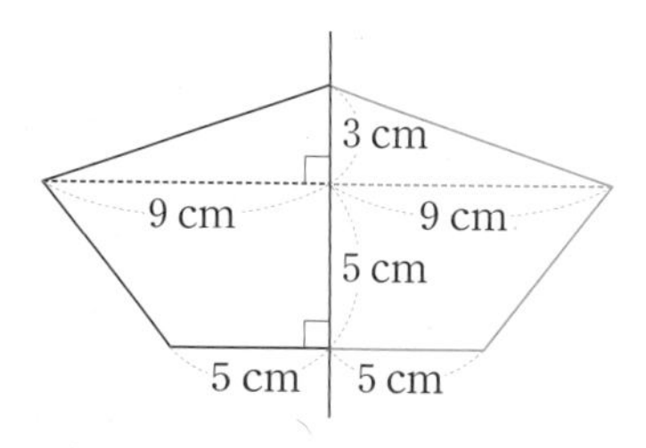

선대칭도형을 완성하면 그림과 같습니다.
(도형의 넓이)=(삼각형의 넓이)+(사다리꼴의 넓이)
(삼각형의 넓이)$=18\times3\div2=27(cm^2)$
(사다리꼴의 넓이)$=(10+18)\times5\div2=70(cm^2)$
따라서 주어진 도형의 넓이는 $27+70=97(cm^2)$입니다.

17 답 11 cm

대칭축인 선분 ㅁㅂ을 기준으로 대응변의 길이가 같습니다.
(변 ㅁㄹ)=(변 ㅁㄱ)=8 cm
(변 ㅂㄷ)=(변 ㅂㄴ)=17 cm
(변 ㄷㄹ)=(변 ㄴㄱ)
도형의 둘레가 72 cm이므로
16+34+(변 ㄷㄹ)×2=72(cm),
(변 ㄷㄹ)×2=22 cm, (변 ㄷㄹ)=11 cm
따라서 변 ㄷㄹ의 길이는 11 cm입니다.

09 점대칭도형

p. 43~45

> 교과서 + 익힘책 유형

01 (1) ㉠, ㉡ (2) 점대칭도형
02 (1) 점 ㄴ (2) 변 ㄴㄷ (3) 각 ㅁㄹㄷ
03 풀이 참조 **04** (1) 10 cm (2) 130°
05 풀이 참조

> 교과서 + 익힘책 응용 유형

06 69° **07** 21 cm **08** 42 cm
09 ㉠, ㉤ **10** (1) 풀이 참조 (2) 40 cm²
11 영미

> 잘 틀리는 유형

12 75° **13** ㉠, ㉢, ㉣ **14** 8 cm
15 지민 **16** 14 cm **17** 48 cm

01 답 (1) ㉠, ㉡ (2) 점대칭도형

(1) 점 ㅇ을 중심으로 180° 돌렸을 때 처음 도형과 완전히 겹치는 도형은 ㉠, ㉡입니다.

(2) 한 도형을 어떤 점을 중심으로 180° 돌렸을 때 처음 도형과 완전히 겹치는 도형을 점대칭도형이라고 합니다.

02 답 (1) 점 ㄴ (2) 변 ㄴㄷ (3) 각 ㅁㄹㄷ

(1) 점 ㅇ을 중심으로 180° 돌렸을 때 점 ㅂ과 겹치는 점은 점 ㄴ입니다.

(2) 점 ㅇ을 중심으로 180° 돌렸을 때 변 ㅂㅅ과 겹치는 변은 변 ㄴㄷ입니다.

(3) 점 ㅇ을 중심으로 180° 돌렸을 때 각 ㄱㅈㅅ과 겹치는 각은 ㅁㄹㄷ입니다.

03 답 풀이 참조

각 점에서 대칭의 중심까지의 길이가 같도록 대응점을 찾아 표시한 후 각 대응점을 이어 점대칭도형을 완성합니다.

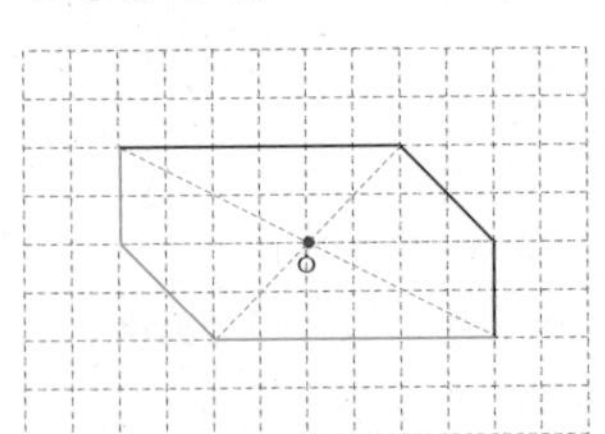

04 답 (1) 10 cm (2) 130°

(1) 점대칭도형에서 대응점에서 대칭의 중심까지의 거리는 같으므로 (선분 ㄹㅇ)=(선분 ㄴㅇ)=10 cm 입니다.

(2) 점 ㅇ을 중심으로 각 ㄴㄷㄹ과 각 ㄹㄱㄴ은 대응각입니다. 점대칭도형에서 대응각의 크기는 같으므로 (각 ㄴㄷㄹ)=(각 ㄹㄱㄴ)=130°입니다.

05 답 풀이 참조

(1)
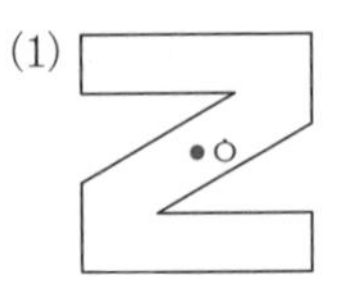

(2)
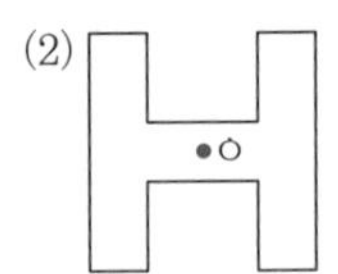

06 답 69°

점대칭도형에서 대응각의 크기는 같으므로
(각 ㄴㄷㄹ)=(각 ㄹㄱㄴ)=75°
따라서 (각 ㄴㄹㄷ)=180°−75°−36°=69°입니다.

07 답 21 cm

(선분 ㄴㅇ)=(선분 ㅁㅇ)=4.5 cm
(선분 ㅁㅂ)=(선분 ㄴㄷ)=12 cm
(선분 ㄴㅂ)=(선분 ㄴㅇ)+(선분 ㅇㅁ)+(선분 ㅁㅂ)
이므로 선분 ㄴㅂ의 길이는
4.5+4.5+12=21(cm)입니다.

08 답 42 cm

점대칭도형에서 대응변의 길이는 같습니다.
따라서 주어진 점대칭도형의 둘레는
9+9+7+7+5+5=42(cm)입니다.

09 답 ㉠, ㉤

㉠
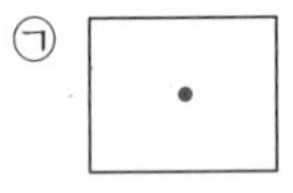
㉡
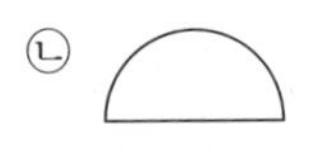
㉢
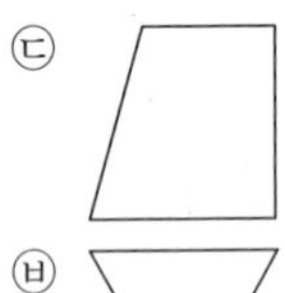
㉣
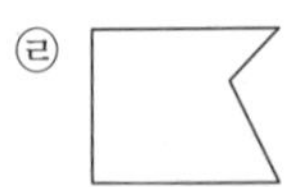
㉤
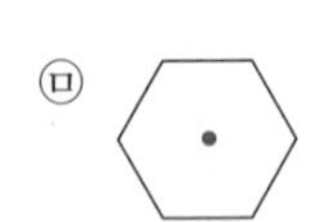
㉥

한 점을 중심으로 180° 돌렸을 때 처음 도형과 완전히 겹치는 도형은 ㉠, ㉤입니다.

10 답 (1) 풀이 참조 (2) 40 cm²

(1)
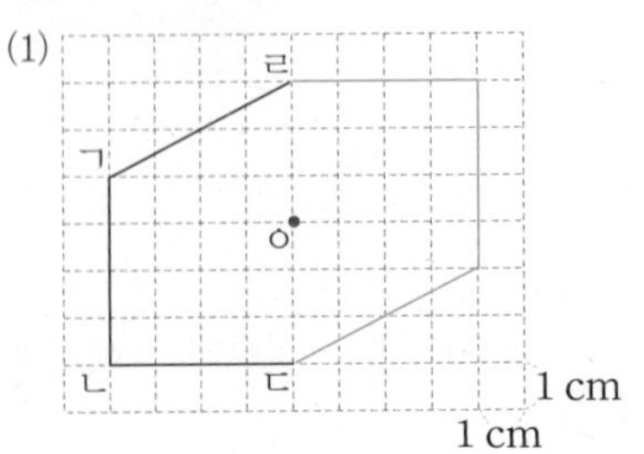

(2) 주어진 점대칭도형은 사다리꼴이 두 개 합쳐진 모양입니다.
(사다리꼴의 넓이)$=(4+6)\times4\div2=20(\text{cm}^2)$
따라서 점대칭도형의 넓이는 $20\times2=40(\text{cm}^2)$입니다.

11 **답** 영미
점대칭도형에서 대응점을 이은 선분은 반드시 대칭의 중심을 지납니다. 또한, 각각의 대응점에서 대칭의 중심까지의 거리는 같습니다.
따라서 점대칭도형에 대해서 바르게 설명한 친구는 영미입니다.

12 **답** 75°
점대칭도형에서 대응각의 크기는 같습니다.
(각 ㄴㅇㄷ)$=$(각 ㅁㅇㅂ)
$=180^\circ-80^\circ-25^\circ=75^\circ$
따라서 각 ㄴㅇㄷ의 크기는 75°입니다.

13 **답** ㉠, ㉢, ㉣
한 점을 중심으로 180° 돌렸을 때 처음 도형과 완전히 겹치는 것은 ㉠, ㉢, ㉣입니다.

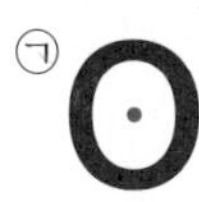

14 **답** 8 cm
점 ㄴ에서 대칭의 중심인 점 ㅇ을 지나는 직선을 긋고 점 ㄴ의 대응점을 점 ㄹ로 표시합니다.

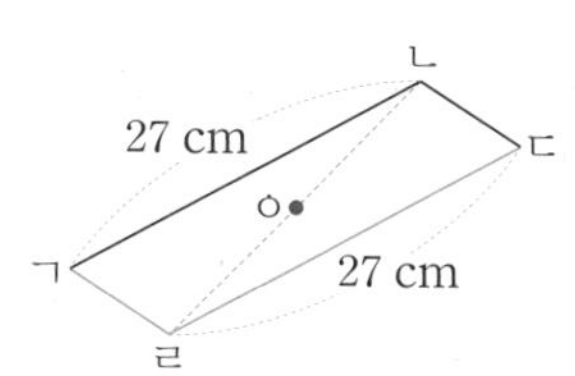

(변 ㄹㄷ)$=$(변 ㄴㄱ)$=27$ cm
점대칭도형의 둘레가 70 cm이므로 변 ㄴㄷ의 길이는 $(70-27-27)\div2=8$(cm)입니다.

15 **답** 지민
점대칭도형에서 대칭의 중심은 1개입니다.
따라서 점대칭도형에 대해 잘못 설명한 친구는 지민입니다.

16 **답** 14 cm
점대칭도형에서 대응점에서 대칭의 중심까지의 거리는 같으므로
(선분 ㅇㄹ)$=$(선분 ㅇㄴ)$=12$ cm입니다.
(두 대각선의 길이의 합)$=$(선분 ㄴㄹ)$+$(선분 ㄱㄷ)이므로 $52=24+$(선분 ㄱㄷ), (선분 ㄱㄷ)$=28$ cm입니다.
따라서 선분 ㄷㅇ은 $28\div2=14$(cm)입니다.

17 **답** 48 cm

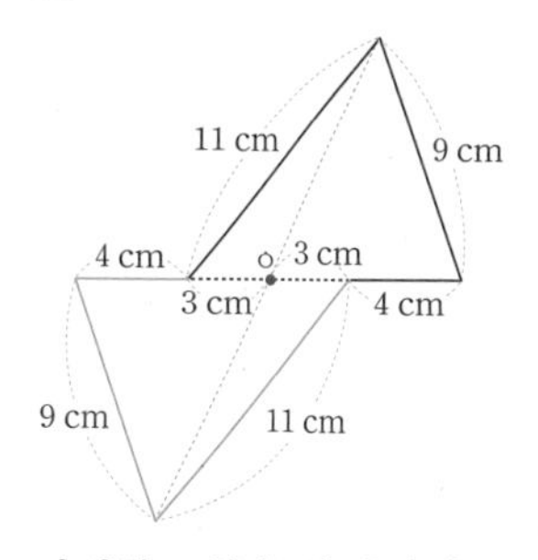

점대칭도형을 완성하면 그림과 같습니다.
따라서 점대칭도형의 둘레는
$11+11+9+9+4+4=48$(cm)입니다.

p. 46

도형의 닮음

크기는 다르지만 모양이 항상 같은 두 도형을 찾으면 두 정삼각형, 두 정사각형, 두 원입니다.

답 [1] 두 정삼각형, [4] 두 정사각형, [5] 두 원

4 ::: 소수의 곱셈

10 (소수)×(자연수)

p. 49~51

> 교과서 + 익힘책 유형

01 풀이 참조 **02** (1) 1.6 (2) 9
03 (1) 10.4 (2) 0.38
04 (1) 4.8 (2) 21.6 (3) 0.93 (4) 2.92
05 (1) < (2) >

> 교과서 + 익힘책 응용 유형

06 ㉢, ㉣, ㉠, ㉡ **07** 풀이 참조
08 5.6 cm^2 **09** 15.28 **10** ㉠
11 (위에서부터) 16.8, 2.58

> 잘 틀리는 유형

12 25.59 **13** 풀이 참조 **14** 4개
15 54.72 **16** 14.4 cm^2 **17** 1.7 m^2

01 답 풀이 참조

[방법 1] $0.5\times3=0.5+\boxed{0.5}+\boxed{0.5}=\boxed{1.5}$

[방법 2] $0.5\times3=\frac{\boxed{5}}{10}\times3=\frac{\boxed{5}\times\boxed{3}}{10}=\frac{\boxed{15}}{10}=\boxed{1.5}$

[방법 3] 0.5는 0.1이 $\boxed{5}$개입니다.
0.5×3은 0.1이 $\boxed{5}$개씩 $\boxed{3}$묶음이므로
0.1이 모두 $\boxed{15}$개입니다.
따라서 $0.5\times3=\boxed{1.5}$입니다.

02 답 (1) 1.6 (2) 9

(1) $0.4\times4=\frac{4}{10}\times4=\frac{16}{10}=1.6$

(2) $1.8\times5=\frac{18}{10}\times5=\frac{90}{10}=9$

03 답 (1) 10.4 (2) 0.38

(1) $1.3\times8=\frac{13}{10}\times8=\frac{104}{10}=10.4$

(2) $0.19\times2=\frac{19}{100}\times2=\frac{38}{100}=0.38$

04 답 (1) 4.8 (2) 21.6 (3) 0.93 (4) 2.92

(1) $1.2\times4=\frac{12}{10}\times4=\frac{48}{10}=4.8$

(2) $2.7\times8=\frac{27}{10}\times8=\frac{216}{10}=21.6$

(3) $0.31\times3=\frac{31}{100}\times3=\frac{93}{100}=0.93$

(4) $1.46\times2=\frac{146}{100}\times2=\frac{292}{100}=2.92$

05 답 (1) < (2) >

(1) $2.6\times6=\frac{26}{10}\times6=\frac{156}{10}=15.6$

$3.4\times5=\frac{34}{10}\times5=\frac{170}{10}=17$

따라서 ○ 안에 알맞은 것은 <입니다.

(2) $1.4\times7=\frac{14}{10}\times7=\frac{98}{10}=9.8$

$2.08\times4=\frac{208}{100}\times4=\frac{832}{100}=8.32$

따라서 ○ 안에 알맞은 것은 >입니다.

06 답 ㉢, ㉣, ㉠, ㉡

㉠ $0.9\times9=8.1$
㉡ $1.2\times6=7.2$
㉢ $3.8\times3=11.4$
㉣ $2.44\times4=9.76$
따라서 계산 결과가 큰 것부터 차례대로 기호를 쓰면 ㉢, ㉣, ㉠, ㉡입니다.

07 답

$0.2\times8=\frac{2}{10}\times8=\frac{16}{10}=1.6$

$2.3\times6=\frac{23}{10}\times6=\frac{138}{10}=13.8$

$4.2\times3=\frac{42}{10}\times3=\frac{126}{10}=12.6$

08 답 5.6 cm^2

평행사변형의 넓이는
(밑변의 길이)×(높이)이므로 $1.4\times4=5.6(cm^2)$
따라서 평행사변형의 넓이는 5.6 cm^2입니다.

09 답 15.28

㉠ $1.12\times4=4.48$

㉡ $3.6\times3=10.8$

따라서 ㉠과 ㉡을 계산한 값의 합은

$4.48+10.8=15.28$입니다.

10 답 ㉠

㉠ $2.36\times3=7.08$

㉡ $3.2\times3=9.6$

㉢ $0.95\times9=8.55$

따라서 계산 결과가 8보다 작은 것은 ㉠입니다.

11 답 (위에서부터) 16.8, 2.58

$2.1\times8=16.8$

$0.43\times6=2.58$

12 답 25.59

가장 큰 수는 8.53이고 가장 작은 수는 3이므로

$8.53\times3=25.59$입니다.

13 답 풀이 참조

소수점 자리를 잘못 나타냈습니다.

따라서 바르게 계산하면

$3.42\times8=\frac{342}{100}\times8=\frac{2736}{100}=27.36$입니다.

14 답 4개

$1.2\times6=7.2$

$3.9\times3=11.7$

$7.2<\square<11.7$이므로 □ 안에 들어갈 수 있는 자연수는 8, 9, 10, 11의 4개입니다.

15 답 54.72

어떤 수를 □라고 하면 $\square\div6=1.52$이므로

$\square=1.52\times6=9.12$입니다.

따라서 바르게 계산한 값은

$9.12\times6=54.72$입니다.

16 답 14.4 cm^2

(색종이 1개 넓이)$=0.8\times3=2.4(cm^2)$

따라서 색종이를 6장 붙인 부분의 넓이는

$2.4\times6=14.4(cm^2)$입니다.

17 답 1.7 m^2

예서가 만든 꽃밭의 넓이는 $0.8\times4=3.2(m^2)$

혜나가 만든 꽃밭의 넓이는 $0.75\times2=1.5(m^2)$

따라서 예서와 혜나가 만든 꽃밭 넓이의 차는

$3.2-1.5=1.7(m^2)$입니다.

11 (자연수)×(소수)

p. 53~55

> 교과서 + 익힘책 유형

01 풀이 참조 **02** (1) 44.8 (2) 13.8

03 (1) 7.2 (2) 23.1

04 (1) 29.4 (2) 4.98 (3) 55.2 (4) 25

05 ㉠

> 교과서 + 익힘책 응용 유형

06 ㉢, ㉣, ㉡, ㉠ **07** 풀이 참조

08 (1) (왼쪽에서부터) 9, 6.66

(2) (왼쪽에서부터) 11, 17.6

09 (위에서부터) 19.2, 23.1

10 (1) < (2) < **11** 22.54

> 잘 틀리는 유형

12 ㉠ **13** 선미 **14** 46.5

15 9개 **16** 31.2 m^2 **17** 345.6 g

01 답 풀이 참조

[방법 1] $5\times0.9=5\times\frac{\boxed{9}}{10}=\frac{5\times\boxed{9}}{10}$

$=\frac{\boxed{45}}{10}=\boxed{4.5}$

[방법 2] $5\times9=45$

(9 → 0.9: $\boxed{\frac{1}{10}}$배, 45 → 4.5: $\boxed{\frac{1}{10}}$배)

$5\times0.9=\boxed{4.5}$

02 답 (1) 44.8 (2) 13.8

(1) $14\times3.2=14\times(3+0.2)=(14\times3)+(14\times0.2)$

$=42+2.8=44.8$

(2) $6\times2.3=6\times(2+0.3)=(6\times2)+(6\times0.3)$

$=12+1.8=13.8$

03 답 (1) 7.2 (2) 23.1

(1) $4\times1.8=4\times\frac{18}{10}=\frac{4\times18}{10}=\frac{72}{10}=7.2$

(2) $11\times2.1=11\times\frac{21}{10}=\frac{11\times21}{10}=\frac{231}{10}=23.1$

04 답 (1) 29.4 (2) 4.98 (3) 55.2 (4) 25

(1) $7\times4.2=7\times\frac{42}{10}=\frac{7\times42}{10}=\frac{294}{10}=29.4$

(2) $6\times0.83=6\times\frac{83}{100}=\frac{6\times83}{100}=\frac{498}{100}=4.98$

(3) $12\times4.6=12\times\frac{46}{10}=\frac{12\times46}{10}=\frac{552}{10}=55.2$

(4) $4\times6.25=4\times\frac{625}{100}=\frac{4\times625}{100}=\frac{2500}{100}=25$

05 답 ㉠

㉠ 67×0.75는 67×1인 67보다 작습니다.
㉡ 67×1.3은 67×1인 67보다 큽니다.
㉢ 67×2.04는 67×1인 67보다 큽니다.
따라서 67보다 작은 것은 ㉠입니다.

06 답 ㉢, ㉣, ㉡, ㉠

㉠ $4\times2.3=9.2$
㉡ $12\times0.8=9.6$
㉢ $8\times3.7=29.6$
㉣ $11\times1.5=16.5$
따라서 계산 결과가 큰 것부터 차례대로 기호를 쓰면 ㉢, ㉣, ㉡, ㉠입니다.

07 답

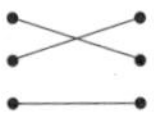

$2\times6.2=2\times\frac{62}{10}=\frac{2\times62}{10}=\frac{124}{10}=12.4$

$3\times4.8=3\times\frac{48}{10}=\frac{3\times48}{10}=\frac{144}{10}=14.4$

$15\times0.06=15\times\frac{6}{100}=\frac{15\times6}{100}=\frac{90}{100}=0.9$

08 답 (1) (왼쪽에서부터) 9, 6.66
(2) (왼쪽에서부터) 11, 17.6

(1) $18\times0.5=9$, $9\times0.74=6.66$
(2) $44\times0.25=11$, $11\times1.6=17.6$

09 답 (위에서부터) 19.2, 23.1

$8\times2.4=19.2$
$33\times0.7=23.1$

10 답 (1) $<$ (2) $<$

(1) $9\times0.07=0.63$
$14\times0.05=0.7$
따라서 ○ 안에 알맞은 것은 $<$ 입니다.
(2) $4\times7.3=29.2$
$8\times3.72=29.76$
따라서 ○ 안에 알맞은 것은 $<$ 입니다.

11 답 22.54

㉠ $5\times4.1=20.5$
㉡ $12\times0.17=2.04$
따라서 ㉠과 ㉡을 계산한 값의 합은
$20.5+2.04=22.54$입니다.

12 답 ㉠

㉠ $7\times1.6=11.2$
㉡ $20\times0.8=16$
㉢ $9\times2.14=19.26$
따라서 계산 결과가 가장 작은 것은 ㉠입니다.

13 답 선미

$25\times14=350$ ⇨ $25\times1.4=35$
곱하는 수인 14가 $\frac{1}{10}$배가 되었으므로 계산 결과인 350도 $\frac{1}{10}$배가 되어 35가 됩니다.
따라서 잘못 계산한 사람은 선미입니다.

14 답 46.5

어떤 수를 □라고 하면 $□\div2.5=6$이므로
$□=6\times2.5=15$입니다.
따라서 $15\times3.1=46.5$입니다.

15 답 9개

$32\times0.09=2.88$
$4\times2.9=11.6$
$2.88<□<11.6$이므로 □ 안에 들어갈 수 있는 자연수는 3, 4, 5, 6, 7, 8, 9, 10, 11의 9개입니다.

16 답 31.2 m^2

꽃밭의 넓이는 $12\times6.5=78(m^2)$이고
국화는 꽃밭의 $1-(0.2+0.4)=0.4$만큼 심었습니다.
따라서 국화를 심은 꽃밭의 넓이는
$78\times0.4=31.2(m^2)$입니다.

17 답 345.6 g

(감 한 개의 무게)$=60\times1.6=96$(g)이므로
(바나나 한 개의 무게)$=96\times0.3=28.8$(g)입니다.
따라서 바나나 한 송이의 무게는
$12\times28.8=345.6$(g)입니다.

12 (1보다 작은 소수)×(1보다 작은 소수)

p. 57~59

> 교과서 + 익힘책 유형

01 풀이 참조

02 (1) 0.42 (2) 0.12 (3) 0.092 (4) 0.104

03 풀이 참조 **04** 풀이 참조 **05** (1) $>$ (2) $<$

> 교과서 + 익힘책 응용 유형

06 (1) 0.24, 0.12 (2) 0.07, 0.063

07 ㉠, ㉢, ㉣, ㉡ **08** 0.576

09 ㉡, ㉣ **10** 0.213 **11** 0.225 m^2

> 잘 틀리는 유형

12 0.126 **13** 0.376 m **14** 0.57

15 0.356 m^2 **16** 0.255 **17** 0.552 kg

01 답 풀이 참조

[방법 1] $0.24\times0.3=\dfrac{\boxed{24}}{100}\times\dfrac{\boxed{3}}{10}$

$=\dfrac{\boxed{72}}{1000}=\boxed{0.072}$

[방법 2] $24 \times 3 = 72$

$\downarrow \boxed{\dfrac{1}{100}}$배 $\quad \downarrow \boxed{\dfrac{1}{10}}$배 $\quad \downarrow \boxed{\dfrac{1}{1000}}$배

$0.24 \times 0.3 = \boxed{0.072}$

02 답 (1) 0.42 (2) 0.12 (3) 0.092 (4) 0.104

(1) $0.7\times0.6=\dfrac{7}{10}\times\dfrac{6}{10}$

$=\dfrac{42}{100}=0.42$

(2) $0.4\times0.3=\dfrac{4}{10}\times\dfrac{3}{10}$

$=\dfrac{12}{100}=0.12$

(3) $0.2\times0.46=\dfrac{2}{10}\times\dfrac{46}{100}$

$=\dfrac{92}{1000}=0.092$

(4) $0.13\times0.8=\dfrac{13}{100}\times\dfrac{8}{10}$

$=\dfrac{104}{1000}=0.104$

03 답 풀이 참조

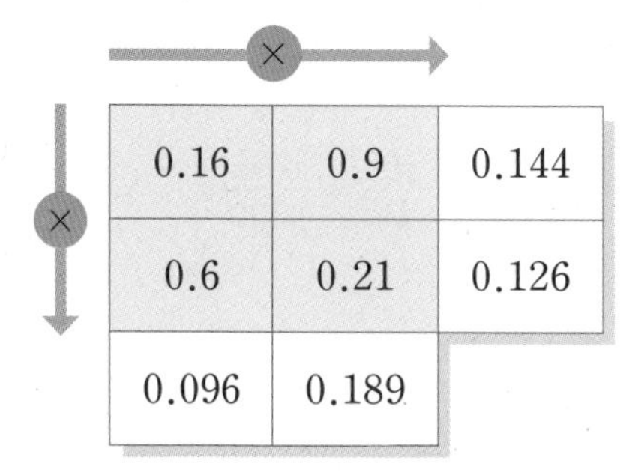

04 답

$0.42\times0.3=\dfrac{42}{100}\times\dfrac{3}{10}=\dfrac{126}{1000}=0.126$

$0.63\times0.5=\dfrac{63}{100}\times\dfrac{5}{10}=\dfrac{315}{1000}=0.315$

$0.6\times0.23=\dfrac{6}{10}\times\dfrac{23}{100}=\dfrac{138}{1000}=0.138$

05 답 (1) $>$ (2) $<$

(1) $0.84\times0.5=\dfrac{84}{100}\times\dfrac{5}{10}=\dfrac{420}{1000}=0.42$

$0.46\times0.9=\dfrac{46}{100}\times\dfrac{9}{10}=\dfrac{414}{1000}=0.414$

따라서 ○ 안에 알맞은 것은 $>$입니다.

(2) $0.16\times0.6=\dfrac{16}{100}\times\dfrac{6}{10}=\dfrac{96}{1000}=0.096$

$0.73\times0.2=\dfrac{73}{100}\times\dfrac{2}{10}=\dfrac{146}{1000}=0.146$

따라서 ○ 안에 알맞은 것은 $<$입니다.

06 답 (1) 0.24, 0.12 (2) 0.07, 0.063

(1) $0.3\times0.8=\dfrac{3}{10}\times\dfrac{8}{10}=\dfrac{24}{100}=0.24$

$0.24\times0.5=\dfrac{24}{100}\times\dfrac{5}{10}=\dfrac{120}{1000}=0.12$

(2) $0.2\times0.35=\dfrac{2}{10}\times\dfrac{35}{100}=\dfrac{70}{1000}=0.07$

$0.07\times0.9=\dfrac{7}{100}\times\dfrac{9}{10}=\dfrac{63}{1000}=0.063$

07 답 ㉠, ㉢, ㉣, ㉡

㉠ $0.72\times0.3=\dfrac{72}{100}\times\dfrac{3}{10}=\dfrac{216}{1000}=0.216$

㉡ $0.45\times0.2=\dfrac{45}{100}\times\dfrac{2}{10}=\dfrac{90}{1000}=0.09$

㉢ $0.6\times0.25=\dfrac{6}{10}\times\dfrac{25}{100}=\dfrac{150}{1000}=0.15$

㉣ $0.28\times0.4=\dfrac{28}{100}\times\dfrac{4}{10}=\dfrac{112}{1000}=0.112$

따라서 계산 결과가 큰 것부터 차례대로 기호를 쓰면 ㉠, ㉢, ㉣, ㉡입니다.

08 답 0.576

가장 큰 수는 0.96이고 가장 작은 수는 0.6입니다.
따라서 가장 큰 수와 가장 작은 수의 곱은
$0.96\times0.6=\frac{96}{100}\times\frac{6}{10}=\frac{576}{1000}=0.576$입니다.

09 답 ㉡, ㉣

㉠ $0.32\times0.4=\frac{32}{100}\times\frac{4}{10}=\frac{128}{1000}=0.128$

㉡ $0.28\times0.6=\frac{28}{100}\times\frac{6}{10}=\frac{168}{1000}=0.168$

㉢ $0.7\times0.08=\frac{7}{10}\times\frac{8}{100}=\frac{56}{1000}=0.056$

㉣ $0.14\times0.8=\frac{14}{100}\times\frac{8}{10}=\frac{112}{1000}=0.112$

따라서 옳게 계산한 것은 ㉡, ㉣입니다.

10 답 0.213

㉠ $0.47\times0.3=\frac{47}{100}\times\frac{3}{10}=\frac{141}{1000}=0.141$

㉡ $0.6\times0.12=\frac{6}{10}\times\frac{12}{100}=\frac{72}{1000}=0.072$

따라서 ㉠과 ㉡을 계산한 값의 합은
$0.141+0.072=0.213$입니다.

11 답 $0.225\ m^2$

(직사각형의 넓이)$=0.5\times0.45$
$=\frac{5}{10}\times\frac{45}{100}=\frac{225}{1000}=0.225$

따라서 직사각형의 넓이는 $0.225\ m^2$입니다.

12 답 0.126

㉠ $0.71\times0.2=\frac{71}{100}\times\frac{2}{10}=\frac{142}{1000}=0.142$

㉡ $0.15\times0.6=\frac{15}{100}\times\frac{6}{10}=\frac{90}{1000}=0.09$

㉢ $0.36\times0.6=\frac{36}{100}\times\frac{6}{10}=\frac{216}{1000}=0.216$

㉣ $0.27\times0.5=\frac{27}{100}\times\frac{5}{10}=\frac{135}{1000}=0.135$

계산 결과가 가장 큰 수는 0.216이고 가장 작은 수는 0.09이므로 $0.216-0.09=0.126$입니다.

13 답 0.376 m

선물을 포장하는 데 전체의 0.6을 사용했으므로 남은 리본은 전체의 $1-0.6=0.4$입니다.
(포장하고 남은 리본의 길이)
$=0.94\times0.4=0.376$(m)
따라서 포장하고 남은 리본의 길이는 0.376 m입니다.

14 답 0.57

어떤 수를 □라고 하면 □$\div0.6=0.95$이므로
□$=0.95\times0.6=\frac{95}{100}\times\frac{6}{10}=\frac{570}{1000}=0.57$
따라서 어떤 수는 0.57입니다.

15 답 $0.356\ m^2$

(색칠한 부분의 넓이)
=(직사각형의 넓이)−(정사각형 4개의 넓이)
(직사각형의 넓이)
$=0.86\times0.6=\frac{86}{100}\times\frac{6}{10}=\frac{516}{1000}=0.516(m^2)$
(정사각형 4개의 넓이)
$=0.2\times0.2\times4=0.04\times4=0.16(m^2)$
따라서 색칠한 부분의 넓이는
$0.516-0.16=0.356(m^2)$입니다.

16 답 0.255

수 카드로 만들 수 있는 1보다 작은 소수 중 가장 큰 소수 두 자리 수는 0.85이고, 가장 작은 소수 한 자리 수는 0.3입니다.
따라서 두 수의 곱은
$0.85\times0.3=\frac{85}{100}\times\frac{3}{10}=\frac{255}{1000}=0.255$입니다.

17 답 0.552 kg

(리본의 무게)
$=0.06\times0.7=\frac{6}{100}\times\frac{7}{10}=\frac{42}{1000}=0.042$(kg)
(철사의 무게)
$=0.85\times0.6=\frac{85}{100}\times\frac{6}{10}=\frac{510}{1000}=0.51$(kg)
따라서 연수가 사용한 리본과 철사의 무게는
$0.042+0.51=0.552$(kg)입니다.

13 (1보다 큰 소수)×(1보다 큰 소수)

p. 61~63

> 교과서 + 익힘책 유형

01 풀이 참조 **02** ㉠, ㉡

03 (1) 4.368 (2) 2.25

04 (1) 35.99 (2) 43.12 (3) 4.104 (4) 6.929

05 풀이 참조 **06** 풀이 참조

> 교과서 + 익힘책 응용 유형

07 ㉣, ㉡, ㉠, ㉢ **08** ㉢

09 (1) 4.76, 12.376 (2) 6.72, 7.056

10 9.792 **11** (1) > (2) <

12 18.784 cm^2

> 잘 틀리는 유형

13 8 **14** 21.45 cm^2

15 91.575 cm^2 **16** ㉡

17 58.88 **18** 5.85 m

01 답 풀이 참조

[방법 1] $5.2\times6.7=\frac{\boxed{52}}{10}\times\frac{\boxed{67}}{10}$

$=\frac{\boxed{3484}}{100}=\boxed{34.84}$

[방법 2] $52 \times 67 = 3484$

$\frac{1}{10}$배, $\frac{1}{10}$배, $\frac{1}{100}$배

$5.2 \times 6.7 = \boxed{34.84}$

02 답 ㉠, ㉡

㉠ 1.9×2.5 ⇨ 2의 2.5배인 5보다 작습니다.
㉡ 3.8×1.2 ⇨ 4의 1.2배인 4.8보다 작습니다.
㉢ 2.1×3.1 ⇨ 2의 3.1배인 6.2보다 큽니다.
따라서 어림하여 계산한 결과가 5보다 작은 것은 ㉠, ㉡입니다.

03 답 (1) 4.368 (2) 2.25

(1) $1.04\times4.2=\frac{104}{100}\times\frac{42}{10}=\frac{4368}{1000}=4.368$

(2) $1.8\times1.25=\frac{18}{10}\times\frac{125}{100}=\frac{2250}{1000}=2.25$

04 답 (1) 35.99 (2) 43.12 (3) 4.104 (4) 6.929

(1) $6.1\times5.9=\frac{61}{10}\times\frac{59}{10}=\frac{3599}{100}=35.99$

(2) $9.8\times4.4=\frac{98}{10}\times\frac{44}{10}=\frac{4312}{100}=43.12$

(3) $1.14\times3.6=\frac{114}{100}\times\frac{36}{10}=\frac{4104}{1000}=4.104$

(4) $1.69\times4.1=\frac{169}{100}\times\frac{41}{10}=\frac{6929}{1000}=6.929$

05 답

$3.26\times5.1=\frac{326}{100}\times\frac{51}{10}=\frac{16626}{1000}=16.626$

$2.4\times1.25=\frac{24}{10}\times\frac{125}{100}=\frac{3000}{1000}=3$

$6.1\times3.75=\frac{61}{10}\times\frac{375}{100}=\frac{22875}{1000}=22.875$

06 답 풀이 참조

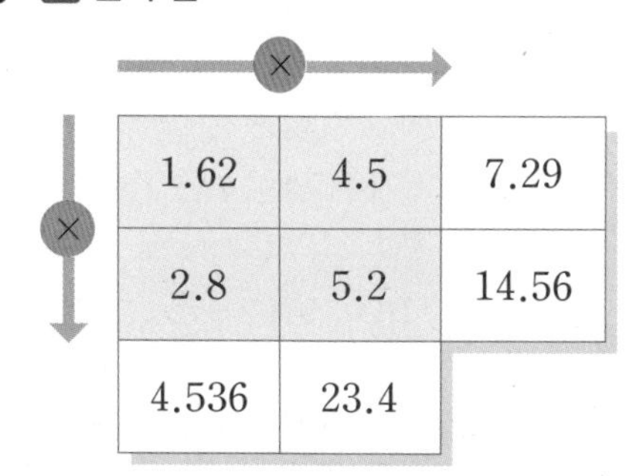

$1.62\times4.5=\frac{162}{100}\times\frac{45}{10}=\frac{7290}{1000}=7.29$

$2.8\times5.2=\frac{28}{10}\times\frac{52}{10}=\frac{1456}{100}=14.56$

$1.62\times2.8=\frac{162}{100}\times\frac{28}{10}=\frac{4536}{1000}=4.536$

$4.5\times5.2=\frac{45}{10}\times\frac{52}{10}=\frac{2340}{100}=23.4$

07 답 ㉣, ㉡, ㉠, ㉢

㉠ $1.24\times4.5=\frac{124}{100}\times\frac{45}{10}=\frac{5580}{1000}=5.58$

㉡ $2.2\times7.4=\frac{22}{10}\times\frac{74}{10}=\frac{1628}{100}=16.28$

㉢ $3.56\times1.3=\frac{356}{100}\times\frac{13}{10}=\frac{4628}{1000}=4.628$

㉣ $3.41\times5.9=\frac{341}{100}\times\frac{59}{10}=\frac{20119}{1000}=20.119$

따라서 계산 결과가 큰 것부터 차례대로 기호를 쓰면 ㉣, ㉡, ㉠, ㉢입니다.

08 답 ㉢

㉠ 2.8×2.3은 3×2.3인 6.9보다 작으므로 10보다 작습니다.

㉡ 4.9의 1.7배는 5의 1.7배인 8.5보다 작으므로 10보다 작습니다.

㉢ 6.1의 2.2는 6의 2.2배인 13.2보다 크므로 10보다 큽니다.

따라서 어림하여 계산한 결과가 10보다 큰 것은 ㉢입니다.

09 답 (1) 4.76, 12.376 (2) 6.72, 7.056

(1) $1.4\times3.4=\frac{14}{10}\times\frac{34}{10}=\frac{476}{100}=4.76$

$4.76\times2.6=\frac{476}{100}\times\frac{26}{10}=\frac{12376}{1000}=12.376$

(2) $2.1\times3.2=\frac{21}{10}\times\frac{32}{10}=\frac{672}{100}=6.72$

$6.72\times1.05=\frac{672}{100}\times\frac{105}{100}=\frac{70560}{10000}=7.056$

10 답 9.792

가장 큰 수는 6.12이고 가장 작은 수는 1.6입니다.

따라서 두 수의 곱은

$6.12\times1.6=\frac{612}{100}\times\frac{16}{10}=\frac{9792}{1000}=9.792$입니다.

11 답 (1) $>$ (2) $<$

(1) $7.4\times5.3=\frac{74}{10}\times\frac{53}{10}=\frac{3922}{100}=39.22$

$6.7\times2.3=\frac{67}{10}\times\frac{23}{10}=\frac{1541}{100}=15.41$

따라서 ○ 안에 알맞은 것은 $>$입니다.

(2) $3.66\times2.7=\frac{366}{100}\times\frac{27}{10}=\frac{9882}{1000}=9.882$

$8.28\times1.2=\frac{828}{100}\times\frac{12}{10}=\frac{9936}{1000}=9.936$

따라서 ○ 안에 알맞은 것은 $<$입니다.

12 답 $18.784\ \text{cm}^2$

(평행사변형의 넓이)

$=3.2\times5.87=\frac{32}{10}\times\frac{587}{100}$

$=\frac{18784}{1000}=18.784(\text{cm}^2)$

따라서 평행사변형의 넓이는 $18.784\ \text{cm}^2$입니다.

13 답 8

$3.2\times2.65=8.48$

$8.48>\square$이므로 □ 안에 들어갈 수 있는 가장 큰 자연수는 8입니다.

14 답 $21.45\ \text{cm}^2$

(색칠한 부분의 넓이)

=(직사각형의 넓이)−(삼각형 2개의 넓이)

(직사각형의 넓이)

$=6.1\times4.5=27.45(\text{cm}^2)$

(삼각형 2개의 넓이)

$=(2\times3\div2)\times2=6(\text{cm}^2)$

따라서 색칠한 부분의 넓이는

$27.45-6=21.45(\text{cm}^2)$입니다.

15 답 $91.575\ \text{cm}^2$

(색종이 1장의 넓이)$=5.5\times3.7=20.35(\text{cm}^2)$

따라서 색종이 4.5장을 붙인 넓이는

$20.35\times4.5=91.575(\text{cm}^2)$입니다.

16 답 ㉡

㉠ $6.3\times7.8\times1.2=58.968$

㉡ $9.8\times2.5\times3.7=90.65$

따라서 계산 결과가 큰 것은 ㉡입니다.

17 답 58.88

소수 한 자리 수인 소수 두 개를 곱하였을 때 일의 자리가 클수록 곱이 커지므로 두 소수를 9.□, 6.□라고 할 수 있습니다.

나머지 수 카드를 빈 자리에 넣고 계산하면

$9.2\times6.4=58.88$

$9.4\times6.2=58.28$

따라서 나올 수 있는 가장 큰 곱은 58.88입니다.

18 답 5.85 m

(평화가 뛴 거리)$=2.5\times1.3=3.25(\text{m})$

(효선이가 뛴 거리)$=3.25\times1.8=5.85(\text{m})$

따라서 효선이가 뛴 거리는 5.85 m입니다.

14 곱의 소수점 위치

p. 65~67

>교과서 + 익힘책 유형

01 풀이 참조　02 오른쪽

03 0.16, 0.384　04 ㉡

05 (1) 19880 (2) 1.988

06 (1) 1.809 (2) 1.809

>교과서 + 익힘책 응용 유형

07 ㉡, ㉣, ㉢, ㉠　08 풀이 참조

09 ㉢

10 (1) 5281, 528.1 (2) 1.801, 1801

11 1000배　12 준원, 1.7 cm

>잘 틀리는 유형

13 695　14 ③

15 152.7원　16 태호, 244.6 g

17 대한, 만세　18 23400 g

01 답 풀이 참조

(1) $0.68\times10=\frac{68}{100}\times10=\frac{\boxed{680}}{100}=\boxed{6.8}$

(2) $0.68\times100=\frac{68}{100}\times100=\frac{\boxed{6800}}{100}=\boxed{68}$

(3) $0.68\times1000=\frac{68}{100}\times1000=\frac{\boxed{68000}}{100}=\boxed{680}$

02 답 오른쪽

곱하는 수의 0의 개수만큼 소수점이 (왼쪽, (오른쪽)) 으로 옮겨집니다.

03 답 0.16, 0.384

3.84는 384의 0.01배이고 0.6144는 6144의 0.0001배이므로 □ 안에 알맞은 수는 16의 0.01배인 0.16입니다.

1600은 16의 100배이고 614.4는 6144의 0.1배이므로 □ 안에 알맞은 수는 384의 0.001배인 0.384 입니다.

04 답 ㉡

㉠ 63의 0.1배 ⇨ 6.3

㉡ 6300의 0.01 ⇨ 63

㉢ 0.63×10 ⇨ 6.3

따라서 계산 결과가 다른 것은 ㉡입니다.

05 답 (1) 19880 (2) 1.988

(1) 2800은 28의 100배이므로 7.1×2800은 198.8의 100배인 19880입니다.

(2) 0.071은 7.1의 0.01배이므로 0.071×28은 198.8의 0.01배인 1.988입니다.

06 답 (1) 1.809 (2) 1.809

(1) 6.7은 67의 0.1배이고 0.27은 27의 0.01배이므로 6.7×0.27은 1809의 0.001배인 1.809입니다.

(2) 0.67은 67의 0.01배이고 2.7은 27의 0.1배이므로 0.67×2.7은 1809의 0.001배인 1.809입니다.

07 답 ㉡, ㉣, ㉢, ㉠

㉠ $623\times\boxed{0.001}=0.623$

㉡ $3.72\times\boxed{1000}=3720$

㉢ $92.14\times\boxed{0.01}=0.9214$

㉣ $463.9\times\boxed{0.1}=46.39$

따라서 □ 안에 알맞은 수가 큰 것부터 차례대로 기호를 쓰면 ㉡, ㉣, ㉢, ㉠입니다.

08 답

$912\times0.01=9.12$

$91.2\times0.01=0.912$

$9.12\times0.01=0.0912$

09 답 ㉢

㉠ $0.721\times100=72.1$

㉡ $72.1\times0.01=0.721$

㉢ $72.1\times0.1=7.21$

㉣ $0.0721\times10=0.721$

따라서 계산 결과가 7.21인 것은 ㉢입니다.

10 답 (1) 5281, 528.1 (2) 1.801, 1801
(1) $52.81 \times 100 = 5281$
$5281 \times 0.1 = 528.1$
(2) $180.1 \times 0.01 = 1.801$
$1.801 \times 1000 = 1801$

11 답 1000배
$26.76 \times 0.1 = 2.676$이므로 ㉠$= 0.1$
$104.2 \times 100 = 10420$이므로 ㉡$= 100$
따라서 ㉡에 알맞은 수는 ㉠에 알맞은 수의 1000배입니다.

12 답 준원, 1.7 cm
1 m는 100 cm이므로 준원이가 키운 꽃은
$0.373 \times 100 = 37.3$(cm)만큼 자랐습니다.
따라서 준원이가 키운 꽃이 효선이가 키운 꽃보다
$37.3 - 35.6 = 1.7$(cm) 더 많이 자랐습니다.

13 답 695
어떤 수를 □라고 하면 $\square \times 0.1 = 6.95$이므로
$\square = 69.5$입니다.
따라서 바르게 계산하면 $69.5 \times 10 = 695$입니다.

14 답 ③
① $0.0481 \times 1000 = 48.1$
② $0.481 \times 100 = 48.1$
③ $4.81 \times 100 = 481$
④ $4810 \times 0.01 = 48.1$
⑤ $481 \times 0.1 = 48.1$
따라서 계산 결과가 다른 것은 ③입니다.

15 답 152.7원
100 mL$= 0.1$ L입니다.
따라서 휘발유 100 mL의 값은
$1527 \times 0.1 = 152.7$(원)입니다.

16 답 태호, 244.6 g
(민지가 산 사탕의 무게)
$= 29.14 \times 10 = 291.4$(g)
(태호가 산 사탕의 무게)
$= 5.36 \times 100 = 536$(g)
상자의 무게는 같으므로 태호의 사탕 상자가
$536 - 291.4 = 244.6$(g) 더 무겁습니다.

17 답 대한, 만세
0.749의 100배 ⇨ 74.9
0.0749×1000 ⇨ 74.9
7490의 0.001 ⇨ 7.49
따라서 바르게 계산한 친구는 대한, 만세입니다.

18 답 23400 g
(연필의 무게)$= 17.3 \times 100 = 1730$(g)
(색연필의 무게)$= 21.67 \times 1000 = 21670$(g)
따라서 보낸 선물의 무게는
$1730 + 21670 = 23400$(g)입니다.

p. 68

실생활에서의 소수의 곱셈

[1] 5 %는 0.05이므로 10000원을 1년에 이자율 5 %인 은행에 2년 예금했을 때 2년 후의 예금액은
$10000 \times 1.05 \times 1.05 = 11025$(원)입니다.

[2] 8 %는 0.08이므로 50000원을 1년에 이자율 8 %인 은행에 2년 예금했을 때 2년 후의 예금액은
$50000 \times 1.08 \times 1.08 = 58320$(원)입니다.

[3] 20 %는 0.2이므로 200000원을 1년에 이자율 20 %인 은행에 3년 예금했을 때 3년 후의 예금액은
$200000 \times 1.2 \times 1.2 \times 1.2 = 345600$(원)입니다.

답 [1] 11025원 [2] 58320원 [3] 345600원

5 ::: 직육면체

15 직육면체와 정육면체

p. 71~73

> 교과서 + 익힘책 유형

01 (순서대로) 면, 모서리, 꼭짓점
02 풀이 참조 03 (위에서부터) ○, ×, ○
04 풀이 참조 05 ㉢, ㉤, ㉦ 06 ㉤
07 17, 17, 17, 17

> 교과서 + 익힘책 응용 유형

08 18 09 12 cm 10 3배
11 2 12 10
13 슬기: ㉡, 보람: ㉠

> 잘 틀리는 유형

14 16 15 5 16 4
17 ㉠, ㉡, ㉢ 18 영미 19 80 cm

02 답 풀이 참조

	면의 수	모서리의 수	꼭짓점의 수	면의 모양
직육면체	6	12	8	직사각형
정육면체	6	12	8	정사각형

03 답 (위에서부터) ○, ×, ○

정육면체를 이루는 모든 면은 정사각형이므로 모든 정육면체는 직육면체라고 할 수 있습니다.
직육면체의 면의 모양은 직사각형이므로 정사각형이 아닐 수도 있습니다.
또한, 직육면체와 정육면체의 모서리의 개수는 12개로 같습니다.

04 답 풀이 참조

예

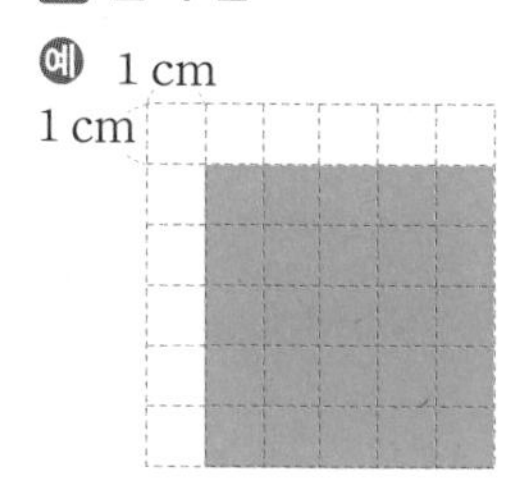

05 답 ㉢, ㉤, ㉦

직육면체는 직사각형 6개로 둘러싸인 도형입니다.
따라서 직육면체인 것을 모두 찾으면 ㉢, ㉤, ㉦입니다.

06 답 ㉤

직육면체 중에서 정사각형 6개로 둘러싸인 도형을 정육면체라고 합니다.
따라서 정육면체는 ㉤입니다.

07 답 17, 17, 17, 17

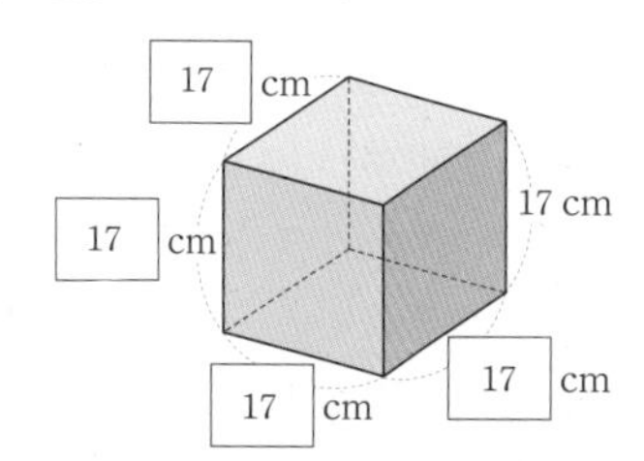

정육면체의 모서리의 길이는 모두 같으므로 □ 안에 알맞은 수는 모두 17입니다.

08 답 18

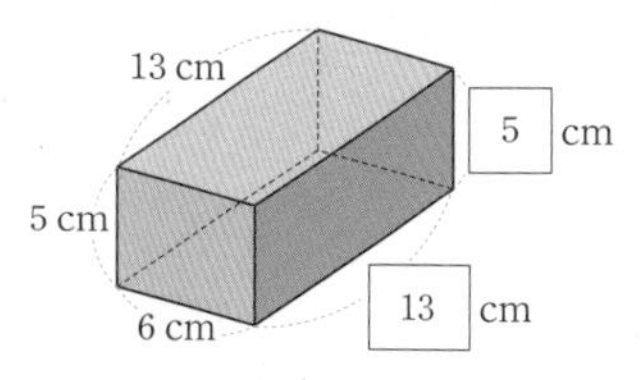

직육면체에서 서로 평행한 모서리의 길이는 같습니다.
따라서 빈칸에 알맞은 수의 합은 $5+13=18$입니다.

09 답 12 cm

정육면체의 모서리의 길이는 모두 같습니다. 또한 모서리의 수는 12개이므로
(한 모서리의 길이)$=144\div12=12$(cm)입니다.

10 답 3배

직육면체의 모서리는 12개입니다. 또한, 한 면의 꼭짓점은 4개입니다.
따라서 모서리의 수는 한 면의 꼭짓점의 수의 3배입니다.

11 답 2

직육면체에서 보이지 않는 모서리는 3개이고 보이지 않는 꼭짓점은 1개입니다.
따라서 보이지 않는 모서리의 수와 보이지 않는 꼭짓점의 수의 차는 $3-1=2$입니다.

12 답 10

㉠ 정육면체의 면의 수 ⇨ 6
㉡ 직육면체의 모서리의 수 ⇨ 12
㉢ 정육면체의 꼭짓점의 수 ⇨ 8
따라서 ㉠+㉡−㉢$=6+12-8=10$입니다.

13 답 슬기: ㉡, 보람: ㉠

모양과 크기가 같은 면이 3쌍인 직육면체는 ㉡입니다. 또한, 모든 면이 정사각형인 직육면체는 정육면체이므로 ㉠입니다.
따라서 슬기는 도형 ㉡, 보람이는 도형 ㉠을 가지고 있습니다.

14 답 16

직육면체에서 서로 평행한 모서리의 길이는 같습니다.
길이가 7 cm인 모서리는 4개이므로 ㉠$=4$입니다.
또한, 정육면체는 모든 모서리의 길이가 같습니다.
길이가 7 cm인 모서리의 개수는 12개이므로 ㉡$=12$입니다.
따라서 ㉠과 ㉡의 합은 $12+4=16$입니다.

15 답 5

직육면체에서 길이가 같은 모서리는 4개씩 3쌍이 있으므로 직육면체의 모든 모서리의 길이의 합은
$(8+4+\square)\times 4=68$(cm)입니다.
$8+4+\square=17$, $\square=5$
따라서 □ 안에 알맞은 수는 5입니다.

16 답 4

넓이가 12 cm^2인 면은 4개이므로 ㉠$=4$
길이가 3 cm인 모서리는 8개이므로 ㉡$=8$
따라서 ㉠과 ㉡의 차는 $8-4=4$입니다.

17 답 ㉠, ㉡, ㉢

㉠ 직육면체의 모서리의 수 ⇨ 12
㉡ 한 모서리의 길이가 0.9인 정육면체의 모서리의 길이의 합 ⇨ $0.9\times 12=10.8$
㉢ 정육면체의 합동인 면의 수 ⇨ 6
따라서 설명하는 수가 큰 것부터 차례대로 기호를 쓰면 ㉠, ㉡, ㉢입니다.

18 답 영미

직육면체는 직사각형 6개로 둘러싸인 도형이므로 모든 면이 합동이 아닐 수도 있습니다.
따라서 잘못 설명한 친구는 영미입니다.

19 답 80 cm

끈으로 상자를 두르는 데 10 cm씩 2번, 4 cm씩 2번, 7 cm씩 4번을 둘렀습니다.
따라서 필요한 끈의 길이는
$10\times 2+4\times 2+7\times 4+24=80$(cm)입니다.

16 직육면체의 성질과 겨냥도

p. 75~77

> 교과서 + 익힘책 유형

01 풀이 참조

02 (1) 면 ㄱㄴㅂㅁ

(2) 면 ㄱㄴㄷㄹ, 면 ㄱㅁㅇㄹ, 면 ㄴㅂㅅㄷ, 면 ㅁㅂㅅㅇ

(3) 면 ㄱㄴㄷㄹ, 면 ㄴㅂㅅㄷ, 면 ㄷㅅㅇㄹ

03 풀이 참조 **04** (순서대로) 실선, 점선, 겨냥도

05 풀이 참조

06 모서리 ㄹㅇ, 모서리 ㅅㅇ, 모서리 ㅁㅇ

> 교과서 + 익힘책 응용 유형

07 7	**08** 26 cm	**09** 19 cm
10 ㉠, ㉢	**11** ㉢	**12** ④, ⑤

> 잘 틀리는 유형

13 10	**14** ③	**15** 3
16 영미	**17** 38 cm	**18** 3가지

01 답 풀이 참조

(1) 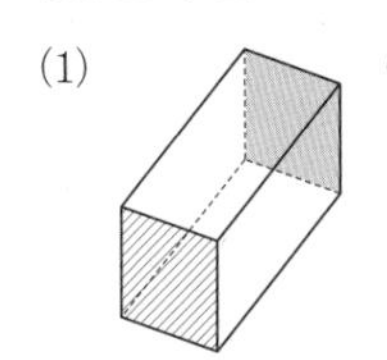 (2) 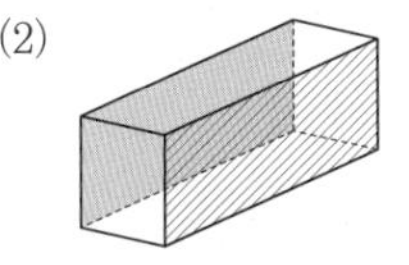 (3) 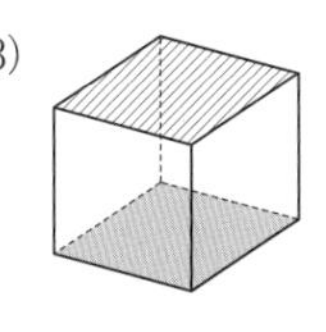

02 답 (1) 면 ㄱㄴㅂㅁ

(2) 면 ㄱㄴㄷㄹ, 면 ㄱㅁㅇㄹ, 면 ㄴㅂㅅㄷ, 면 ㅁㅂㅅㅇ

(3) 면 ㄱㄴㄷㄹ, 면 ㄴㅂㅅㄷ, 면 ㄷㅅㅇㄹ

(1) 직육면체에서 색칠한 면과 평행한 면은 면 ㄱㄴㅂㅁ

(2) 직육면체에서 색칠한 면과 수직인 면은 면 ㄱㄴㄷㄹ, 면 ㄱㅁㅇㄹ, 면 ㄴㅂㅅㄷ, 면 ㅁㅂㅅㅇ

(3) 직육면체에서 꼭짓점 ㄷ과 만나는 면은 면 ㄱㄴㄷㄹ, 면 ㄴㅂㅅㄷ, 면 ㄷㅅㅇㄹ

03 답 풀이 참조

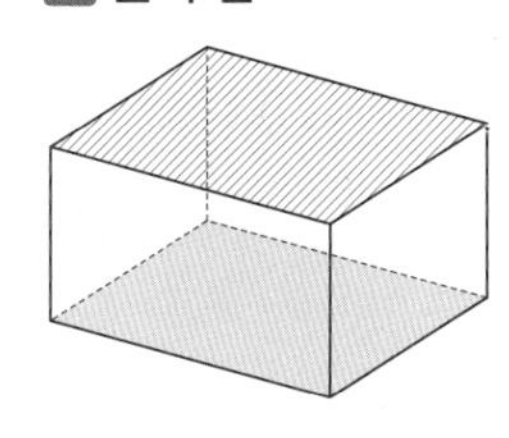

색칠한 면이 밑면일 때, 평행한 면이 보이는 밑면입니다.

05 답 풀이 참조

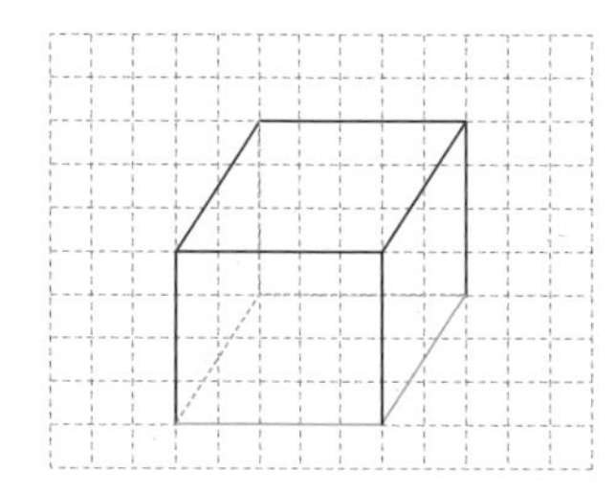

보이는 모서리는 실선으로, 보이지 않는 모서리는 점선으로 그립니다.

06 답 모서리 ㄹㅇ, 모서리 ㅅㅇ, 모서리 ㅁㅇ

직육면체의 겨냥도에서 보이지 않는 모서리는 점선으로 그려진 모서리입니다.
따라서 보이지 않는 모서리는
모서리 ㄹㅇ, 모서리 ㅅㅇ, 모서리 ㅁㅇ입니다.

07 답 7

㉠ 색칠한 면과 수직인 면의 수 ⇨ 4
㉡ 꼭짓점 ㄱ과 만나는 면의 수 ⇨ 3
따라서 ㉠과 ㉡의 합은 7입니다.

08 답 26 cm

면 ㄷㅅㅇㄹ과 평행한 면은 면 ㄴㅂㅁㄱ입니다.
면 ㄴㅂㅁㄱ의 모서리의 길이는 7 cm, 6 cm, 7 cm, 6 cm이므로 모서리의 길이의 합은
$7+6+7+6=26$(cm)입니다.

09 답 19 cm

보이지 않는 모서리의 길이는 10 cm, 4 cm, 5 cm입니다.
따라서 보이지 않는 모서리의 길이의 합은
$10+4+5=19$(cm)입니다.

10 답 ㉠, ㉢

색칠한 면과 수직인 면을 모두 찾으면 ㉠, ㉢입니다.

11 답 ㉢

보이는 면은 3개이므로 ㉠=3
보이지 않는 면은 3개이므로 ㉡=3
보이는 모서리는 9개이므로 ㉢=9
보이지 않는 모서리는 3개이므로 ㉣=3
따라서 가장 큰 수는 ㉢입니다.

12 답 ④, ⑤

보이는 모서리를 실선으로, 보이지 않는 모서리를 점선으로 그린 직육면체의 겨냥도는 ④, ⑤입니다.

13 답 10

직육면체에서 한 면과 수직으로 만나는 면은 모두 4개입니다.

직육면체에서 한 꼭짓점과 만나는 면은 모두 3개입니다.

직육면체에서 서로 마주 보고 있는 면은 모두 3쌍입니다.

따라서 □ 안에 알맞은 수의 합은 $4+3+3=10$입니다.

14 답 ③

① 면 ㄱㅁㅂㄴ과 면 ㄴㅂㅅㄷ은 수직입니다.

② 면 ㄱㄴㄷㄹ과 면 ㄹㅇㅅㄷ은 수직입니다.

③ 면 ㅁㅂㅅㅇ과 면 ㄱㄴㄷㄹ은 평행합니다.

④ 면 ㄴㅂㅅㄷ과 면 ㄹㅇㅅㄷ은 수직입니다.

⑤ 면 ㄱㅁㅇㄹ과 면 ㄱㄴㄷㄹ은 수직입니다.

따라서 면 사이의 관계가 다른 하나는 ③입니다.

15 답 3

눈의 수가 1인 면과 평행인 면의 눈의 수: 6

눈의 수가 3인 면과 평행인 면의 눈의 수: 4

따라서 ㉠에 올 수 있는 눈의 수는 2 또는 5이므로 차는 $5-2=3$입니다.

16 답 영미

보이는 꼭짓점은 7개입니다.

따라서 잘못 설명한 친구는 영미입니다.

17 답 38 cm

보이는 모서리의 길이는 11 cm가 3개, 5 cm가 3개, 3 cm가 3개이므로 보이는 모서리의 길이의 합은 $11\times3+5\times3+3\times3=57$(cm)

보이지 않는 모서리의 길이는 11 cm가 1개, 5 cm가 1개, 3 cm가 1개이므로 보이지 않는 모서리의 길이의 합은 $11+5+3=19$(cm)

따라서 보이는 모서리의 길이의 합과 보이지 않는 모서리의 길이의 합의 차는 $57-19=38$(cm)입니다.

18 답 3가지

직육면체에서 서로 평행한 면은 3쌍입니다.

따라서 큐브에 칠해진 색은 모두 3가지입니다.

17 정육면체와 직육면체의 전개도

p. 79~81

> 교과서 + 익힘책 유형

01 풀이 참조 **02** 풀이 참조

03 (1) 선분 ㅌㅍ (2) 선분 ㅇㅅ

04 풀이 참조 **05** 풀이 참조

> 교과서 + 익힘책 응용 유형

06 풀이 참조 **07** 10개 **08** 민주

09 면 ㄹㅁㅂㅅ **10** 풀이 참조 **11** 풀이 참조

> 잘 틀리는 유형

12 풀이 참조 **13** 9 **14** 14

15 서진, 민주

01 답 풀이 참조

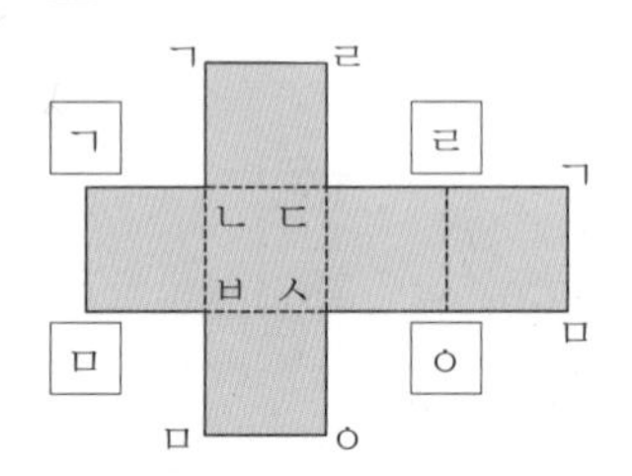

전개도를 접었을 때 만나는 점끼리 같은 기호를 써넣습니다.

02 답 풀이 참조

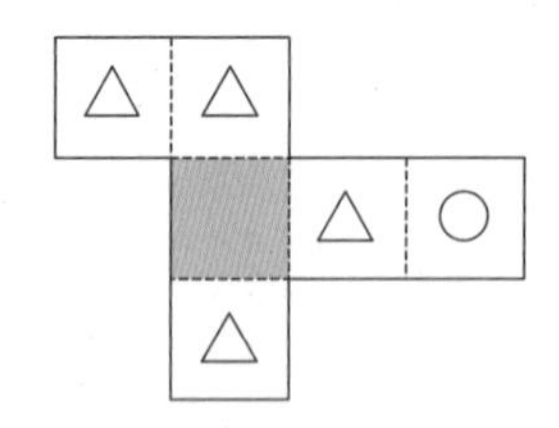

03 답 (1) 선분 ㅌㅍ (2) 선분 ㅇㅅ

(1) 전개도를 접었을 때 선분 ㅌㅋ은 선분 ㅌㅍ을 만나 한 모서리가 됩니다.

(2) 전개도를 접었을 때 선분 ㄹㅁ은 선분 ㅇㅅ을 만나 한 모서리가 됩니다.

04 답 풀이 참조

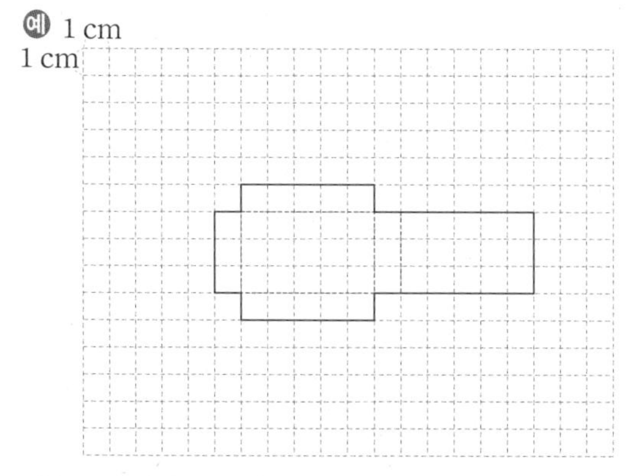

마주 보는 면 3쌍의 모양과 크기가 같고 서로 겹치는 면이 없으며 만나는 모서리의 길이가 같도록 전개도를 그립니다.

05 답 풀이 참조

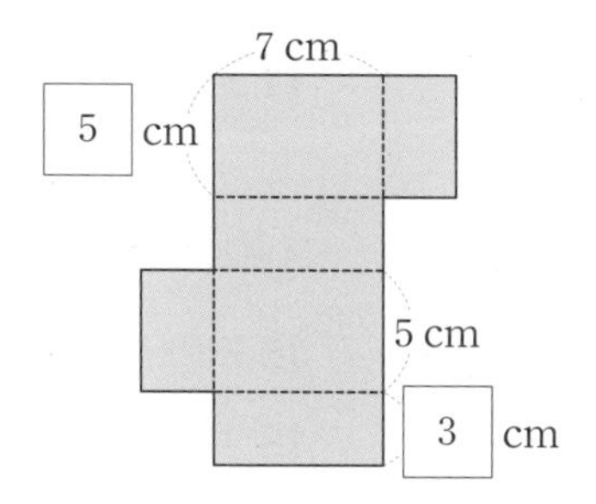

전개도를 접었을 때 겨냥도의 모양과 일치하도록 선분의 길이를 써넣습니다.

06 답 풀이 참조

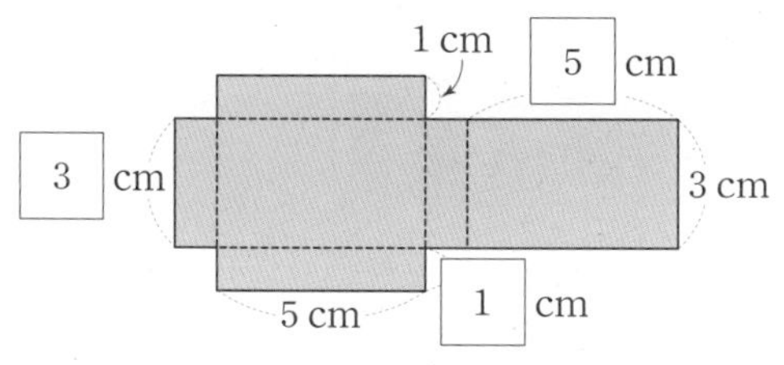

전개도를 접었을 때 만나는 모서리의 길이가 같도록 선분의 길이를 써넣습니다.

07 답 10개

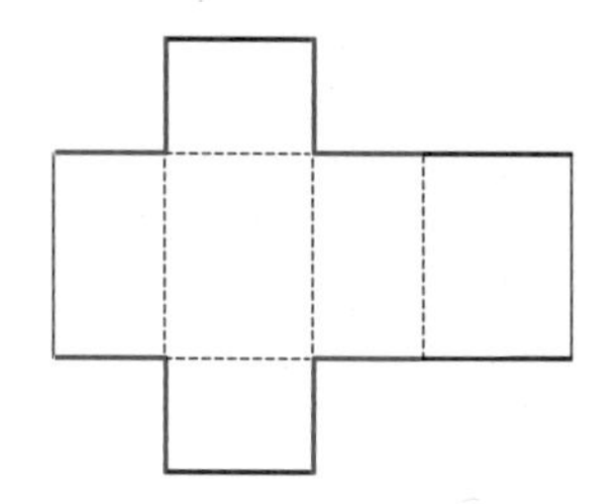

빨간 선분과 길이가 같은 선분은 7개, 파란 선분과 길이 같은 선분은 3개입니다.
따라서 실선으로 그려진 부분 중에서 빨간 선분과 길이가 같은 선분의 개수와 파란 선분과 길이가 같은 선분의 개수의 합은 $7+3=10$(개)입니다.

08 답 민주

민주가 그린 전개도는 전개도를 접었을 때 겹치는 면이 있습니다.
따라서 전개도를 잘못 그린 친구는 민주입니다.

09 답 면 ㄹㅁㅂㅅ

전개도를 접었을 때 면 ㄱㄴㅍㅎ과 만나지 않는 면은 면 ㄱㄴㅍㅎ과 평행한 면입니다.
따라서 만나지 않는 면은 면 ㄹㅁㅂㅅ입니다.

10 답 풀이 참조

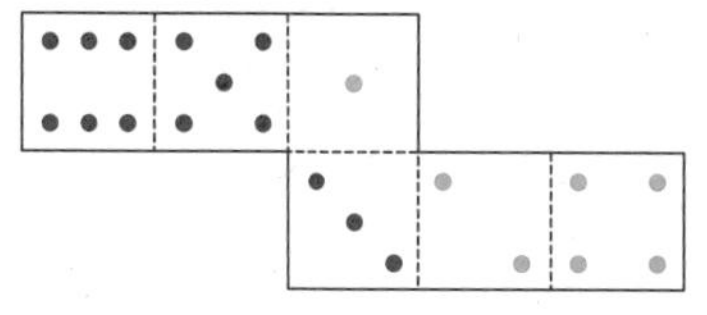

전개도를 접었을 때 눈이 그려진 면과 평행한 면을 찾아 두 눈의 수의 합이 7이 되도록 눈을 그려 넣습니다.

11 답 풀이 참조

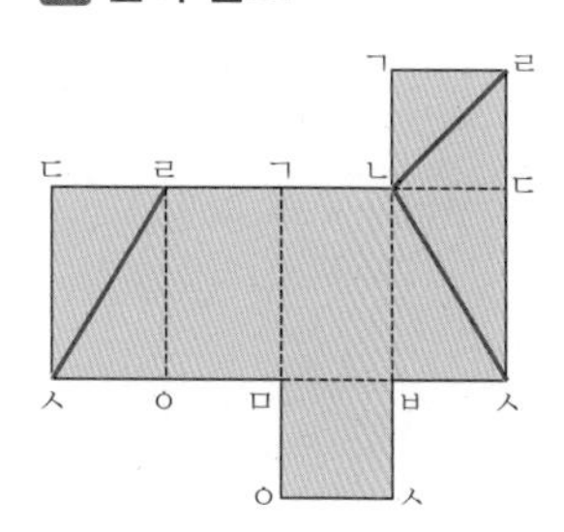

면 ㄱㄴㄷㄹ을 기준으로 각 꼭짓점을 전개도에 나타낸 후 점 ㄴ과 점 ㅅ, 점 ㄹ과 점 ㅅ을 잇습니다.

12 답 풀이 참조

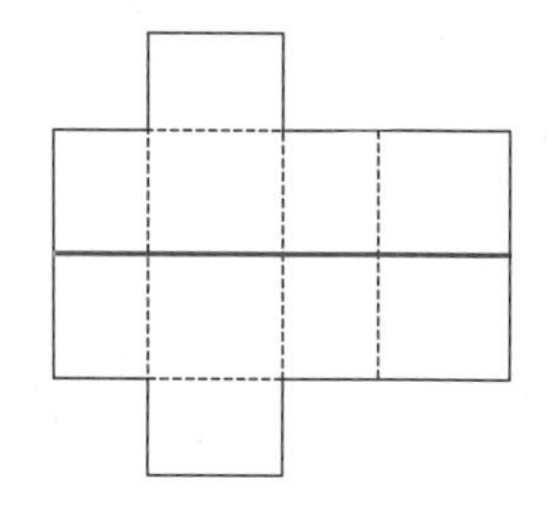

13 답 9

전개도를 접었을 때 면 ㉠과 3의 눈이 그려진 면이 평행하고 면 ㉡과 2의 눈이 그려진 면이 평행합니다.
따라서 ㉠$=4$이고 ㉡$=5$이므로 면 ㉠과 면 ㉡의 눈의 수의 합은 $4+5=9$입니다.

14 답 14

주사위에서 보이지 않는 면에 있는 눈의 수는 1, 2, 4와 각각 더해서 7이 되는 수입니다.

따라서 보이지 않는 면에 있는 수는 3, 5, 6이므로 $3+5+6=14$입니다.

15 답 서진, 민주

주어진 전개도는 겹치는 면이 없지만, 만나는 모서리의 길이가 다릅니다.

또한, 크기와 모양이 같은 면이 3개씩 있기 때문에 마주 보는 면 3쌍의 모양과 크기가 같지 않습니다.

따라서 직육면체의 전개도를 잘못 그린 이유를 바르게 설명한 친구는 서진, 민주입니다.

6 ::: 평균과 가능성

18 평균 구하기

p. 85~87

> 교과서 + 익힘책 유형

01 풀이 참조 **02** 풀이 참조 **03** 풀이 참조

04 2 L **05** 22번 **06** 23번

> 교과서 + 익힘책 응용 유형

07 소라, 승현 **08** 예나, 경식, 희수, 정민

09 35분 **10** 2분 **11** 1

12 다, 라, 마

> 잘 틀리는 유형

13 55 **14** 420쪽 **15** 지민

16 66 **17** 83점 **18** 2 m

01 답 풀이 참조

희민이의 독서량

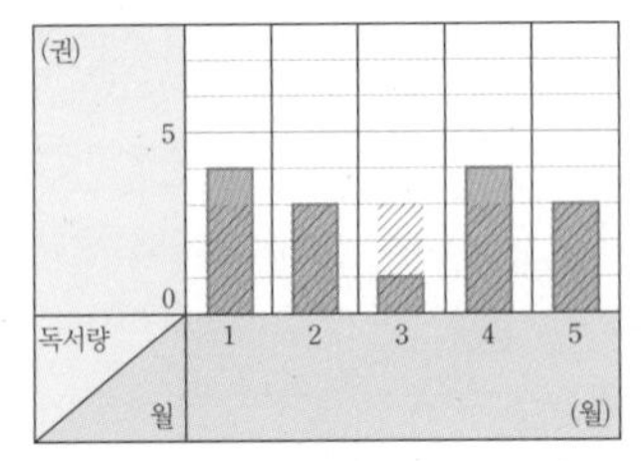

지난 1월부터 5월까지의 희민이의 독서량에 맞게 막대그래프로 나타낸 후, 1월과 4월의 한 칸씩을 3월로 옮기면 막대의 높이가 고르게 됩니다.

02 답 풀이 참조

$$(\text{평균})=\frac{4+3+1+4+3}{1}=\frac{\boxed{15}}{5}=\boxed{3}(\text{권})$$

03 답 풀이 참조

[방법 1]

평균을 15로 예상한 후 (20, 10), (17, 13), (15, 15)로 수를 옮기고 짝 지어 20의 $\boxed{5}$를 10에 나누어 주고, 17의 $\boxed{2}$를 13에 나누어 주어 자료의 값을 고르게 하여 구한 평균은 $\boxed{15}$입니다.

[방법 2]

$(평균)=\frac{20+13+10+17+15+15}{1}$

$=\frac{\boxed{90}}{6}=\boxed{15}$

04 답 2 L

$(평균)=\frac{1.5+2+1+3+3.2+1.3}{6}=\frac{12}{6}=2(L)$

따라서 음료수를 6개의 컵에 똑같이 담으면 한 컵에 2 L씩 담깁니다.

05 답 22번

$(평균)=\frac{30+11+26+17+21+27}{6}=\frac{132}{6}$

$=22(번)$

따라서 나래의 월요일부터 토요일까지의 줄넘기 기록의 평균은 22번입니다.

06 답 23번

토요일까지의 줄넘기 기록의 평균은 22번입니다.
따라서 일요일까지의 평균 기록이 토요일까지의 평균 기록보다 높으려면 일요일에 22번보다 높은 기록을 내야 하므로 적어도 23번의 기록을 내야 합니다.

07 답 소라, 승현

(소라네 모둠 친구들 키의 평균)

$=\frac{159.5+150+157.7+148.3+151.5+145}{6}$

$=152(cm)$

이므로 소라네 모둠에서 평균보다 키가 큰 친구는 소라, 승현입니다.

08 답 예나, 경식, 희수, 정민

소라네 모둠 친구들 키의 평균이 152 cm이므로 평균보다 키가 작은 친구는 예나, 경식, 희수, 정민입니다.

09 답 35분

은비는 운동을 어제는 30분, 오늘은 25분 했습니다.
따라서 평균 운동 시간이 30분이 되려면 내일은 운동을 35분 해야 합니다.

10 답 2분

영미가 풀어야 하는 수학 문제 수는
$12\times10=120$(개)입니다. 1시간은 60분이므로 영미는 수학 문제 1개를 평균 $240\div120=2$(분) 동안 풀어야 합니다.

11 답 1

명수네 모둠 수학 시험 점수의 평균은

$\frac{60+95+90+80+55}{5}=76$(점)이므로 ㉠$=76$

입니다.

가장 높은 점수와 가장 낮은 점수의 평균은

$\frac{95+55}{2}=75$(점)이므로 ㉡$=75$입니다.

따라서 두 수의 차는 ㉠$-$㉡$=76-75=1$입니다.

12 답 다, 라, 마

판매량의 평균은

$\frac{153+235+276+380+308+250}{6}=267$(개)

입니다.

따라서 더 많이 생산해야 하는 과자는 다, 라, 마입니다.

13 답 55

2일과 4일의 강수량은 $\boxed{25}$ mm로 같고 1일의 강수량에서 $\boxed{5}$ mm를 빼서 3일의 강수량에 더해 주면 4일 동안의 평균 강수량은 $\boxed{25}$ mm입니다.
따라서 빈칸에 알맞은 수의 합은 $25+5+25=55$입니다.

14 답 420쪽

서진이가 하루에 읽은 평균 쪽수는

$\frac{42+21+38+15+32+20}{6}=28$(쪽)입니다.

따라서 서진이가 하루에 읽은 평균 쪽수로 15일 동안 책을 읽는다면 $28\times15=420$(쪽)을 읽을 수 있습니다.

15 답 지민

지민이는 하루에 평균 $\frac{266}{7}=38$(쪽) 읽었고

민주는 하루에 평균 $\frac{330}{10}=33$(쪽) 읽었습니다.

따라서 지민이가 더 빨리 읽는 편입니다.

16 답 66

66★38은 (66+38)과 (66−38)의 평균이므로

$\frac{(66+38)+(66-38)}{2}=\frac{104+28}{2}=66$입니다.

따라서 66★38=66입니다.

17 답 83점

1단원 점수는 70+12=82(점), 3단원 점수는 82+15=97(점)입니다.

따라서 3단원까지의 평균 점수는

$\frac{82+70+97}{3}=83$(점)입니다.

18 답 2 m

1 m짜리 리본을 가지고 온 학생은 3명

⇨ 리본 길이의 합은 3 m

2 m짜리 리본을 가지고 온 학생은 4명

⇨ 리본 길이의 합은 8 m

3 m짜리 리본을 가지고 온 학생은 3명

⇨ 리본 길이의 합은 9 m

수랑이네 반 학생들이 가지고 온 리본 길이의 합은 3+8+9=20(m)이고, 학생 수의 합은 3+4+3=10(명)입니다.

따라서 학생 한 명이 가져온 리본의 평균 길이는

$\frac{20}{10}=2$(m)입니다.

19 평균 이용하기

p. 89~91

> 교과서 + 익힘책 유형

01 우주, 8번 **02** 14번 **03** 570 cm

04 (1) = (2) > **05** 30세 **06** 51 kg

> 교과서 + 익힘책 응용 유형

07 철수네 가족 **08** 38번

09 수학: 91.5점, 과학: 81.5점 **10** 준서네 마을

11 148 cm **12** 1340000원

> 잘 틀리는 유형

13 12명 **14** (왼쪽에서부터) 80, 100

15 68점 **16** 은희네 학교

17 1회: 76점, 2회: 94점, 3회: 91점

18 104 cm

01 답 우주, 8번

예서의 윗몸일으키기 평균 기록은

$\frac{12+15+9+19+25}{5}=16$(번)

우주의 윗몸일으키기 평균 기록은

$\frac{33+26+21+20+20}{5}=24$(번)

따라서 우주가 24−16=8(번) 더 많습니다.

02 답 14번

수찬이의 줄넘기 평균 기록이 18번이므로 다섯 번의 기록의 총합은 18×5=90(번)입니다.

따라서 3회의 기록은

90−(35+10+7+24)=14(번)입니다.

03 답 570 cm

네 사람의 평균 키가 142.5 cm이므로 네 사람의 키의 합은 142.5×4=570(cm)입니다.

04 답 (1) = (2) >

(1) $\frac{37+43+34}{3}=\frac{114}{3}=38$

$\frac{42+47+25}{3}=\frac{114}{3}=38$

따라서 ○ 안에 알맞은 것은 =입니다.

(2) $\frac{32+39+30+15}{4}=\frac{116}{4}=29$

$\frac{29+28+31+20}{4}=\frac{108}{4}=27$

따라서 ○ 안에 알맞은 것은 >입니다.

05 답 30세

남자 회원의 평균 나이는 28세이므로 남자 회원의 나이의 합은 $5\times28=140$(세)이고,
여자 회원의 평균 나이는 31세이므로 여자 회원의 나이의 합은 $10\times31=310$(세)입니다.
따라서 전체 회원의 평균 나이는
$\frac{140+310}{5+10}=\frac{450}{15}=30$(세)입니다.

06 답 51 kg

남학생의 평균 몸무게는 54 kg이므로 남학생의 몸무게의 합은 $5\times54=270$(kg)이고,
여학생의 평균 몸무게는 46 kg이므로 여학생의 몸무게의 합은 $3\times46=138$(kg)입니다.
따라서 전체 학생의 평균 몸무게는
$\frac{270+138}{5+3}=\frac{408}{8}=51$(kg)입니다.

07 답 철수네 가족

철수네 가족의 평균 물 섭취량은
$\frac{430+750+2100+320}{4}=900$(mL)입니다.
영희네 가족의 평균 물 섭취량은
$\frac{320+680+700+1200+1500}{5}=880$(mL)입니다.
따라서 평균 물 섭취량이 더 많은 가족은 철수네 가족입니다.

08 답 38번

(어제까지 3일 동안 줄넘기 기록의 합)
$=30\times3=90$(번)
(오늘까지 4일 동안 줄넘기 기록의 합)
$=32\times4=128$(번)
따라서 은애는 오늘 줄넘기를 $128-90=38$(번) 했습니다.

09 답 수학: 91.5점, 과학: 81.5점

(수학, 과학 점수의 합)
=(5과목의 총점)−(국어, 영어, 사회 점수의 합)
$=(5\times82.3)-(90+75+73.5)=173$(점)
수학 점수의 십의 자리가 9이므로 과학 점수의 십의 자리 수는 8입니다.
따라서 과학 점수는 81.5점, 수학 점수는 91.5점입니다.

10 답 준서네 마을

(사과 1개당 가격)$=\frac{\text{(전체 가격)}}{\text{(사과의 개수)}}$입니다.
장수네 마을 과일 가게: $\frac{3000}{5}=600$(원)
윤아네 마을 과일 가게: $\frac{2500}{4}=625$(원)
준서네 마을 과일 가게: $\frac{1500}{2}=750$(원)
효리네 마을 과일 가게: $\frac{6500}{10}=650$(원)
따라서 준서네 마을 과일 가게의 사과가 가장 비싸다고 할 수 있습니다.

11 답 148 cm

여학생의 평균 키를 □cm라고 하면
$151=\frac{(3\times156)+(5\times\square)}{3+5}=\frac{468+(5\times\square)}{8}$
입니다.
$468+(5\times\square)=1208$, $5\times\square=740$, $\square=148$
따라서 여학생의 평균 키는 148 cm입니다.

12 답 1340000원

감귤나무 100그루에서 딴 감귤은 모두
$67\times100=6700$(개)입니다.
따라서 감귤나무 100그루에서 딴 감귤을 한 개에 200원씩 팔았다면 판 돈은
$200\times6700=1340000$(원)입니다.

13 답 12명

스쿨버스에 타는 전체 학생 수는
$42+41+40+44+43=210$(명)입니다.
(5대에 탔을 때 평균 학생 수)$=\frac{210}{5}=42$(명)
(7대에 탔을 때 평균 학생 수)$=\frac{210}{7}=30$(명)
따라서 버스를 7대로 늘리면 버스가 5대일 때보다 12명이 더 적습니다.

14 답 (왼쪽에서부터) 80, 100

(수학, 사회 성적의 합)
$=(91\times5)-(90+90+95)=180$(점)
수학 성적이 사회 성적보다 20점 높으므로
(수학 성적)$=(180+20)\div2=100$(점)
(사회 성적)$=100-20=80$(점)입니다.

15 답 68점

1반 학생들의 영어 시험 점수의 합은
$32\times75=2400$(점)이고,
2반 학생들의 영어 시험 점수의 합은
$28\times60=1680$(점)입니다.
따라서 1반과 2반 전체 학생의 영어 시험 평균 점수는
$\frac{2400+1680}{32+28}=\frac{4080}{60}=68$(점)입니다.

16 답 은희네 학교

학생 한 명당 사용하는 운동장 면적은 $\frac{(면적)}{(학생 수)}$입니다.
혜림이네 학교는 학생 한 명당 $\frac{6160}{560}=11(\text{m}^2)$의 운동장을 사용하고, 은희네 학교는 학생 한 명당 $\frac{7560}{630}=12(\text{m}^2)$의 운동장을 사용합니다.
따라서 운동장을 더 넓게 사용하는 학교는 은희네 학교입니다.

17 답 1회: 76점, 2회: 94점, 3회: 91점

(3회 점수)=(3회까지의 총점)−(2회까지의 총점)
이므로 $87\times3-85\times2=91$(점)입니다.
(1회 점수)=(3회 점수)−15이므로
$91-15=76$(점)입니다.
(2회 점수)=(2회까지의 총점)−(1회 점수)이므로
$170-76=94$(점)입니다.
따라서 수학 시험 점수는 각각 1회: 76점, 2회: 94점, 3회: 91점입니다.

18 답 104 cm

5번째까지의 평균 기록이 80 cm이므로 6번째까지의 평균 기록은 84 cm입니다.
(6번째 기록)=(6번째까지의 기록의 합)
−(5번째까지의 기록의 합)
이므로
$(84\times6)-(80\times5)=104$(cm)입니다.

20 일이 일어날 가능성

p. 93~95

›교과서 + 익힘책 유형

01 풀이 참조 **02** 풀이 참조 **03** 풀이 참조

04 (1) 말: 반반이다, 수: $\frac{1}{2}$ (2) 말: 확실하다, 수: 1
(3) 말: 불가능하다, 수: 0

›교과서 + 익힘책 응용 유형

05 ㉡, ㉠, ㉢ **06** 풀이 참조 **07** 서진

08 $\frac{3}{2}$ **09** ㉢ **10** 0

›잘 틀리는 유형

11 ㉢, ㉠, ㉡ **12** $\frac{1}{2}$ **13** $\frac{1}{2}$

14 ㉡, ㉢, ㉠ **15** ㉢, ㉡, ㉠ **16** $\frac{1}{2}$

01 답 풀이 참조

(1)

내일 아침에 서쪽에서 해가 뜰 것입니다.				
(불가능하다)	~아닐 것 같다	반반이다	~일 것 같다	확실하다

(2)

7월에 비가 내릴 것입니다.				
불가능하다	~아닐 것 같다	반반이다	(~일 것 같다)	확실하다

(3)

○, × 퀴즈의 정답을 맞출 것입니다.				
불가능하다	~아닐 것 같다	(반반이다)	~일 것 같다	확실하다

02 답

회전판에서 빨간색, 파란색은 각각 전체의 $\frac{2}{5}$이고, 노란색은 전체의 $\frac{1}{5}$이므로 빨강 40회, 파랑 40회, 노랑 20회인 표와 일이 일어날 가능성이 가장 비슷합니다.

회전판에서 빨간색은 전체의 $\frac{1}{2}$이고, 파란색과 노란색은 각각 전체의 $\frac{1}{4}$이므로 빨강 50회, 파랑 25회, 노랑 25회인 표와 일이 일어날 가능성이 가장 비슷합니다.

회전판에서 파란색은 전체의 $\frac{1}{2}$이고, 고, 빨간색과 노란색은 각각 전체의 $\frac{1}{4}$이므로 빨강 25회, 파랑 50회, 노랑 25회인 표와 일이 일어날 가능성이 가장 비슷합니다.

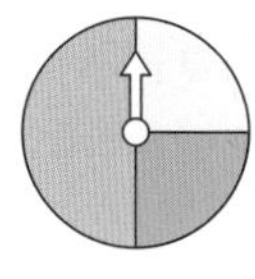

03 답 풀이 참조

(1)

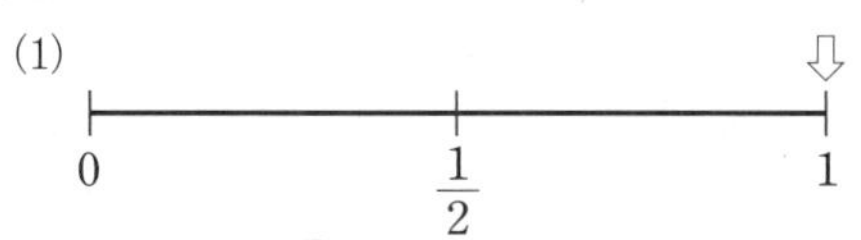

회전판 전체가 파란색인 회전판 ㉠을 돌릴 때 화살이 파란색에 멈출 가능성은 '확실하다'이므로 수로 표현하면 1입니다.

(2)

0 $\frac{1}{2}$ 1

파란색과 빨간색이 회전판의 반반씩 색칠된 회전판 ㉡을 돌릴 때 화살이 파란색에 멈출 가능성은 '반반이다'이므로 수로 표현하면 $\frac{1}{2}$입니다.

(3)

0 $\frac{1}{2}$ 1

파란색과 빨간색이 회전판의 반반씩 색칠된 회전판 ㉢을 돌릴 때 화살이 빨간색에 멈출 가능성은 '반반이다'이므로 수로 표현하면 $\frac{1}{2}$입니다.

04 답 (1) 말: 반반이다, 수: $\frac{1}{2}$ (2) 말: 확실하다, 수: 1 (3) 말: 불가능하다, 수: 0

(1) 동전을 던져서 그림 면이 나올 가능성은 '반반이다'이며 이를 수로 나타내면 $\frac{1}{2}$입니다.

(2) 주사위 눈의 수는 모두 10보다 작습니다.
따라서 주사위를 굴려서 나온 주사위 눈의 수가 10보다 작을 가능성은 '확실하다'이며 이를 수로 나타내면 1입니다.

(3) 1월 32일은 없습니다.
따라서 1월 32일에 해가 뜰 가능성은 '불가능하다'이며 이를 수로 나타내면 0입니다.

05 답 ㉡, ㉠, ㉢

㉠ 주사위를 던져 짝수의 눈이 나올 가능성 ⇨ $\frac{1}{2}$

㉡ 일요일의 다음 날이 월요일일 가능성 ⇨ 1

㉢ 흰색 공 1개와 파란색 공 3개가 들어 있는 주머니에서 공 1개를 꺼낼 때, 꺼낸 공이 노란색일 가능성 ⇨ 0

따라서 일이 일어날 가능성이 높은 것부터 차례대로 기호를 쓰면 ㉡, ㉠, ㉢입니다.

06 답 풀이 참조

예

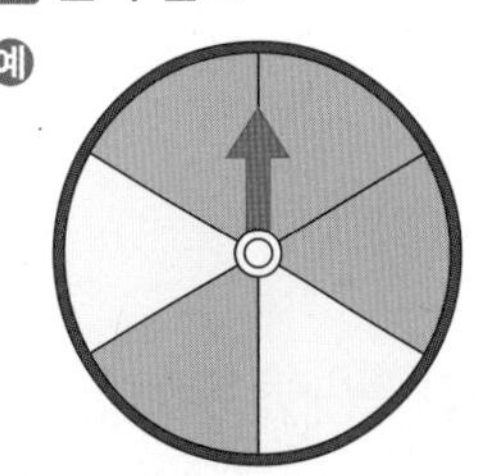

내일 해가 동쪽에서 질 가능성은 0입니다.
따라서 회전판을 돌릴 때 화살이 파란색에 멈출 가능성이 0이므로 회전판에 파란색은 칠하지 않아야 합니다.

07 답 서진

지구에 공기가 있을 가능성은 '확실하다'이며 이를 수로 나타내면 1입니다.
3월의 다음 달이 5월일 가능성은 '불가능하다'이며 이를 수로 나타내면 0입니다.
동전을 던져서 숫자 면이 나오는 가능성은 '반반이다'이며 이를 수로 나타내면 $\frac{1}{2}$입니다.
따라서 일이 일어날 가능성에 대해 바르게 말한 친구는 서진입니다.

08 답 $\frac{3}{2}$

㉠ 꺼낸 구슬이 파란색일 가능성은 $\frac{1}{2}$

㉡ 꺼낸 구슬이 파란색 또는 노란색일 가능성은 1

따라서 ㉠+㉡$=\frac{1}{2}+1=\frac{3}{2}$입니다.

09 답 ㉢

㉠ 숫자 2가 나올 가능성은 $\frac{1}{2}$

㉡ 숫자 1이 나올 가능성은 $\frac{1}{2}$

㉢ 숫자 0이 나올 가능성은 0

㉣ 홀수가 나올 가능성은 $\frac{1}{2}$

따라서 가능성이 다른 것은 ㉢입니다.

10 답 0

카드 4장 중 홀수 카드는 2장, 짝수 카드는 2장 있으므로 꺼낸 카드가 홀수일 가능성과 짝수일 가능성은 각각 $\frac{1}{2}$입니다.

따라서 두 가능성의 차는 $\frac{1}{2}-\frac{1}{2}=0$입니다.

11 답 ㉢, ㉠, ㉡

㉠ 빨간색 공 2개와 파란색 2개가 들어 있는 주머니에서 꺼낸 공이 파란색일 가능성은 $\frac{1}{2}$

㉡ 빨간색 공 4개가 들어 있는 주머니는 파란색 공이 없으므로 꺼낸 공이 파란색일 가능성은 0

㉢ 파란색 공 4개가 들어 있는 주머니에서 꺼낸 공이 파란색일 가능성은 1

따라서 꺼낸 공이 파란색일 가능성이 높은 것부터 차례대로 기호를 쓰면 ㉢, ㉠, ㉡입니다.

12 답 $\frac{1}{2}$

㉠ 한 여름 최고 기온이 0 ℃일 가능성은 0

㉡ 피아노에서 흰색 건반을 누를 가능성은 $\frac{1}{2}$

따라서 두 수의 차는 $\frac{1}{2}$입니다.

13 답 $\frac{1}{2}$

4개의 도형 중에 변의 개수가 6개보다 많은 도형은 2개입니다.

따라서 고른 도형의 변의 개수가 6개보다 많을 가능성은 $\frac{1}{2}$입니다.

14 답 ㉡, ㉢, ㉠

㉠ 주머니의 전체 공이 노란색이므로 공 1개를 꺼낼 때 노란색 공이 나올 가능성은 1

㉡ 주머니에 노란색 공이 없으므로 공 1개를 꺼낼 때 노란색 공이 나올 가능성은 0

㉢ 주머니에 노란색 공과 파란색 공이 반반 있으므로 공 1개를 꺼낼 때 노란색 공이 나올 가능성은 $\frac{1}{2}$

따라서 노란색 공이 나올 가능성이 낮은 것부터 차례대로 기호를 쓰면 ㉡, ㉢, ㉠입니다.

15 답 ㉢, ㉡, ㉠

㉠ 2보다 작은 수의 카드는 없으므로 뒤집은 숫자가 2보다 작을 가능성은 0

㉡ 홀수인 카드는 전체 중에 반이므로 뒤집은 숫자가 홀수일 가능성은 $\frac{1}{2}$

㉢ 10보다 작은 수의 카드는 전체이므로 뒤집은 숫자가 10보다 작을 가능성은 1

따라서 가능성이 높은 것부터 차례대로 기호를 쓰면 ㉢, ㉡, ㉠입니다.

16 답 $\frac{1}{2}$

주머니에 들어 있는 공은 12개입니다. 주머니에서 노란색 공이 아닌 공은 6개입니다.

따라서 주머니에서 공 한 개를 꺼낼 때, 노란색 공이 나오지 않을 가능성을 수로 나타내면 $\frac{1}{2}$입니다.

p. 96

경우의 수와 확률

주사위를 던질 때 일어나는 모든 경우의 수는 6입니다.

[1] 주사위를 던질 때 2의 눈이 나오는 경우의 수는 1이므로 구하는 확률은 $\frac{1}{6}$입니다.

[2] 주사위를 던질 때 3의 배수의 눈이 나오는 경우의 수는 3, 6의 2이므로 구하는 확률은 $\frac{2}{6}$입니다.

[3] 주사위를 던질 때 4 이하의 눈이 나오는 경우의 수는 1, 2, 3, 4의 4이므로 구하는 확률은 $\frac{4}{6}$입니다.

[4] 주사위를 던질 때 5 이상의 눈이 나오는 경우의 수는 5, 6의 2이므로 구하는 확률은 $\frac{2}{6}$입니다.

답 [1] $\frac{1}{6}$ [2] $\frac{2}{6}$ [3] $\frac{4}{6}$ [4] $\frac{2}{6}$